D0333635

DE GEHEIME ERFENIS

Van Mary Higgins Clark zijn verschenen:

Dood op de kaap en andere verhalen*
Dreiging uit het verleden*
Stille nacht*
Vaders mooiste*
Waar zijn de kinderen?*
Dodelijk ontwerp*
Geen tranen om een actrice*
Jou krijg ik nog wel!*
... heeft een meisje weggehaald*
Moord op afspraak*
Vergeet mij niet*
Het Anastasia syndroom en andere verhalen*
Maanlicht staat je goed*
Moord om middernacht*
Compositie in rood*
Verbinding verbroken*
Zondagskind*
Doe alsof je haar niet ziet*
Jij bent van mij*
Het donkerste uur*
De weduwe*
Het bloed kruipt*
Losgeld* (*samen met Carol Higgins Clark*)
De herrezen moordenaar*
De allerlaatste kans (*samen met Carol Higgins Clark*)
Horen, zien, zwijgen*
Met gebruik van keuken
Dubbele leugen*
Verdwenen in de nacht*
De stiefvader*
Gestolen goed (*samen met Carol Higgins Clark*)
Twee meisjes in het blauw*
Verloren bel
De spookmelodie
De verdwenen broer*
Neem mijn hart
De vijfde winnaar (*samen met Carol Higgins Clark*)
De geheime erfenis

*In POEMA POCKET verschenen

Mary Higgins Clark

De geheime erfenis

SIJTHOFF

Uitgeverij Sijthoff en drukkerij Bariet vinden het belangrijk om op milieuvriendelijke en verantwoorde wijze met natuurlijke bronnen om te gaan

This edition published by arrangement with the original publisher,
Simon & Schuster, Inc., New York

Oorspronkelijke titel: *The Shadow of Your Smile*
Vertaling: Els van Son
Omslagontwerp: Studio Jan de Boer
Omslagfotografie: Hollandse Hoogte BV

ISBN 978 90 218 1515 2
NUR 332

www.uitgeverijsijthoff.nl
www.boekenwereld.com
www.watleesjij.nu

Voor mijn jongste kind
Patricia Mary Clark
'Patty'
Met haar humor, veerkracht en charme
heeft ze ons bestaan opgefleurd

Met veel liefs

1

Maandagochtend zat Olivia Morrow tegenover haar oude vriend Clay Hadley, terwijl ze gelaten probeerde het doodvonnis dat hij net over haar had uitgesproken tot zich door te laten dringen.

Toen ze het medeleven in zijn ogen zag, moest ze haar blik even afwenden. Ze keek naar buiten door het raam van zijn praktijk op de vierentwintigste verdieping in East Seventy-second Street in Manhattan. In de kille ochtendmist van deze oktoberdag kon ze in de verte een helikopter een langzame reis boven de East River zien maken.

Mijn reis is ten einde, dacht ze, en besefte toen dat Clay op een reactie van haar zat te wachten.

'Twee weken,' zei ze. Het was geen vraag. Ze wierp even een blik op de antieke klok op de boekenkist achter Clays bureau. Het was tien over negen. De eerste dag van haar laatste twee weken. Gelukkig is het nog ochtend, dacht ze, blij dat ze had gevraagd om een vroege afspraak.

'Drie op z'n hoogst. Het spijt me, Olivia. Ik had gehoopt...' reageerde hij.

'Het hoeft je helemaal niet te spijten,' onderbrak Olivia hem gedecideerd. 'Ik ben tweeëntachtig. Mijn generatie leeft wel veel langer dan alle vorige, maar uiteindelijk gaan we allemaal dood: de laatste tijd leggen mijn vrienden en vriendinnen stuk voor stuk het loodje. Ons probleem is juist dat we bang zijn om té lang te leven en in een verpleegtehuis terecht te komen, of anders voor iedereen een vreselijke last te moeten betekenen. Nu ik weet dat ik nog maar korte tijd te leven heb, maar wel tot het einde in staat zal zijn om helder te denken en zonder hulp te lopen, is dat een geruststelling van onschatbare waarde.' Haar stem stierf weg.

Clay Hadleys ogen vernauwden zich. Hij zag de uitdrukking van serene kalmte op Olivia's gezicht veranderen in een van gepijnigde bezorgdheid en hij begreep waar ze aan dacht. Voordat ze ook maar iets had gezegd, wist hij al wat er ging komen: 'Clay, wij zijn de enige twee die het weten.'

Hij knikte.

'Hebben we wel het recht om de waarheid voor altijd verborgen te houden?' vroeg ze, terwijl ze hem doordringend aankeek. 'Mijn moeder dacht van wel. Ze wilde het geheim meenemen in haar graf, maar op het allerlaatst, toen alleen jij en ik nog bij haar waren, heeft ze het toch aan ons verteld. Het drukte allemaal te zwaar op haar geweten. En met alle goede daden die Catherine tijdens haar leven als non heeft verricht, is het altijd een smet op haar reputatie gebleven dat ze al die jaren geleden, vlak voordat ze het klooster in ging, waarschijnlijk een intieme relatie heeft gehad met een geliefde.'

Hadley bestudeerde Olivia Morrows gezicht. Zelfs de tekenen die nu eenmaal horen bij zo'n hoge leeftijd als zij had: de kraaienpootjes rondom haar ogen, de rimpels om haar mond, het lichte beven van haar hoofd en de manier waarop ze vooroverboog om alles te kunnen verstaan, deden weinig af aan haar knappe, verfijnde trekken. Hadleys vader was ook cardioloog geweest en een van zijn patiënten was Olivia's moeder – totdat hij was overleden en Hadley de taak van hem had overgenomen. Intussen was hij zelf in de vijftig en kon hij zich de tijd niet herinneren dat de Morrows geen deel hadden uitgemaakt van zijn leven. Als kind had hij Olivia bewonderd; zo klein als hij was, was het hem altijd opgevallen dat Olivia zo mooi gekleed was. Pas later had hij beseft dat ze op dat moment nog als verkoopster werkte bij B. Altman's, het beroemde warenhuis op Fifth Avenue, en dat ze zich haar stijl alleen had kunnen veroorloven vanwege de weggeefprijsjes aan het einde van het seizoen. Ze was nooit getrouwd en ze had carrière gemaakt. Jaren geleden was ze bij Altman's geëindigd als lid van de directie.

Haar oudere nicht Catherine had hij maar een paar keer ontmoet. Ze was toen al een levende legende: de non die zeven ziekenhuizen voor gehandicapte kinderen had gesticht – ziekenhuizen waar onderzoek werd gedaan naar nieuwe methoden en geneeswijzen om de lichamelijke en/of geestelijke beschadigingen van de kinderen te verlichten.

'Wist je dat de genezing van dat kindje met een dodelijke hersentumor door veel mensen wordt gezien als een wonder, dat wordt toegeschreven aan Catherine?' vroeg Olivia. 'Er is zelfs sprake van dat ze heilig zal worden verklaard.'

Clay Hadley had plotseling een droge mond. 'Nee, dat wist ik niet.' Hoewel hij zelf geen katholiek was, wist hij vaag dat het zou betekenen dat zuster Catherine in dat geval door de Kerk waardig was bevonden om door de gelovigen vereerd en aanbeden te worden.

'Dit betekent dat het onderwerp dat ze bevallen is van een kind weer uit de kast zal worden gehaald en aan alle kanten opnieuw bekeken zal worden. Dan komen al die vreselijke roddels weer naar de oppervlakte. En als dat gebeurt, is haar kans op heiligverklaring zo goed als zeker verkeken,' zei Olivia verontwaardigd.

'Olivia, er is een reden voor dat zowel zuster Catherine als je moeder nooit de naam van de vader van haar kind hebben genoemd.'

'Catherine heeft die naam nooit genoemd, maar mijn moeder wel.'

Olivia legde haar handen op de armleuningen van haar stoel, wat in Clays ogen betekende dat ze op het punt stond om te vertrekken. Hij stond op en liep met een verbazend lichte tred voor zo'n gezette man als hij om zijn bureau heen. Clay wist heel goed dat hij bij sommige van zijn patiënten de bijnaam de 'Corpulente Cardioloog' had. Met opgewekte stem en een twinkeling in zijn ogen gaf hij hun allemaal dezelfde raad: 'Neem geen voorbeeld aan mij en zorg dat je afvalt. Als ik zelfs maar kíjk naar een ijsje, dan kom ik al een pond aan. Dat is nou eenmaal mijn kruis in dit leven.' Het was een act die hij had geperfectioneerd. Nu nam hij Olivia's handen in de zijne en gaf hij haar voorzichtig een kus op haar wang.

Olivia trok onwillekeurig even haar hoofd terug op het moment dat ze zijn korte, grijs wordende baard over haar wang voelde strijken en retourneerde zijn kus toen snel om haar reactie te verbloemen. 'Clay, ik wil dat mijn gezondheidssituatie tussen ons blijft. De paar mensen die ik nog ken, zal ik gauw op de hoogte brengen.' Even hield ze haar mond dicht en toen vervolgde ze enigszins ironisch: 'Ongelofelijk gauw natuurlijk, anders is het te laat. Dat is duidelijk. Gelukkig heb ik geen familie meer.' En weer hield ze haar mond, omdat ze besefte dat dit niet waar was. Op haar sterfbed had haar moeder haar verteld dat Catherine, nadat ze had ontdekt dat ze zwanger was, een jaar naar Ierland was gegaan waar ze bevallen was van een zoon. De baby was geadopteerd door de Farrells, een Amerikaans stel uit Boston, dat was uitgekozen door de moeder-overste van het klooster waar Catherine bij hoorde. Het kind was Edward genoemd en hij was opgegroeid in Boston.

Olivia had altijd gevolgd hoe het met hem ging. Edward was pas op zijn tweeënveertigste getrouwd. Zijn vrouw was nu al lang geleden overleden en hij zelf was vijf jaar geleden gestorven. Monica, hun dochter, was nu eenendertig en werkte als kinderarts in het Greenwich Village Hospital. Catherine is mijn nicht, dacht Olivia, en haar kleindochter is dus ook familie van me. De enige familie die ik nog heb. Alleen weet ze niet dat ik besta.

Terwijl ze haar hand uit Clays greep losmaakte, merkte ze op: 'Monica lijkt zoveel op haar grootmoeder: ze besteedt al haar tijd aan de zorg voor zieke baby'tjes en kleine kinderen. Besef je wel wat al dat geld voor haar zou betekenen?'

'Olivia, geloof je niet in vergeven en vergeten? Kijk eens naar wat de vader van Catherines zoon met de rest van zijn leven heeft gedaan. Alle levens die hij heeft gered. En de familie van zijn broer staat bekend om al haar liefdadige projecten. Denk je eens in wat jouw onthulling voor gevolgen voor hen zou hebben.'

'Daar denk ik ook aan en daar zal ik een afweging over moeten maken. Maar Monica Farrell is de rechtmatige erfgenaam van het geld dat uit die patenten voortvloeit. Alexander Gannon was haar grootvader en in zijn testament heeft hij alles wat hij had nagelaten aan een eventuele afstammeling, en pas daarna aan zijn broer. Ik bel je nog, Clay.'

Dokter Clay Hadley wachtte tot de deur van zijn kantoor dicht was, pakte de telefoon en toetste een nummer in dat maar heel weinig mensen kenden. Toen een bekende stem antwoordde, verknoeide hij geen tijd aan beleefdheden. 'Het is precies waar ik al bang voor was. Ik ken Olivia... die houdt haar mond niet.'

'Dat kunnen we niet laten gebeuren,' zei degene aan de andere kant van de lijn zakelijk. 'Dus jíj moet ervoor zorgen dat ze haar mond wél houdt. Waarom geef je haar niet iets? Met haar medische conditie zal niemand vreemd opkijken als ze overlijdt.'

'Geloof het of niet, maar zo gemakkelijk is het niet om iemand te doden. En stel dat ze de bewijzen al wereldkundig maakt voordat ik haar kan tegenhouden?'

'In dat geval zorgen we voor dubbele zekerheid. Vandaag de dag is een overval met dodelijke afloop in Manhattan geen uitzondering meer. En zeker niet als dat een aantrekkelijke jonge vrouw overkomt. Ik ga het meteen regelen.'

2

Het was een kille herfstdag en dokter Monica Farrell rilde terwijl ze op de trappen van het Greenwich Village Hospital poseerde met Tony en Rosalie Garcia. Tony had Carlos in zijn armen, hun twee jaar oude zoontje dat zojuist genezen was verklaard van de leukemie die het kind bijna het leven had gekost.

Monica dacht terug aan de dag waarop Rosalie haar in paniek had opgebeld op het moment dat ze op het punt stond uit haar praktijk te vertrekken. 'Dokter, de baby heeft vlekjes op zijn buik.' Carlos was toen zes weken oud geweest. Zelfs voordat ze het kind had onderzocht, had Monica al het voorgevoel gehad dat het ging om de eerste symptomen van kinderleukemie. En later hadden diverse diagnostische tests haar vermoeden bevestigd. Carlos' overlevingskansen waren op z'n hoogst vijftig procent geweest. Monica had de huilende ouders ervan verzekerd dat vijftig procent genoeg was: de kleine Carlos was al zo'n sterk ventje dat hij het gevecht met de ziekte zou winnen.

'Nu een met Carlos in úw armen, dokter Monica,' riep Tony, terwijl hij de camera overnam van de voorbijganger die zo aardig was geweest een foto van hen te maken.

Monica strekte haar armen naar het tweejarige kind uit, terwijl Carlos zich in allerlei bochten wrong omdat hij er duidelijk genoeg van had om naar de camera te lachen. Dat zal me een foto worden, dacht ze, terwijl ze naar de camera zwaaide in de hoop dat het jochie haar voorbeeld zou volgen. Maar in plaats daarvan trok hij de speld los die haar haar in een paardenstaart bijeenhield, waardoor haar lange donkerblonde haar over haar schouders omlaag viel.

Na een haastig afscheid en 'God zegene u, dokter Monica, we hadden het nooit gered zonder u en tot ziens bij de controle,' vertrokken de Garcias met een laatste zwaai uit het raampje van de taxi. Toen Monica het ziekenhuis weer binnenging en naar de liften toe liep, probeerde ze al lopend de speld van haar paardenstaart weer vast te maken.

'Laat het maar loshangen, dat staat je goed,' merkte dokter Ryan Jenner op, terwijl hij naast haar kwam lopen. Jenner was neurochirurg en had, een paar jaar eerder dan Monica, op dezelfde universiteit gezeten als zij – het Georgetown Medical. Kortgeleden was hij in het Greenwich Village komen werken en Monica en hij waren elkaar al een paar keer tegengekomen en hadden dan even een praatje met elkaar gemaakt. Jenner droeg nu een groene schort en een plastic mutsje over zijn haar: hij kwam net uit de operatiekamer of was ernaar op weg.

Monica lachte en drukte op de liftknop voor de opgaande lift. 'O ja, dat zal wel. Dan moet ik jouw operatiekamer maar eens binnen komen wandelen met mijn losse haar, denk ik.'

De deur van de lift naar beneden ging open en Jenner stapte in. 'Misschien zou ik dat wel helemaal niet erg vinden,' reageerde hij nog.

Ja, ja. Je zou een hartaanval krijgen als ik dat deed, dacht Monica, terwijl ze de volle lift instapte. Ryan Jenner had ondanks zijn jeugdige gezicht en gulle lach nu al de naam dat hij een enorme perfectionist was en absoluut geen geduld had met nonchalante slordigheden in het werk. Zijn operatiekamer binnengaan zonder een kapje over je haar was gewoon ondenkbaar.

Toen Monica op de kinderafdeling uit de lift stapte, was het eerste wat ze hoorde het gejammer van een huilende baby. Dat moest Sally Carter zijn, een baby'tje van negentien maanden. Het feit dat haar moeder zo weinig bij het kind op bezoek kwam, maakte Monica woedend. Voordat ze naar Sally toe ging om te proberen haar te troosten, liep ze even langs het kantoortje van het afdelingshoofd. 'Nog geen teken van moederlief?' vroeg ze, en ze had er meteen spijt van dat ze haar afkeuring zo duidelijk liet blijken.

'Niet sinds gistermorgen,' antwoordde Rita Greenberg, al jarenlang afdelingshoofd van de kinderafdeling, even geïrriteerd als Monica had geklonken. 'Maar het is haar wel gelukt om een uurtje geleden te bellen en te vertellen dat ze op haar werk vastzat. Ze vroeg of Sally een goede nacht had gehad. Dokter, ik vind het allemaal maar vreemd, moet ik zeggen. Er klopt iets niet: die vrouw heeft nog minder gevoel voor haar kind in zich, dan de knuffelbeesten in de speelkamer. Gaat u Sally vandaag ontslaan?'

'Niet als ik niet weet wie er voor haar zorgt zolang haar moeder het daar te druk voor heeft. Sally is op de spoedeisende hulp binnengebracht met astma plus een longontsteking. Ik kan me niet voorstellen wat de moeder of de oppas moet hebben gedacht – om zo lang te wachten met het zoeken van medische hulp.'

Met het afdelingshoofd in haar kielzog liep Monica het kleine kamertje binnen, waar op dit moment maar één bedje stond. Sally was hierheen verhuisd omdat haar gehuil de andere baby's wakker hield. Nu stond ze rechtop in haar bedje en klemde ze zich verdrietig aan de zijkant ervan vast; haar lichtbruine krullen omlijstten haar behuilde gezichtje.

'Op deze manier krijgt ze straks nóg een astma-aanval,' zei Monica boos, terwijl ze haar armen uitstak en het kindje oppakte. Sally klemde zich aan haar vast en het huilen werd meteen minder. Even later snikte ze alleen nog een beetje en uiteindelijk was ze weer gekalmeerd.

'Mijn god, wat is ze toch dol op u, dokter, u hebt gewoon toverkracht!' merkte Rita Greenberg op. 'Er is niemand zo goed met die kleintjes als u.'

'Ach, Sally snapt gewoon dat ik haar vriendinnetje ben,' zei Monica. 'Laten we haar maar wat warme melk geven, dan valt ze hoop ik zo in slaap.'

Terwijl ze wachtte tot de verpleegster terug was, wiegde Monica de baby zachtjes op haar arm heen en weer. Dit zou je eigen moeder voor je moeten doen, dacht ze. Ik vraag me af hoeveel liefde je van haar krijgt als je thuis bent? Met haar kleine zachte handjes in Monica's nek begonnen Sally's oogjes al snel dicht te vallen.

Monica legde de slaperige baby terug in haar bedje en verschoonde haar natte luier. Toen draaide ze Sally op haar zij en legde ze een dekentje over haar heen. Plotseling kwam er een gedachte in haar op en in een impuls pakte Monica een wattenstaafje en haalde dat even langs de binnenkant van de wang van het kind. Toen was Rita Greenberg er alweer met een flesje warme melk.

Het was Monica in de afgelopen week opgevallen dat Sally's moeder de keren dat ze op bezoek was gekomen, steeds een bekertje koffie mee het kamertje in had genomen. En die beker had ze vervolgens iedere keer half leeggedronken op het nachtkastje naast Sally's bedje laten staan.

Het is maar een voorgevoel, hield Monica zichzelf voor. En het zou natuurlijk totaal tegen de regels zijn... In ieder geval zal ik Ms. Carter laten weten dat ik een gesprek met haar wil voordat ik Sally uit het ziekenhuis ontsla. Maar wat zou ik het DNA van de baby graag met dat op het koffiebekertje vergelijken... Ms. Carter zegt dat ze de biologische moeder is. En waarom zou ze daar eigenlijk over liegen? Nee, ik mag het niet stiekem doen, die DNA's met elkaar vergelijken. Gedecideerd gooide ze het wattenstaafje in de prullenbak.

Nadat ze haar andere patiëntjes nog een keer had gecheckt, ging Monica op weg naar haar praktijkruimte op East Fourteenth Street. Haar vermoeidheid verbloemend, zei ze om halfzes die middag gedag tegen haar laatste patiëntje; een jongen van acht met een oorinfectie.

Nan Rhodes, de vriendelijke, rondborstige receptioniste van in de zestig, was bezig haar bureau op te ruimen. Met haar nooit aflatende kalmte, die ze werkelijk nooit verloor – hoe hectisch het er in de wachtkamer ook aan toe ging, stelde ze de vraag waarvan Monica had gehoopt die nog een dagje voor zich uit te kunnen schuiven.

'Dokter, hoe denkt u over de vraag van het bisdom van New Jersey om als getuige op te treden in de hoorzitting over de heiligverklaring van die non?'

‘Nan, ik geloof niet in wonderen. Dat weet je. Ik stuur ze wel een kopie van de eerste hersenscan en de MRI. Daar zullen ze het mee moeten doen.’

‘Maar u dacht toch ook dat Michael O’Keefe vóór zijn vijfde verjaardag zou sterven aan die kwaadaardige hersentumor?’

‘Absoluut.’

‘En u raadde de ouders aan om met hem naar de Knowles Kliniek in Cincinnati te gaan, omdat dat het beste onderzoeksinstituut voor hersentumoren is, maar u wist eigenlijk al zeker dat uw diagnose daar bevestigd zou worden,’ hield Nan aan.

‘Nan, we weten allebei wat ik heb gezegd en hoe ik erover dacht,’ zei Monica. ‘Kom op, laten we er geen quiz van maken.’

‘En dokter, u hebt me ook verteld dat de vader zowat van zijn stokje ging, toen u de diagnose aan zijn ouders vertelde. Maar dat zijn moeder meteen zei dat ze haar zoon niet zomaar zou laten sterven. Dat ze al haar gebeden zou opdragen aan zuster Catherine, de non die die ziekenhuizen voor invalide kinderen heeft gesticht, en dat ze haar zou smeken om genezing.’

‘Nan, hoeveel mensen maken wij hier wel niet mee die weigeren te geloven dat een ziekte terminaal is? Dat komen we hier iedere dag tegen. De patiënten willen een *second opinion*. En een *third opinion*. En het liefst nog een. Ze willen meer onderzoeken. Ze melden zich aan voor risicovolle behandelingen. Soms wordt de onvermijdelijke uitslag op die manier uitgesteld, maar uiteindelijk is het resultaat altijd hetzelfde.’

Nans gezicht verzachtte terwijl ze naar de slanke, jonge vrouw keek. Monica’s houding verraadde duidelijk dat ze erg moe was. Nan wist dat de dokter die nacht naar het ziekenhuis had gemoeten omdat een van haar patiëntjes een toeval had. ‘Dokter, ik wil het u niet moeilijk maken, maar ik heb gehoord dat er wel mensen uit de medische staf van het Cincinnati zullen zijn om te getuigen dat Michael O’Keefe die tumor niet had moeten overleven. Op dit moment is hij helemaal kankervrij. Ik vind het uw plicht om te vertellen wat zijn moeder tegen u heeft gezegd op het moment dat u haar vertelde dat haar zoon niet beter zou worden, want dat was het moment waarop ze aankondigde een novene tot zuster Catherine te gaan bidden.'

'Nan, vanochtend heb ik Carlos Garcia ontslagen. Die is ook kankervrij.'

'Dat is niet hetzelfde en dat weet u best. We hebben een behandeling die kinderleukemie in bepaalde gevallen geneest. Maar die hebben we niet voor vergevorderde en uitgezaaide hersentumoren.'

Monica besefte twee dingen: het had geen zin om met Nan in discussie te gaan en daarbij wist ze diep in haar hart dat Nan gelijk had. 'Oké, ik ga wel. Maar dat zal die zogenaamde heilige weinig goeddoen. Wanneer is het de bedoeling dat ik hierover een getuigenis afleg?'

'Er is een monseigneur van het bisdom van Metuchen in New Jersey die je daarvoor moet spreken. Hij stelde volgende week woensdag in de middag voor. Toevallig heb ik op die dag na elven geen afspraken meer voor u staan.'

'Het zij zo,' gaf Monica toe. 'Bel hem maar terug om de afspraak te maken. Ben je klaar om te gaan? Dan druk ik op de knop voor de lift.'

'Ik kom meteen achter u aan. Wel heel toepasselijk wat u net zei, trouwens.'

'Dat ik op de knop van de lift ga drukken?'

'Nee, natuurlijk niet. Dat u zei: "Het zij zo."'

'Hoezo?'

'In de katholieke kerk betekent "het zij zo" hetzelfde als "amen". Vrij toepasselijk in dit geval, vindt u niet dokter?'

3

Het was nou niet bepaald een opdracht die hij leuk vond. De verdwijning van een jonge, vrouwelijke dokter in New York was voer voor de roddelpers en die zou het nieuws zeker tot op de laatste druppel uitmelken. Het betaalde goed, maar toch voelde Sammy Barber intuïtief dat hij de opdracht niet moest aannemen. Sammy was maar één keer gearresteerd en daarna bij het proces dat daarop volgde vrijgesproken, omdat hij een heel voorzichtige man was en nooit bewijzen van DNA op zijn slachtoffers achterliet. Daarvoor kwam hij niet dicht genoeg bij hen.
Sammy's slimme bruine ogen waren het opvallendste kenmerk in zijn smalle gezicht, dat niet leek te passen op zijn dikke vlezige nek. Hij was tweeënveertig, had spieren die de mouwen van zijn jasje deden opbollen, en werkte officieel als uitsmijter bij een club in Greenwich Village.
Nu zat hij, met een kop koffie voor zijn neus, aan een tafeltje in een tentje in Queens tegenover een mogelijke toekomstige opdrachtgever. Sammy had de man al uitgebreid bestudeerd; zoals gewoonlijk met een uitstekend oog voor alle details. Goed gekleed. In de vijftig. Heel knap om te zien. Zilveren manchetknopen met daarin de initialen D.L. Er was hem gezegd dat het niet nodig was dat hij de naam van de man kende, een telefoonnummer was voldoende.
'Sammy, je verkeert nauwelijks in de positie om te weigeren,' merkte Douglas Langdon vriendelijk op. 'Ik heb begrepen dat je nou niet direct in je geld zwemt met dat rotbaantje van je. En daarbij moet ik je eraan herinneren dat je nu in de gevangenis had gezeten, als mijn neef niet een deel van de jury had weten te beïnvloeden.'
'Ze hadden het toch niet kunnen bewijzen,' begon Sammy.
'Je weet niet wat ze hadden kunnen bewijzen en je weet nooit wat een jury zal beslissen.' De vriendelijkheid was nu uit Lang-

dons toon verdwenen. Hij schoof een foto over de tafel. 'Deze is vanmorgen bij het Village ziekenhuis genomen. De vrouw die dat kind vastheeft, is dokter Monica Farrell. Haar thuisadres en dat van haar kantoor staan op de achterkant.'

Voordat hij iets aanraakte, pakte Sammy een verfrommeld servetje en gebruikte dat om de foto mee op te pakken. Hij hield hem onder de smoezelige lamp die boven het tafeltje hing. 'Lekker stuk,' zei hij, terwijl hij de foto bestudeerde. Hij draaide de foto om, keek even naar de adressen en gaf hem toen weer, zonder dat hem dat was gevraagd, terug aan Langdon.

'Oké. Ik zal ervoor zorgen, maar ik wil deze foto niet bij me hebben als ik toevallig word aangehouden door de politie.'

'Zorg ervoor. En snel.' Langdon stopte de foto weer terug in de binnenzak van zijn jasje. Terwijl Sammy en hij opstonden, haalde hij zijn portefeuille tevoorschijn en pakte er een twintig dollarbiljet uit, dat hij op het tafeltje gooide. Sammy en hij hadden echter niet in de gaten dat de foto met de portefeuille mee uit zijn zak was gekomen en nu naar de vloer fladderde.

'Bedankt, meneer,' riep Hank Moss, de jonge ober, bij het zien van het twintig dollar biljet, terwijl Langdon en Sammy het etablissement door de draaideur verlieten. Op het moment dat Hank de lege koffiekopjes oppakte, viel zijn oog op de foto op de grond. Snel zette hij de kopjes weer neer, raapte de foto op en rende ermee naar de deur. Maar op straat viel geen van de twee mannen meer te bekennen.

Die foto is vast niet echt belangrijk, dacht Hank. Maar aan de andere kant had die vent wel een superfooi achtergelaten. Hij draaide de foto om en zag er twee adressen staan: een op East Fourteenth Street en de andere op East Thirty-sixth Street. Dat op Fourteenth was waarschijnlijk een werkadres en dat op East-Thirty-sixth had een appartementennummer. De foto deed hem even denken aan een bepaald soort post dat wel eens bij zijn ouders in Brooklyn op de mat viel. Voor het geval deze foto belangrijk is voor iemand, kan ik hem maar beter in een envelop doen en naar dat adres op Fourteenth Street sturen. Dat zal het kantoor wel zijn van de vent die die foto heeft laten vallen. Dan heeft hij hem in ieder geval weer, misschien is hij eraan gehecht.

Om negen uur die avond zat Hanks dienst erop. Hij liep naar het piepkleine kantoortje naast de keuken. 'Is het goed dat ik een envelop en een postzegel pak, Lou?' vroeg hij de eigenaar, die de bonnetjes van de kassa zat te tellen. 'Iemand heeft iets laten liggen.'

'Tuurlijk. Ga je gang. Ik trek die postzegel wel van je loon af.' Lou, de eigenaar, maakte een vreemd grommend geluid dat door moest gaan voor een lach. Normaliter was hij een type dat snel geïrriteerd was, maar die Hank mocht hij wel. Dat joch was een harde werker en kon goed met de klanten omgaan. 'Hier, neem deze maar.' Hij gaf Hank een envelop, die er snel het adres op schreef, en reikte hem daarna een postzegel aan.

Tien minuten later gooide Hank de envelop in een brievenbus die hij joggend passeerde onderweg naar zijn kamer op St. John's University.

4

Olivia was een van de eerste bewoners van Schwab House aan de West Side van Manhattan. Nu, vijftig jaar later, woonde ze er nog steeds. Het appartementencomplex was gebouwd op het terrein dat vroeger bij een enorme villa, Schwab House, van een rijke industrieel had gehoord. De projectontwikkelaar had besloten om de naam te behouden, in de hoop dat iets van de grandeur die de villa had omringd zou afstralen op haar uitgestrekte vervanging.

Olivia's eerste appartement was een eenkamerwoning geweest die uitkeek op West End Avenue. Terwijl ze langzaam maar zeker carrière maakte bij B. Altman and Company, was ze gaan uitkijken naar een grotere plek om te wonen. Eerst was ze van plan geweest om naar de East Side van Manhattan te verhuizen, maar toen er in Schwab House een driekamerappartement met een prachtig uitzicht over de Hudson vrijkwam, was ze er graag ingetrokken. Later, toen het gebouw een woningcoöperatie was geworden, had ze het appartement gekocht, omdat dit haar het gevoel gaf dat ze echt een thuis had. Voordat ze naar Manhattan was verhuisd hadden Regina, haar moeder, en zij in een klein huisje achter het huis van de familie Gannon op Long Island gewoond. Haar moeder had gewerkt als hun huishoudster.

In de loop van de jaren had Olivia de tweedehands meubeltjes waarmee ze begon, langzaam en weloverwogen vervangen. Ze had een goed oog voor kunst en design ontwikkeld, enerzijds door zelfstudie en anderzijds door haar aangeboren goede smaak. De crèmekleurige muren van het appartement vormden de achtergrond voor een hele reeks schilderijen die ze kocht op veilingen van landgoederen. En de kleuren in de antieke perzen in de huiskamer, slaapkamer en bibliotheek vormden het palet waaruit ze de tinten voor de gordijnen en de bekleding van de meubels had gekozen.

Iedere bezoeker die bij haar thuis kwam, vond de sfeer er warm, gezellig en vredig.

Olivia vond het er heerlijk. In alle hectische en competitieve jaren bij Altman was het appartement aan het einde van de dag altijd een veilig honk voor haar geweest, waar ze in haar brede clubfauteuil en met een glas wijn in haar hand kon ontspannen en alleen nog hoefde te genieten van de zonsondergang.

Zelfs veertig jaar geleden was dat al zo geweest, toen ze de verdrietigste periode van haar leven doormaakte en uiteindelijk het feit onder ogen had moeten zien dat Alex Gannon, de briljante arts en wetenschappelijke onderzoeker die ze oneindig liefhad, hun relatie nooit verder zou laten komen dan een hechte vriend-

schap... Het was Catherine geweest die hij altijd had gewild.
Na haar afspraak bij Clay ging Olivia rechtstreeks naar huis. Plotseling was ze alleen maar dood- en doodmoe: de vermoeidheid waarvoor ze twee weken geleden voor het eerst een consult bij de dokter had aangevraagd. Ze was zelfs bijna niet meer in staat zich om te kleden en ze dwong zichzelf haar kleren uit te doen en de warme kamerjas aan te trekken waarvan ze wist – daar was ze ijdel genoeg voor – dat die precies dezelfde tint blauw had als haar ogen.
Uit een klein, onbewust gebaar van protest tegen haar lot, besloot ze op de bank in de kamer te gaan liggen, in plaats van in haar bed. Clay had haar gewaarschuwd voor deze alles overrompelende moeheid: 'Tot je op een dag niet meer in staat zult zijn om op te staan.'
Maar nu nog niet, dacht Olivia, terwijl ze de plaid pakte die altijd op de poef aan de voet van de clubfauteuil lag. Moeizaam zakte ze op de bank neer, pakte een van de sierkussens, legde die op de plek voor haar hoofd en ging, met de plaid over zich heen getrokken, liggen. De oude dame zuchtte diep van verlichting.
Twee weken, maalde het door haar hoofd. Twee weken. Veertien dagen. Hoeveel uur is dat? Ach, dat doet er niet toe, dacht ze, terwijl ze in slaap sukkelde.
Toen ze wakker werd, zag ze aan de schaduwen in de kamer dat het laat in de middag moest zijn. Ik heb vanmorgen voordat ik naar Clay vertrok alleen maar een kopje thee gedronken, dacht ze. Ik heb wel geen honger, maar ik zal toch iets moeten eten. Dus sloeg ze de plaid terug en stond ze moeizaam op. Plotseling voelde ze een enorme behoefte om de envelop van Catherine nog eens te bekijken en vreemd genoeg was ze opeens bang dat de papieren op de een of andere manier uit de kluis in de werkkamer verdwenen zouden zijn.
Maar alles lag er natuurlijk nog gewoon: alle papieren zaten in een grote envelop die haar moeder slechts een paar uur voor

haar dood aan Olivia had gegeven. Catherines brieven aan mijn moeder, de brieven van de moeder-overste, een kopie van Edwards geboortebewijs, het gepassioneerde briefje dat *hij* aan haar moeder had gegeven met de vraag dat aan Catherine door te spelen.

'Olivia.'

Er was iemand in het appartement en die iemand kwam nu door de gang haar richting op gelopen. Clay. Olivia's handen beefden zo hevig dat ze de brieven en het geboortebewijs, zonder ze weer in de envelop te stoppen, gauw weer in de kluis deed, de deur dichtgooide en op de knop drukte die hem automatisch op slot deed.

'Ik ben hier, Clay,' riep ze, zonder een poging te doen de kille afkeuring te verbergen die in haar stem doorklonk.

'Olivia, ik was bezorgd om je. Je had beloofd dat je vanmiddag zou bellen.'

'Daar herinner ik me niets van. Heb ik dat echt beloofd?'

'Ja, dat heb je gedaan,' zei Clay hartelijk.

'Je hebt me nog twee weken gegeven en volgens mij zijn daar nog niet eens zeven uur van verstreken. Waarom heb je niet even gebeld en je laten aankondigen door de portier?'

Omdat ik hoopte dat je zou slapen en als dat zo was geweest, was ik gewoon weer vertrokken zonder je wakker te maken. Ach, waarom zeg ik niet gewoon de waarheid? Als ik de portier had laten bellen dat ik er was, had je me waarschijnlijk niet willen ontvangen en ik wilde je per se even zien. Ik heb je vanmorgen natuurlijk iets vreselijks mee moeten delen.'

Toen Olivia niet reageerde, voegde Clay Hadley er op vriendelijke toon aan toe: 'Olivia, je hebt me niet voor niets een sleutel gegeven, plus toestemming om hier binnen te komen, in het geval er misschien een probleem zou zijn.'

Olivia voelde haar irritatie over het feit dat hij zomaar opeens hier in haar appartement stond, langzaam verdwijnen. Clay had

natuurlijk gelijk. Als hij had gebeld zou ik hem hebben gezegd dat ik lag te slapen, dacht ze. Automatisch volgde ze zijn blik. Hij staarde naar de envelop die ze in haar hand had.
Vanaf de plek waar hij stond kon hij natuurlijk lezen wat haar moeder daarop had geschreven:
CATHERINE.

5

Monica woonde op de begane grond van een gerenoveerd pand in East Thirty-sixth Street. Het was een heerlijke straat met bomen en iedere keer wanneer ze thuiskwam, voelde het een beetje of ze een stap terug deed in de tijd: naar de negentiende eeuw, toen alle roodbruine bakstenen huizen nog privéwoningen waren. Haar appartement lag aan de achterkant van het gebouw, wat betekende dat zij de beschikking had over het aangrenzende plaatsje. Als het mooi weer was, genoot ze daar 's ochtends vroeg, vaak nog in haar badjas, van haar koffie of 's avonds na het werk van een glas wijn.
Na de discussie met haar receptioniste Nan over Michael O'Keefe, het jongetje met de aanvankelijk dodelijke hersentumor die nu als sneeuw voor de zon was verdwenen, had ze besloten te voet naar huis te gaan – iets wat ze vaak deed. De anderhalve kilometer van haar werk naar huis lopen was niet alleen goed voor de beweging, maar ook een uitstekende manier om de stress van de dag kwijt te raken.
Eten klaarmaken aan het einde van de dag vond Monica ook altijd een heerlijke ontspanning. De kookkunst had ze zich eigenhandig aangeleerd en onder haar vrienden waren Monica's culinaire talenten befaamd. Maar noch de wandeling, noch de heerlijke pasta met salade die ze die avond klaarmaakte, konden ervoor zorgen dat ze het onrustige gevoel dat haar dwarszat van

zich af kon zetten. Het was alsof er zich een donkere, dreigende wolk boven haar hoofd aan het verzamelen was.
Het is Sally, het baby'tje in het ziekenhuis, dacht ze. Ik zal haar morgen eigenlijk moeten ontslaan. En zelfs al zou ik de DNA's met elkaar vergelijken en al zou blijken dat Ms. Carter niet de moeder van Sally is, wat dan nog? Mijn eigen vader was geadopteerd. Ik kan me de ouders die hem hebben opgevoed nog maar nauwelijks herinneren, maar hij beweerde altijd dat hij zich niet kon voorstellen te zijn grootgebracht door andere mensen dan zij. Dan haalde hij altijd de dochter van Teddy Roosevelt, Alice aan. Roosevelt was als weduwnaar opnieuw getrouwd toen Alice twee jaar oud was. Ooit had een journalist haar gevraagd wat ze van haar stiefmoeder vond en daarop had ze stellig geantwoord: 'Ze is de enige moeder die ik ken en die ik ooit heb wíllen kennen.'
En als hij dat eenmaal had gezegd en nog eens benadrukte dat hij het totaal met Alice Roosevelt eens was en net zoveel van zíjn ouders hield als Alice van haar stiefmoeder, begon hij zich altijd af te vragen wie zijn echte, biologische ouders waren geweest. Hij had zo graag meer over hen geweten en de laatste paar jaar voor zijn dood was dat verlangen zelfs haast een obsessie voor hem geworden.
Sally was wel vreselijk ziek geweest toen ze op de spoedeisende hulp werd binnengebracht, en er was ook veel te lang gewacht voordat er medische hulp voor haar was gezocht, maar ze vertoonde geen enkel teken van mishandeling en was bovendien weldoorvoed. En daarbij was René Carter natuurlijk niet de enige moeder die haar kind aan een oppas overliet...
En het vooruitzicht een getuigenis af te moeten leggen over de genezing van Michael O'Keefes hersentumor, was een andere reden voor bezorgdheid. Ik geloof niet in wonderen, dacht Monica fel, maar daarna moest ze aan zichzelf toegeven dat Michael ten dode opgeschreven was geweest op het moment dat ze hem had onderzocht.

Toen ze eenmaal aan de koffie zat en als toetje een stuk verse ananas voor zich had staan, keek ze om zich heen en vond ze, zoals altijd, troost in haar omgeving.

Het was een kille avond en ze had de open gashaard hoog gedraaid. Ervoor stonden de kleine ronde tafel en de gestoffeerde stoel waar ze nu in zat. De flakkerende vlammen wierpen kleine lichtvlekjes op het antieke Aubussontapijt dat de grote trots van haar moeder was geweest.

Het gerinkel van de telefoon kwam als een onwelkome verstoring. Monica was doodmoe, maar omdat ze wist dat het een telefoontje van het ziekenhuis kon zijn over een van haar patiëntjes, sprong ze op en rende ze de kamer door. Ze nam op met: 'Dokter Farrell', voordat ze besefte dat het haar privénummer was waarop ze werd gebeld.

'En met dokter Farrell gaat het goed, hoop ik,' hoorde ze een mannenstem aan de andere kant vrolijk zeggen.

'Uitstekend, Scott,' antwoordde Monica op ijzige toon, terwijl er bij het horen van Scott Altermans stem een steek van ongerustheid door haar heen ging.

De vrolijke toon verdween. 'Monica, Joy en ik zijn uit elkaar. We zijn nooit een goede combinatie geweest, dat beseffen we nu allebei.'

'Dat spijt me voor jullie,' zei Monica. 'Maar dat heeft niets met míj te maken.'

'Het heeft juist alles met je te maken, Monica. Ik heb de kans partner te worden van een gerenommeerd advocatenkantoor op Wall Street. En ik heb besloten dat te doen.'

'Ik hoop dat je beseft dat er acht of negen miljoen mensen in New York wonen. Daar kun je wat mij betreft allemaal bevriend mee worden, als je mij maar met rust laat.' Monica verbrak de verbinding en begon toen, veel te veel van streek om rustig te kunnen zitten, de tafel af te ruimen. Staand voor de gootsteen nam ze het laatste slokje van haar koffie.

6

Toen Nan Rhodes die maandagavond voor het gebouw waar de praktijkruimte in gevestigd was afscheid van Monica had genomen, nam ze de bus naar Fifty-seventh Street voor haar maandelijkse etentje met vier van haar zussen in Neary's Pub.

Nan was zes jaar geleden weduwe geworden en haar enige zoon woonde in Californië met zijn gezin, dus had Nan het een godsgeschenk gevonden dat ze voor Monica kon gaan werken. Ze mocht Monica heel graag en tijdens deze etentjes had ze het vaak over haar. Ze was zelf een kind uit een gezin van acht en betreurde het vaak dat Monica geen broers of zussen had en dat haar ouders, ook allebei enig kind, al vroeg in de veertig waren geweest toen hun dochter werd geboren en nu allebei waren overleden.

Toen ze bij Neary's aan hun vaste hoektafeltje zaten en een aperitiefje voor zich hadden, roerde ze het onderwerp weer aan. 'Toen ik op de bus stond te wachten en dokter Monica in haar eentje zag weglopen dacht ik: arm kind, je hebt zo'n lange dag achter de rug en nou kun je nog niet eens je vader of moeder bellen om erover te vertellen. Het is zo ontzettend jammer dat er, toen haar vader in Ierland werd geboren, geen naam van die biologische ouders, al was het er maar één, is geregistreerd. Alleen de namen van de adoptiefouders, Anne en Matthew Farrell, staan op zijn geboortecertificaat vermeld. Haar vaders biologische ouders wilden er zeker van zijn dat ze niet te traceren waren, dat is wel duidelijk.'

Alle hoofden van de zussen gingen instemmend op en neer. 'Dokter Monica heeft zulke edele trekken, vind ik. Haar grootmoeder komt vast uit een heel goed milieu, wie weet zelfs wel een Amerikaanse familie,' merkte Peggy, Nans jongste zus op. 'Als in die tijd een ongetrouwd meisje zwanger raakte, werd ze weggestuurd. Ze was dan zogenaamd op reis, totdat de baby was geboren. Dan werd zo'n kindje geadopteerd en op die manier bleef de schande dat ze ongetrouwd zwanger was geworden voor iedereen verborgen.' Ze klikte met haar tong. 'Moet je nagaan: vandaag de dag zitten ongetrouwde vrouwen die een kind verwachten daar gewoon over op te scheppen op Twitter en Facebook.'

'Ik weet wel dat dokter Monica veel vrienden en vriendinnen heeft,' zei Nan met een zucht', terwijl ze de menukaart oppakte. 'Er zijn heel veel mensen dol op haar, maar dat is toch niet hetzelfde, vinden jullie wel? Familiebanden zijn nu eenmaal altijd het sterkst.'

De hoofden van haar zussen gingen weer instemmend op en neer. Peggy merkte nog op dat Monica Farrell zo'n knappe vrouw was en dat ze vast gauw iemand zou ontmoeten.

Nan veranderde van onderwerp. 'Weten jullie nog dat ik vertelde dat die non Catherine op de lijst staat om heilig verklaard te worden, vanwege dat jongetje dat ten dode was opgeschreven omdat hij een ongeneeslijke hersentumor had? De kanker is naar het schijnt nu helemaal verdwenen, nadat de moeder een novene tot zuster Catherine had gebeden!'

Dat wisten alle zussen nog, want ze knikten weer instemmend.

'Dat jochie was toch een patiëntje van dokter Monica?' vroeg Rosemary, de oudste zus.

'Ja. Hij heet Michael O'Keefe. Ik neem aan dat de Kerk vindt dat er genoeg bewijzen zijn dat het echt een wonder is wat er met hem is gebeurd. En vanmiddag heb ik dokter Monica kunnen overhalen om in ieder geval te gaan getuigen dat de moeder, toen ze van de dokter hoorde dat er niets meer aan te doen was, meteen zei dat ze ervoor zou zorgen dat haar zoon niet zou sterven en ze een novene aan zuster Catherine ging opdragen.'

'Maar als de moeder dat inderdaad heeft gezegd, waarom wilde dokter Monica er dan niet over getuigen?' vroeg Ellen, de middelste zus.

‘Omdat ze dokter is en wetenschapper en omdat ze nog steeds probeert een goede medische reden te vinden voor Michaels genezing.’

Liz, de serveerster die al dertig jaar bij Neary’s werkte, kwam bij hun tafel staan en vroeg: ‘Weten jullie al wat jullie willen eten, dames?’

Nan hield ervan om al heel vroeg, om zeven uur, op haar werk te zijn. Ze had maar weinig slaap nodig en het appartementencomplex waar ze sinds de dood van haar man woonde, lag op maar een paar minuten lopen van Monica’s praktijkruimte. Haar vroege start gaf haar de mogelijkheid alle post af te handelen en die nimmer aflatende stroom verzekeringspapieren in te vullen, voordat de wachtkamer volstroomde met patiënten.

Om kwart voor negen, precies op het moment dat Nan de binnengekomen post opende, kwam Alma Donaldson, de verpleegster, binnen. Alma was een knappe, donkere vrouw van achter in de dertig, met een oplettende blik en een warme glimlach. Ze werkte al vanaf de allereerste dag dat Monica haar praktijk vier jaar geleden was begonnen met haar samen. Samen vormden ze een uitstekend medisch team en ze waren bovendien al snel goed bevriend geraakt met elkaar.

Terwijl ze haar jas uittrok, viel haar de bezorgde blik op Nans gezicht op. De receptioniste zat een beetje wezenloos achter haar bureau met in haar ene hand een envelop en in de andere een foto. Zonder haar gewoonlijke, hartelijke begroeting, vroeg Alma meteen: ‘Wat is er aan de hand, Nan?’

‘Kijk dit eens,’ zei Nan.

Alma liep om het bureau heen en keek over Nans schouder naar de foto. ‘Een foto van de dokter met de kleine Carlos Garcia,’ zei Alma. ‘Toch schattig?’

‘Hij zat in een zwarte envelop,’ zei Nan gespannen. ‘En ik kan niet geloven dat zijn vader of moeder deze foto verstuurt, zonder een briefje of iets dergelijks erbij. En moet je dit zien.' Ze draaide de foto om. 'Iemand heeft het thuisadres en het kantooradres van de dokter op de achterkant geschreven. Ik vind het maar vreemd.'

'Misschien wist degene nog niet naar welk adres hij de foto wilde versturen,' zei Alma langzaam. 'Waarom bel je de Garcia's niet even om te vragen of zíj dit hebben verstuurd?'

'Ik wed dat zij het niet zijn geweest,' mompelde Nan en pakte de telefoon.

Rosalie Garcia antwoordde al na één keer overgaan. Nee, ze hadden geen foto opgestuurd en ze had geen idee wie dat wel zou hebben kunnen doen. Ze was wel van plan de foto die ze van de dokter en Carlos hadden genomen in te lijsten en dan naar haar op te sturen, maar ze had nog geen tijd gehad om een lijstje te kopen. Nee, het thuisadres van de dokter had ze niet.

Terwijl Nan het gesprek tegen Alma herhaalde, kwam Monica de praktijk binnen. De verpleegster en de receptioniste wisselden een blik van verstandhouding en na een knikje van Alma, stopte Nan de foto terug in de envelop en liet die in de la van haar bureau glijden.

Later zei Nan stilletjes tegen Alma: 'In mijn flat woont een gepensioneerde politierechercheur. Ik ga dit aan hem laten zien. Volgens mij is er echt iets vreemds aan de hand met deze foto.'

'Kan dat wel, dat je die foto niet aan de dokter laat zien?' vroeg Alma.

'De envelop was geadresseerd aan de "bewoner", niet met naam en toenaam aan haarzélf. Ik laat die foto natuurlijk later wel aan haar zien, maar eerst wil ik weten wat John Hartman ervan vindt.'

Die avond, nadat ze haar buurman eerst had gebeld, liep Nan de gang door naar zijn appartement. Hartman, een weduwnaar van een jaar of zeventig met staalgrijs haar en de door de zon gelooide huid van een golfer, hoorde eerst haar verontschuldigingen aan over het feit dat ze hem stoorde en vroeg haar toen

binnen. 'Ga zitten, Nan, je stoort me helemaal niet.'
Hij liep terug naar de fauteuil waar hij, aan de stapel kranten te zien die op de poef bij zijn voeten lag, had zitten lezen en hij draaide de dimmer van de lamp die ernaast stond op de hoogste stand. Nan keek ingespannen naar zijn gezicht, terwijl hij de foto en de envelop voorzichtig tussen zijn vingertoppen hield. Ze zag een frons op zijn voorhoofd verschijnen.
'Die dokter Farrell van jou is geen jurylid bij de een of andere rechtszaak, toch?'
'Nee, hoezo?'
'Misschien is hier een heel andere verklaring voor, maar bij de politie zouden we zoiets beschouwen als een waarschuwing. Heeft dokter Farrell vijanden?'
'Absoluut niet.'
'Voor zover jij weet natuurlijk, Nan. Je moet haar deze foto laten zien en dan zou ik graag met haar praten.'
'Ik hoop maar niet dat ze vindt dat ik me met haar zaken bemoei,' zei Nan ongerust, terwijl ze opstond. Ze aarzelde even. 'Het enige wat ik kan bedenken is dat ze af en toe wordt gebeld door iemand uit Boston. Hij heet Scott Alterman en hij is advocaat. Ik weet niet wat er tussen hen is gebeurd, maar als hij belt, wil ze hem nooit spreken.'
'Dat zou een goed begin kunnen zijn,' zei Hartman. 'Scott Alterman. Ik zal zijn achtergrond eens natrekken.' Hij aarzelde even en vroeg toen: 'Dokter Farrell is kinderarts, is het niet?'
'Ja.'
'Zijn er de laatste tijd patiëntjes van haar gestorven, misschien? Ik bedoel, is er een kindje onverwacht doodgegaan en zouden de ouders haar dat kunnen verwijten?'
'Nee, helemaal niet. Ze is juist gevraagd om te getuigen over een patiëntje dat ten dode opgeschreven was en niet alleen nog leeft, maar bij wie ook de hersentumor zomaar, zonder behandeling, helemaal is verdwenen.'

'Ik wist niet dat dat mogelijk was, maar in ieder geval zal díé familie de stalker van dokter Farrell niet zijn.' John Hartman verbeet zich. Dat woord had hij niet willen gebruiken, maar hij had een sterk voorgevoel dat het daarom ging: iemand vond het nodig de jonge dokter bij wie Nan werkte te stalken.
Hij stak zijn hand uit. 'Nan, geef me die foto nog eens. Heeft iemand, behalve jij, die foto in zijn handen gehad?'
'Nee.'
'Ik heb morgen toch niets bijzonders te doen, dus ik denk dat ik hiermee eens even langs het bureau ga om te zien of er nog duidelijke vingerafdrukken op te vinden zijn. Het zal wel tijd verknoeien blijken te zijn, maar je weet maar nooit. Je vindt het toch niet erg als ik jouw vingerafdrukken afneem, hè, alleen maar ter vergelijking. Het kost maar een minuutje en ik heb nog altijd een setje in mijn bureaula liggen.'
'Nee, natuurlijk niet.' Nan probeerde haar toenemende bezorgdheid te onderdrukken.
Een kleine tien minuten later was Nan weer terug in haar eigen appartement. John Hartman had beloofd om de avond daarop de foto weer terug te brengen. 'Je moet hem aan dokter Farrell laten zien,' zei hij. 'En je moet zelf maar beoordelen of je haar wel of niet vertelt dat je hem aan mij hebt laten zien.'
'Ik weet nog niet wat ik zal doen,' had ze geantwoord, maar nu ze de voordeur van haar appartement op slot deed en de knip ervoor schoof, bedacht ze hoe kwetsbaar Monica Farrell was in haar appartement. In de keukendeur naar het plaatsje zat een groot raam. Het zou heel eenvoudig zijn om daar een stuk glas uit te snijden, je hand naar binnen te steken en het slot open te draaien. Ik heb al eens tegen haar gezegd dat ze daar een veel steviger traliewerk voor moet laten zetten.
Nan sliep slecht die nacht. Ze had angstaanjagende dromen met verwrongen beelden van Monica op de trappen van het ziekenhuis met Carlos in haar armen en haar lange blonde haar los

over haar schouders. Langzaam veranderden de strengen haar in kronkelende tentakels die zich om Monica's hals krulden.

7

Pas laat in de middag van de dag na zijn afspraak met Sammy Barber, ontdekte de tweeënvijftigjarige Douglas Langdon dat de foto van Monica Farrell was verdwenen. Hij zat aan zijn bureau in zijn kantoor op de hoek van Park Avenue en Fifty-first Street, toen een steeds sterker wordend gevoel dat er iets mis was aan hem begon te knagen.

Met een blik op de deur om er zeker van te zijn dat die dicht was, stond hij op en begon hij de zakken van zijn dure maatpak leeg te maken. Zijn portefeuille zat altijd in de rechterachterzak van zijn broek. Hij trok hem tevoorschijn en legde hem voor zich op zijn bureau. In zijn achterzak trof hij verder alleen nog een schone witte zakdoek aan.

Maar ik had dit pak gisteren ook niet aan, dacht hij hoopvol. Ik droeg mijn donkergrijze pak. Toen herinnerde hij zich tot zijn spijt dat hij dat pak de avond daarvoor in de wasmand had gegooid, zodat de huishoudster het naar de stomerij kon brengen. Voor ik het in de wasmand gooide, heb ik alle zakken leeggemaakt, dacht hij. Dat doe ik altijd. De foto zat er niet in, want anders was ik die vanzelf tegengekomen.

Er was maar één moment geweest waarop hij zijn portefeuille uit zijn zak had moeten halen en dat was toen hij had moeten betalen voor de koffie gisteren. Dus moest hij of de foto toen per ongelijk ook mee tevoorschijn hebben getrokken, of moest die op de een of andere manier uit zijn zak zijn gevallen onderweg van het koffietentje naar de auto.

Stel je voor dat iemand die foto heeft gevonden, dacht hij. Er stonden twee adressen op de achterkant geschreven. Geen naam, maar wel twee adressen in míjn handschrift. Het overgrote deel van de mensen zou die foto zonder nadenken weggooien, maar stel dat die was gevonden door iemand die zo fatsoenlijk was om hem terug te willen geven aan degene van wie hij was?

Die foto kon problemen veroorzaken, dat was duidelijk. Dat koffietentje in Queens waar hij Sammy had ontmoet, heette Lou's. Hij pakte zijn telefoon en had even later Lou, de eigenaar, aan de lijn.

'Nee, we hebben geen foto hier... maar wacht even, een van de jongens die hier werkt had het gisteren over iets wat iemand had laten liggen. Ik zal hem even geven.'

Er gingen drie lange minuten voorbij en toen kwam Hank Moss aan de lijn. Hij begon met zijn excuus te maken. 'Ik moest nog even het eten naar tafel zes brengen. Sorry dat ik u heb laten wachten.'

De jongen klonk intelligent, vond Doug Langdon. Zelf probeerde hij nonchalant te klinken. 'Het is niet echt belangrijk, maar ik denk dat ik een foto van mijn dochter heb laten vallen. Gisteravond, toen ik bij jullie was en een kop koffie dronk.'

'Is uw dochter blond, met lang haar en hield ze een klein kind vast?'

'Ja,' zei Doug. 'Ik zal iemand die bij jullie in de buurt woont sturen om hem op te halen.'

'Ik heb die foto niet meer hier,' klonk Hank nu een beetje ontdaan. 'Ik zag dat een van de adressen die op de achterkant stonden geschreven van een kantoor was, dus heb ik hem daarheen opgestuurd. Ik hoop dat dat geen probleem is?'

'Nee, dat was heel attent van je. Bedankt.' Doug verbrak de verbinding. Hij merkte niet dat zijn handpalm plotseling helemaal zweterig was en zijn hele lichaam klam aanvoelde. Wat zou Monica Farrell denken als ze die foto onder ogen kreeg? Gelukkig stonden zowel haar huisadres als haar praktijkadres in het telefoonboek. Als haar thuisadres daar niet in had gestaan, zou ze misschien wel in de gaten hebben gehad dat ze werd *gestalkt*.

Maar er was natuurlijk een eenvoudige en voor de hand liggende oplossing: iemand die haar kende had die foto van haar en dat kind gemaakt en had gedacht dat zij het wel leuk zou vinden die foto te hebben.

'Dus zal ze het waarschijnlijk niet vreemd of verdacht vinden,' zei Doug hardop, in het besef dat hij zichzelf probeerde gerust te stellen.

Het gedempte gezoem van de intercom onderbrak zijn overpeinzingen. Hij drukte een knopje in. 'Wat is er?' vroeg hij knorrig.

'Dokter Langdon, Mr. Gannons secretaresse belde om u eraan te herinneren dat u hem vanavond zou introduceren bij het diner dat ter ere van hem wordt gegeven vanwege zijn hulp aan probleemjongeren...'

'Daar hoef ik niet aan herinnerd te worden,' onderbrak hij haar geïrriteerd.

Beatrice Tillman, zijn secretaresse, negeerde zijn interruptie. 'En Linda Coleman heeft gebeld dat ze vastzit in het verkeer en te laat zal zijn voor haar sessie om vier uur met u.'

'Als ze op tijd was vertrokken, had ze niet te laat hoeven te zijn.'

'Inderdaad, dokter,' reageerde Beatrice met een glimlach in haar stem. Ze was eraan gewend om haar aantrekkelijke en sinds lang gescheiden baas met vriendelijkheid uit een slecht humeur te moeten halen. 'Zoals u altijd zegt: "Met patiënten als Linda Coleman moet u straks zelf nog naar de psychiater."'

Douglas Langdon drukte zonder daarop te reageren op het knopje van de intercom. Er ging een huiveringwekkende gedachte door hem heen. Zijn vingerafdrukken stonden op die foto van Monica Farrell. Als haar iets overkwam en die foto ergens rondslingerde, zou de politie die misschien checken op vingerafdrukken.

Er was geen sprake van dat hij de opdracht aan Sammy zou kunnen intrekken. Hoe pak ik het dán aan? vroeg Doug zichzelf af.

Drie uur later, in het Pierre Hotel op Fifth Avenue, naast Greg Gannon aan het officiële diner ter ere van de grote filantroop, wist hij het nog altijd niet op het moment dat Greg hem zachtjes vroeg of de afspraak van de avond ervoor goed was verlopen.
Doug knikte alleen maar als antwoord en toen zijn naam een seconde later werd aangekondigd, stond hij op en liep hij naar de microfoon, waar hij een toespraak gaf ter ere van Gregory Gannon, de directeur van de Gannon Foundation, een van de grootste filantropische financiers in New York.

8

Die dinsdagochtend werd Olivia vroeg wakker, maar ze stond pas ongeveer een uur later op. In haar kamerjas liep ze de keuken in om de pot thee te zetten waarmee ze altijd de dag begon. Toen die klaar was zette ze de pot en een mok op een blad, droeg dat weer terug naar de slaapkamer, zette de hele boel op haar nachtkastje en, terug in bed en leunend in de kussens, staarde ze al theedrinkend uit over de Hudsonrivier.
Er ging van alles door haar hoofd. Ze wist dat er nog altijd boten aangemeerd lagen in de jachthaven op Seventy-ninth Street. Binnen een paar weken vanaf nu zouden de meeste daarvan verdwenen zijn, dacht ze, net als ikzelf. Ik heb me vaak afgevraagd hoe het zou zijn om een zeiltochtje te maken en dacht altijd dat ik dat nog wel eens zou doen.
Net als danslessen nemen, bedacht ze met een glimlach. En al die cursussen die ik ooit nog wel eens wilde gaan doen? Ach, dat doet er nou natuurlijk allemaal niet meer toe. Ik heb een succesvolle carrière achter de rug in een baan waarvan ik hield. En sinds ik met pensioen ben, heb ik veel gereisd. En ik heb een aantal hechte vriendschappen gehad waarvan ik heb genoten...
Terwijl ze de laatste slokjes thee nam, dwaalden haar gedachten

af naar haar grote probleem: wat moest ze nou met de bewijzen die in haar kluis lagen? Clay wil in ieder geval dat ik alles laat zoals het is, dacht ze, maar als het erop aankomt, heeft hij er niets mee te maken, zelfs al zit hij in de directie van de Gannon Foundation. Catherine was míjn nicht. En Clay had het recht niet om hier maandagavond zomaar binnen te komen wandelen, hoe bezorgd hij ook om me was.

Natuurlijk was ik het, na moeders overlijden, met hem eens dat we de zaak beter konden laten zoals hij was, bracht ze zichzelf in herinnering. Maar dat was vóór het wonder dat Catherine het leven van dat kleine jongetje heeft gered en voordat het proces van haar eventuele heiligverklaring in gang werd gezet.

Wat zou zíj hebben gewild? Even zag Olivia Catherines gezicht glashelder voor zich. Catherine op haar zeventiende, met haar lange blonde haar en haar blauwgroene ogen, die de kleur hadden van de zee op een mooie voorjaarsdag. Ook al was ik pas vijf jaar, ik besefte al heel goed dat ze bijzonder mooi was.

Opeens besefte ze iets: Clay heeft me gisteren met die envelop met Catherines naam erop in mijn hand zien staan. Ik heb hem benoemd tot de executeur van mijn testament. Dus als ik dood ben en dit niet op de een of andere manier heb opgelost, zou het me niets verbazen als hij de envelop met alles erin vernietigt, met het idee dat hij daarmee een goede daad verricht. Maar ís dat wel een goede daad?

Olivia stond op, nam een douche en kleedde zich in haar favoriete dagelijkse outfit: een broek met daarop een mooie blouse en een warm wollen vest eroverheen. Tijdens een boterham en een volgende kop thee probeerde ze te besluiten wat ze moest doen. Maar ze wist het nog steeds niet toen ze de ontbijtboel had opgeruimd en haar bed had rechtgetrokken.

Misschien zou het helpen als ze een bezoekje bracht aan Catherines graf in Rhinebeck, op het kerkhof van haar kloosterorde, St. Francis. Laat ik hopen dat ik daar een ingeving krijg over wat

Catherine zou hebben gewild, dacht Olivia. Het is wel een eind rijden, ruim twee uur, maar als we de stad eenmaal uit zijn is het landschap prachtig. Ik zal ervan genieten.

Een uur later zoemde haar intercom, ten teken dat haar chauffeur beneden in de hal was gearriveerd. 'Ik kom eraan,' zei ze.

Terwijl ze haar jas aantrok, aarzelde ze even, maar liep toen naar de kluis om de envelop met de papieren over Catherine eruit te halen. Ze liet het dossier in haar linnen schoudertasje glijden en met een opgelucht gevoel dat ze de papieren veilig bij zich had, verliet ze haar appartement.

De chauffeur bleek een vriendelijk uitziende, jonge man te zijn die zich aan haar voorstelde als Tony Garcia. Olivia vond dat hij iets vertrouwenwekkends had. Hij bood aan haar tas aan te nemen en schoof daarna een hand onder haar elleboog om haar de trap naar de garage af te helpen. Goedkeurend zag ze dat hij meteen het benzineniveau in de tank controleerde en opmerkte dat ze meer dan genoeg brandstof hadden voor de reis. Nadat hij haar eraan had herinnerd dat ze haar gordel om moest doen, concentreerde hij zich op het rijden. Op de Henry Hudson Parkway North was het druk. Zoals gewoonlijk, dacht Olivia wrang. Naast de envelop van Catherine, had ze ook een boek in haar tas gestopt. Een opengeslagen boek op je schoot, had ze ontdekt, was de beste manier om een praatgrage chauffeur te ontmoedigen.

Maar de volgende twee uur zei Garcia geen woord, totdat ze door de poort van het St. Francis klooster reden. 'Slaat u maar links af en rijdt u daarna de heuvel op, alstublieft,' zei ze. 'Daarachter ligt het kerkhof en daar wil ik heen.'

Het kerkhof, waar vier generaties nonnen van de franciscaanse orde begraven lagen, werd omheind door een houten hek. De brede entree had nu een groene omlijsting. Olivia herinnerde zich daar een overvloedige waterval van bloeiende rozen in de zomer. Maar op deze dag in oktober waren het alleen groene takken die hier en daar al bruin begonnen te worden. Garcia zette de auto stil op het met leisteen geplaveide pad en opende de deur, waarna Olivia uitstapte.

'Het duurt maar een minuut of tien à vijftien,' zei ze.

'Ik wacht hier op u, mevrouw.'

Op alle graven lag een steen met de naam van de overledene erin gebeiteld. Her en der over het kerkhof verspreid stonden bankjes waar de bezoekers even op konden uitrusten. Catherines graf lag tegenover zo'n bankje. Olivia liet zich op het bankje neerzakken en zuchtte ongewild heel diep. Zelfs zo'n klein stukje lopen maakt me al doodmoe, dacht ze, maar ik had het eigenlijk kunnen weten. Ze keek naar de letters op Catherines grafsteen. ZUSTER CATHERINE MARY KURNER: 6 SEPTEMBER 1917-3 JUNI 1977. R.I.P.

'R.I.P. Rest in Peace, ja, rust in vrede, Catherine, rust in vrede,' zei Olivia zachtjes. 'O, Catherine, je was mijn nicht, mijn zusje, mijn voorbeeld.'

Ze dacht terug aan de tragedie die hun levens met elkaar had verstrengeld. Jane en David Kurner, Catherines ouders, en Olivia's vader, waren alle drie gedood bij een auto-ongeluk, toen een dronken tegenligger frontaal met hen in botsing kwam. Dat was een maand voordat ik werd geboren, dacht Olivia. Catherine was enig kind en net twaalf geworden. Ze was bij Olivia en haar moeder in huis gekomen en van wat Olivia ervan had gehoord, was ze de steun en rechterhand van haar moeder geworden. Haar moeder had haar verdriet nauwelijks aangekund en Catherine was degene die haar erdoorheen had gesleept.

Olivia voelde de bekende steek van verdriet toen haar gedachten naar Alex Gannon afdwaalden. 'O god, Catherine, hoe sterk je je roeping ook voelde, hoe kon je nou níét van hem houden?' fluisterde Olivia in de stilte voor zich uit.

Alex' ouders, de Gannons. Olivia wilde maar dat ze zich de gezichten van de mensen die zo vriendelijk voor haar moeder wa-

ren geweest beter voor de geest kon halen. Ze hadden erop gestaan dat Olivia's moeder hun huishoudster werd en in het huisje op het landgoed in Southampton kwam wonen, nadat haar vader, die jarenlang hun chauffeur was geweest, was omgekomen.
Ik was toen pas vijf, dacht Olivia, maar ik herinner me nog heel goed dat Alex en zijn broer bij ons op de veranda met je kwamen kletsen, Catherine. Zelfs toen al vond ik Alex een jonge god. Hij zat op de artsenopleiding in New York en ik weet nog heel goed dat mama tegen je zei dat je gek was om in het klooster te willen, terwijl het duidelijk was dat hij je verafgoodde. Lang voordat het gebeurde, weet ik nog dat ze tegen je zei: 'Catherine, je begaat een vergissing. Alex wil jóú. Hij wil met je trouwen. Je komt in geen honderd jaar meer zo iemand tegen als hij. Zeventien is niet te jong om te trouwen. En waarom geef je het niet gewoon toe? Je bent verliefd op hem. Ik zie het in je ogen. Ik zie het als je naar hem kijkt.'
En toen zei jij: 'En zeventien is ook niet te jong om te weten dat ik een roeping heb, een andere weg op moet. Dit is niet hoe mijn leven moet gaan. En daar blijf ik bij.'
Olivia voelde de tranen achter haar ogen prikken. Zes maanden later was Catherine naar het klooster vertrokken, was haar moeder hertrouwd en waren ze naar de stad verhuisd. Maar toen de oude Mrs. Gannon stierf, zijn moeder en ik naar de begrafenis geweest en hebben we daar Alex weer gezien. Dat is intussen ook alweer meer dan veertig jaar geleden.
Olivia beet op haar onderlip, zodat die ophield met trillen en ze kneep haar handen hard in elkaar. 'O, Catherine,' fluisterde ze verdrietig, 'hoe heb je hem toch op kunnen geven en wat moet ik nu doen? Ik heb de brief die Alex aan mijn moeder heeft gegeven met de vraag of ze ervoor wilde zorgen dat jíj hem kreeg, de brief waarin hij je om vergeving smeekt. Zal ik die verscheuren en het geboortebewijs van je zoon ook? Of zal ik alles aan je kleindochter geven? Wat wil je dat ik doe?'

Het plotselinge zachte geritsel van de bladeren die uit de bomen op de grond vielen, haalde Olivia uit haar gepeins en ze besefte dat ze het koud had. Het is al bijna vier uur, dacht ze. Ik kan maar beter weer naar huis gaan. Wat had ik eigenlijk verwacht? Nóg een wonder? Dat Catherine tot leven zou komen en me raad zou geven? Moeizaam, met stijve knieën, stond ze op en met een laatste blik op Catherines graf, liep ze langzaam weer terug naar de uitgang. Tony Garcia moest naar haar hebben uitgekeken, want hij stond al naast de auto en hield het portier voor haar open.

Olivia stapte weer achterin, dankbaar voor de warmte, maar zonder het gevoel dat ze nu dichter bij een oplossing was. Op de terugweg was het veel drukker op de weg en Olivia was onder de indruk van de manier waarop Garcia rustig en bekwaam chauffeerde. Toen ze haar afslag van de Henry Hudson Parkway naderden, gaf ze hem een compliment en vroeg: 'Tony, werk je fulltime als chauffeur? Want als dat zo is, zou ik voortaan als ik bel graag willen vragen of jíj mijn chauffeur zou kunnen zijn.'

Ik zou er eigenlijk aan toe moeten voegen dat dat nog maar voor een paar weken zal zijn, dacht ze triest, in het besef dat ze even was vergeten hoe kort ze nog maar te leven had.

'Nee, mevrouw, ik werk eigenlijk als ober in het Waldorf. De uren die ik daar werk geef ik door aan de chauffeursservice, zodat ze weten wanneer ik beschikbaar ben.'

'Wat een ambitie!' zei Olivia, en dacht aan de tijd toen ze net bij Altman was begonnen en altijd had willen overwerken.

Garcia keek haar via de achteruitkijkspiegel aan en zei: 'Dat is het niet echt, mevrouw. Ik heb enorm hoge doktersrekeningen te betalen. Twee jaar geleden werd er leukemie bij mijn zoontje geconstateerd. U kunt zich wel indenken hoe mijn vrouw en ik eraan toe waren toen we dat hoorden. Onze dokter vertelde me dat Carlos een kans van vijftig procent op genezing had en dat vond ze een goede kans. Twee dagen geleden kregen we de einduitslag van de behandeling van mijn zoontje: hij is helemaal kankervrij!'

Garcia voelde in zijn zak en viste er een foto uit die hij aan Olivia gaf. 'Dit is mijn Carlos, met de dokter die hem heeft behandeld.'

Olivia staarde vol ongeloof naar de foto. 'Dat is Monica Farrell!' riep ze uit.

'Kent u haar?' vroeg Tony benieuwd.

'Nee, nee, dat niet,' antwoordde Olivia, maar voordat ze zich in kon houden flapte ze er al uit: 'Maar ik kende haar grootmoeder.'

Toen ze nog maar een paar straten van de garage verwijderd waren, pakte Olivia haar zwartlinnen schoudertasje en zei: 'Tony, wil je alsjeblieft even stoppen langs de kant van de weg? Ik heb graag dat je deze tas in de kofferbak legt. Er ligt een deken in, leg hem daar maar onder, graag.'

'Natuurlijk.' Zonder te laten merken dat hij verbaasd was over haar verzoek, deed Garcia wat Olivia hem had gevraagd en reed haar daarna verder naar huis.

9

Greg Gannon kwam met het laatste bewijs van zijn goedgevigheid zijn kantoor in het Time Warner Center op Columbus Circle binnen. 'Waar zullen we dit eens neerzetten, Esther?' vroeg hij de secretaresse die al sinds mensenheugenis voor hem werkte, terwijl hij voor haar bureau bleef stilstaan en de trofee uit de doos haalde.

Het eerbetoon aan hem was een glazen prisma van Tiffany van ongeveer tien centimeter hoog. Er stond iets in gegraveerd.

'Ziet eruit als een ijsklontje,' merkte hij lachend op. 'Zal ik hem bewaren voor mijn volgende martini?'

Esther Chambers glimlachte beleefd. 'Ik zet hem in de vitrinekast. Bij de rest, Mr. Gannon.'

‘Es, stel je toch voor dat ik het loodje leg. Hoe moet dat dan met al die dingen? Wie zou ze in vredesnaam willen hebben?’

Het was een retorische vraag en Esther gaf geen antwoord, terwijl Gannon zijn privékantoor binnenliep. Je vrouw wil ze in ieder geval niet en je zoons gooien ze in de vuilnisbak, dacht ze, terwijl ze het prisma oppakte. En ik wed dat ze er gisterenavond ook niet bij was op dat diner van je. Toen zette ze de trofee met een onwillekeurige zucht weer terug op haar bureau. Ik zet dat ding straks wel in de trofeeënkast, dacht ze terwijl ze de inscriptie las. VOOR GREGORY ALEXANDER GANNON TER ERE VAN ZIJN VRIJGEVIGHEID AAN DEGENEN DIE DAT HET MEEST NODIG HEBBEN.

Alexander Gannon, dacht Esther, terwijl ze instinctief een blik wierp op de deur naar de receptie van de Foundation, waar een portret van Gregs oom de ruimte domineerde. Dat was de medische wetenschapper wiens geniale uitvinding van kunstonderdelen om knieën, heupen en enkels te vervangen, de basis vormde van het familiefortuin.

Hij is dertig jaar geleden gestorven, zonder te beseffen hoeveel goed zijn uitvinding zou doen, dacht Esther. Ik weet nog dat ik hem ontmoette toen ik hier kwam werken. Hij was zo knap, zelfs op zijn zeventigste nog. En hij liep kaarsrecht, met die onvergetelijke blauwe ogen van hem, en zijn zilverwitte haar. Hij heeft niet lang genoeg geleefd om mee te maken hoe succesvol zijn patenten waren. Die patenten zijn nu verlopen, maar de Gannons hebben er jaren en jaren honderden miljoenen dollars door ontvangen. De familie heeft tenminste wát van dat geld in de Gannon Foundation gestopt, maar ik betwijfel of wijlen Alexander Gannon de manier waarop zijn nazaten leven zou hebben goedgekeurd.

Maar ja, het zijn natuurlijk mijn zaken niet, bracht ze zichzelf in herinnering, terwijl ze weer achter haar bureau ging zitten. Ondanks dat blijf ik me afvragen...

Zoals altijd wanneer Greg weer een trofee ter ere van zijn zogenaamde goedheid meebracht, verviel Esther, in de zestig, met een hoekig figuur en een onbuigzame houding die daar wonderlijk goed bij paste, even in gepeins.

Vijfendertig jaar geleden was ze begonnen bij de kleine beleggingsmaatschappij die Gregs vader had opgericht. Het kantoor zat destijds in een mindere buurt van Manhattan en het bedrijf was zieltogend geweest, totdat de medische uitvindingen van Alexander Gannon een stortvloed aan geld en erkenning had doen losbarsten. De beleggingsmaatschappij had gefloreerd en het inkomen door de patenten had het leven van de familie Gannon compleet veranderd.

Greg was toen pas achttien geweest, dacht Esther. Maar híj had na de dood van zijn vader de beleggingsmaatschappij én het liefdadigheidsfonds – de Gannon Foundation – tenminste nog voortgezet. Zijn broer Peter deed niet meer dan het geld opmaken: aan de ene mislukte Broadway-musical na de andere, die iedere keer meteen na de première alweer van het toneel verdwenen. Wat een geweldige producer! Als iemand wist hoe vreselijk weinig ze, in vergelijking tot wat ze hebben, aan goede doelen besteden, zou het meteen afgelopen zijn met al die dankbare verering.

Gek toch, die twee jongens. Jongens, zei ze sarcastisch tegen zichzelf. Mannen van middelbare leeftijd zijn het! Maar het is gek dat Peter alle uiterlijke knapheid lijkt te hebben geërfd in de familie. Hij zou nog steeds filmster kunnen worden met dat gezicht van hem, die grote bruine ogen en zijn overvloedige charme. Geen wonder dat de dames voor hem in katzwijm lagen. En nog steeds, durf ik te wedden, dacht ze.

Greg is aan de andere kant zijn pubervet nooit ontgroeid en hij ziet er net zo gewoontjes uit als Peter knap is. En nu begint hij ook nog kaal te worden. Over zijn lengte had hij al de nodige frustraties. Het is natuurlijk niet echt eerlijk. Maar geen van tweeën kunnen ze in mijn ogen ook maar típpen aan hun vader, en al helemaal niet aan hun grootvader.

Ach, ik kan er maar beter aan denken dat ik goed betaald word, een mooi kantoor heb en een dik pensioen krijg als ik eraan toe ben. Wat dat betreft zouden er heel wat mensen in mijn schoenen willen staan.

Esther begon de stapel post door te nemen die op haar bureau lag. Zíj was degene die de eindeloze stroom verzoeken om een bijdrage bekeek en de geschikte die daartussen zaten doorstuurde naar de directie. Die bestond uit Greg en Peter Gannon, dokter Clay Hadley, dokter Douglas Langdon en sinds acht jaar ook uit Pamela, Gregs tweede vrouw.

Soms was ze in staat om kleine smeekbeden, zoals ze ze noemde, van onbekende ziekenhuizen of andere goede doelen door te spelen en gehonoreerd te krijgen, maar over het algemeen werden alleen de verzoeken ingewilligd waarbij de naam Gannon prominent op de gevel van een ziekenhuis of een kunstcentrum zou komen te prijken en de vrijgevigheid van de Foundation dus niet onopgemerkt zou blijven. De laatste paar jaren werden er echter steeds minder giften gehonoreerd.

Ik vraag me af hoeveel geld er werkelijk nog over is van dat hele fortuin, dacht ze.

10

Maandagnacht had Monica nauwelijks geslapen vanwege het telefoontje van Scott Alterman. En dinsdagnacht was al precies hetzelfde. Haar eerste gedachte bij het wakker worden, die woensdagmorgen om zes uur, was aan hem. Hij meent het niet serieus, dacht ze. Daar had ze zichzelf heel de vorige dag ook al van proberen te overtuigen. Het moet bluf zijn. Hij geeft echt zijn praktijk in Boston niet op om hierheen te verhuizen.

Of wel? Scott is een briljante jurist. Pas veertig jaar en hij heeft nu al een landelijke reputatie, omdat hij met succes een hele reeks politici heeft verdedigd. En daardoor kan hij natuurlijk overal waar hij maar wil aan de slag. Dus waarom zou hij níét naar New York komen?

Maar stel dát hij verhuist, dan is het toch zo dat hij me nauwelijks heeft lastiggevallen in de afgelopen vier jaar. Af en toe een telefoontje en een of twee keer een bos bloemen, die hier in het appartement werd afgeleverd. Dat is alles, probeerde ze zichzelf gerust te stellen. Met die gedachte stapte ze onder de douche, trok daarna een roodbruine trui met een bijpassende broek aan en deed een paar kleine pareloorbellen in haar oren. Eigenlijk moet ik die oorbellen uit laten, dacht ze, de baby's proberen ze altijd vast te pakken. Tijdens haar ontbijt van koffie en cornflakes begon ze weer te piekeren over Sally Carter. Gisteren heb ik het nog weten te rekken en haar niet uit het ziekenhuis ontslagen, maar vandaag moet ik dat wel doen, tenzij ze plotseling koorts heeft gekregen.

Monica was om kwart over acht in het ziekenhuis om haar ochtendronde te doen. Ze liep eerst even langs het kamertje van Rita Greenberg. 'Sally's temperatuur is normaal en ze eet goed. Wilt u haar ontslagpapieren ondertekenen, dokter?' vroeg Rita.

'Daarvoor wil ik eerst nog even met Sally's moeder praten,' zei Monica. 'Ik heb vanmiddag een druk programma in de praktijk. Zou je Ms. Carter kunnen bellen om te zeggen dat ik haar nog wil spreken voordat ik Sally uit het ziekenhuis laat gaan? Ik ben hier om twaalf uur weer terug.'

'Ik heb gisteren een boodschap op haar voicemail ingesproken om te zeggen dat u Sally uit voorzorg nog een dagje hield. Ik neem aan dat ze die boodschap heeft gehoord. Maar ik zou het niet weten want, geweldige moeder die ze is, heeft ze niet de moeite genomen om even op bezoek te komen bij haar dochtertje. Ik heb het nog nagevraagd bij de avonddienst. Ze is niet geweest. Dat mens is me ook een kouwe, zeg!'

Ontmoedigd liep Monica het kleine kamertje binnen waar Sally's bedje stond. Ze lag op haar zij te slapen met haar handjes onder haar wangetje. Haar lichtbruine krullen vielen over haar voorhoofd en langs haar oortjes. Het kindje sliep gewoon door terwijl Monica's ervaren handen haar onderzochten en ze haar beluisterde of ze een reuteltje of een piepje in haar longen hoorde. Niets.

Opeens had Monica een enorme behoefte om Sally op te pakken, zodat het baby'tje in haar armen wakker zou worden. Maar in plaats daarvan draaide ze zich abrupt om, liep het kamertje uit en ging ze verder met haar ronde. Al haar kleine patiëntjes deden het goed. Niet zo goed als Carlos Garcia die voorlopig de dans was ontsprongen, of zoals Michael O'Keefe, die drie jaar geleden al gestorven had moeten zijn.

In de gang naar de liften kwam ze Ryan Jenner tegen, die haar vanuit de tegenovergestelde richting tegemoet kwam lopen. Vanmorgen droeg hij een wit jasje. 'Geen operaties, vandaag, dokter?' vroeg ze in het voorbijgaan.

Ze had een terloopse 'niet vandaag'-reactie over zijn schouder verwacht, maar Jenner bleef stilstaan. 'En geen loshangende blonde lokken?' reageerde hij. 'Monica, dit weekend komen er een paar vrienden uit Georgetown over. Vrijdag geef ik een borrel bij mij thuis en daarna gaan we naar een Thais restaurant. Genine Westervelt en Natalie Kramer komen ook en die zouden het leuk vinden je weer eens te zien. Heb je zin om te komen?'

Een beetje van haar stuk door zijn onverwachte invitatie, reageerde ze wat aarzelend: 'Tja...'

Maar toen besefte ze dat ze gewoon werd uitgenodigd om bij te kletsen met haar vroegere medestudenten en niet op een afspraakje met een man. 'Ik zou het enig vinden om Genine en Natalie weer eens te zien.'

'Oké. Ik mail je wel.' Jenner liep met grote stappen door en Monica liep verder in de richting van de lift. In een impuls keek ze

even om en ontmoette tot haar schaamte zijn blik, omdat hij hetzelfde deed.
Schaapachtig knikten ze nog een keertje naar elkaar, terwijl ze tegelijkertijd hun pas versnelden en allebei een andere kant uit gingen.

Precies om twaalf uur was Monica weer terug in het ziekenhuis voor haar afspraak met René Carter, die pas om halfeen arriveerde, zich blijkbaar niets aantrekkend van het feit dat ze te laat was. Ze droeg een duur olijfgroen pakje met een kort jasje erover, een zwart coltruitje, zwarte kousen en onmogelijk hoge hakken. Ze zag eruit als een model dat op het punt staat de catwalk op te stappen. Haar korte koperkleurige haar omlijstte haar knappe gezicht, dat nog mooier was door haar perfecte make-up. *Die gaat echt niet naar huis om voor Sally te zorgen*, schoot het door Monica heen. *Ze zal wel ergens gaan lunchen. Ik vraag me af hoeveel tijd ze eigenlijk aan dat arme kindje besteedt.*
Een week geleden was Sally binnengebracht door een oudere oppas. René Carter was pas een uur later gearriveerd, in avondjurk en vol verdedigende excuses dat de baby prima in orde was geweest toen ze die ochtend thuis was weggegaan en dat ze zich niet had gerealiseerd dat haar mobiele telefoon uitgeschakeld stond.
Monica zag nu dat René, zelfs met make-up, ouder was dan ze die avond had geleken. Geen meisje meer, maar minstens vijfendertig, vermoedde ze.
René Carter werd vandaag vergezeld door een nerveus uitziend meisje van een jaar of twintig, dat zich voorstelde als Kristina Johnson, Sally's nieuwe oppas.
Carter deed geen poging zich te excuseren voor het feit dat ze te laat was. En ook deed ze, tot Monica's verdriet, geen enkele poging de kleine Sally op te pakken. 'Ik heb de andere oppas ont-

slagen,' vertelde ze met een haast toonloze stem. 'Ze had me niet verteld dat Sally al de hele dag had liggen hoesten. Maar ik weet zeker dat Kristina niet zo stom zal zijn. Ze heeft uitstekende referenties.'

Carter richtte zich tot Kristina: 'Kleed jij Sally vast aan, terwijl ik met de dokter praat.'

Sally begon meteen te jammeren toen Monica, gevolgd door René Carter, haar kamertje uit liep. Monica draaide zich niet om naar het kind. In plaats daarvan waarschuwde ze René ernstig dat ze op haar hoede moest zijn voor Sally's allergische reacties. Ze had een triest gevoel dat Sally straks meegenomen zou worden door deze blijkbaar ongeïnteresseerde moeder. 'Hebt u huisdieren, Ms. Carter?' vroeg ze.

Na een lichte aarzeling zei René Carter geruststellend: 'Nee, daar heb ik echt geen tijd voor, dokter Farrell.' Toen luisterde ze ongeduldig naar Monica die haar het belang van het onderkennen van de eerste symptomen van astma uitlegde.

'Ik begrijp het, dokter, en ik wil graag dat u voortaan optreedt als Sally's kinderarts,' vervolgde ze haastig, toen Monica haar ter afsluiting vroeg of ze alles had begrepen. Toen riep ze naar het kamertje: 'Kristina, schiet eens op. Ik heb haast.'

En vervolgens tegen Monica: 'Er staat een auto buiten op me te wachten, dokter,' legde ze uit. 'Om Sally en Kristina af te zetten bij mijn appartement.' Toen, omdat ze blijkbaar iets in de uitdrukking op Monica's gezicht zag, vervolgde ze: 'Ik ga mee en ik zorg er natuurlijk voor dat Sally lekker in haar bedje ligt voordat ik weer wegga.'

'Natuurlijk. Ik bel u vanavond even om te horen hoe het met Sally gaat. U bent toch zeker wel thuis, dan?' vroeg Monica, en het interesseerde haar geen zier dat haar stem ijskoud en vol afkeuring klonk. Ze wierp een blik op de papieren die voor haar lagen. 'Dit is toch het juiste nummer, hè?'

René Carter knikte ongeduldig, terwijl Monica het nummer oplas. Toen draaide ze zich om en liep ze haastig Sally's kamertje binnen. 'In vredesnaam, Kristina,' snauwde ze. 'Schiet op! Ik heb niet de hele dag de tijd.'

11

Hij is op het oorlogspad, dacht Esther Chambers toen Greg Gannon die woensdag na de lunch met grote stappen haar kantoor door liep, zonder haar te begroeten. Wat zou er sinds vanochtend gebeurd zijn? vroeg ze zich af. Ze keek hem na terwijl hij zijn privékantoor binnenliep en de papieren die ze voor hem in orde had gemaakt oppakte. Even later stond hij aan haar bureau. 'Ik heb geen tijd gehad om dit door te nemen,' bromde hij. 'Weet je zeker dat alles in orde is?'

Het liefst had ze hem een sneer teruggegeven en gevraagd: 'Wanneer is er de laatste vijfendertig jaar iets niet in orde geweest?' Maar in plaats daarvan beet ze op haar lip en antwoordde ze zachtjes: 'Ik heb het twee keer nagecheckt, meneer.'

Met toenemende afkeer keek ze hem na terwijl hij met grote stappen weer wegbeende door de dubbele glazen deuren en de gang naar de vergaderzaal van de Gannon Foundation in liep. Hij maakt zich zorgen, dacht Esther. Maar waar moet híj zich nou zorgen over maken? Zijn fondsen leveren stuk voor stuk een goed rendement op. Maar ondanks dat is hij de helft van de tijd in een rothumeur. Ik heb er schoon genoeg van, dacht ze moedeloos, hij wordt steeds erger. Met een steek van boosheid herinnerde ze zich hoe Greg, vijfentwintig jaar geleden toen zijn vader nog maar nauwelijks in zijn graf lag, had aangekondigd dat hij de kantoren van zowel de beleggingsmaatschappij als de Foundation naar het uiterst luxueuze gebouw op Park Avenue wilde verhuizen. En dat was ook het moment geweest waarop hij haar had gezegd dat hij het beter vond 'ten opzichte van de cliënten' als ze hem aansprak met 'Mr. Gannon' in plaats van met 'Greg'. Tegenwoordig zaten ze zelfs nog luxueuzer in het Time Warner Center op Columbus Circle. 'Pa was de held van de kleine man, maar ik heb geen zin meer in de bakker, de slager en de kruidenier als cliënt,' had hij afwijzend gezegd.

Niet dat het geen goede beslissing bleek te zijn geweest om zich op de grote cliënten te richten, maar daarom hoefde hij nog niet zo denigrerend over zijn vader te praten, vond Esther. Hij kan dan wel een succesvolle zakenman zijn, maar in mijn ogen is het duidelijk dat hij daarmee nog niet gelukkig is. Met al die enorme bezittingen van hem en zijn nieuwe, jonge vrouw. Zijn jonge trofee. Ik durf te zweren dat de eerste woorden die dat mens ooit heeft gezegd 'ik wil' zijn geweest. Zijn zoons praten niet eens meer met hem vanwege de botte manier waarop hij hun moeder aan de kant heeft gezet voor een groen blaadje. En zijn broer en hij zitten op dit moment waarschijnlijk weer te bekvechten in de directievergadering.

'Ik heb het helemaal gehad met die twee.' Dat had ze per ongeluk hardop gezegd en Esther keek snel om zich heen of iemand haar had gehoord, maar er was natuurlijk verder niemand in haar kantoor. Maar ondanks dat voelde ze haar wangen warm worden. Op een dag vertel ik ze nog eens eerlijk hoe ik erover denk en dat zou heel onverstandig zijn, waarschuwde ze zichzelf.

Maar waarom blijf ik hier eigenlijk hangen? Ik kan het me permitteren met pensioen te gaan en als ik mijn appartement hier in New York verkoop, kan ik me een huis in Vermont veroorloven, in plaats van daar in de zomer een paar weken iets te huren. De jongens vinden het heerlijk om te skiën of te snowboarden. En Manchester is een prachtig stadje...

Onwillekeurig ontspanden haar lippen zich in een glimlach, terwijl ze aan de puberkleinkinderen van haar zus dacht waar ze zo dol op was. Alsof het haar eigen kleinkinderen waren.

Geen beter moment dan dít moment, dacht ze kordaat, terwijl ze

haar bureaustoel een halve slag draaide, zodat ze voor haar computer kwam te zitten. Met een brede grijns op haar gezicht begon ze aan een nieuwe file, die ze 'doei, Gannons' noemde. Vastberaden begon ze te typen: 'Beste Mr. Gannon, Na vijfendertig jaar is het tijd...'
En even later eindigde ze met: 'Indien u wenst zal ik u de komende maand gaarne bijstaan bij het vinden van een goede vervanging, tenzij u er prijs op zou stellen dat ik op een eerder tijdstip het bedrijf verlaat.'
Esther ondertekende de brief en met het gevoel alsof er een enorm gewicht van haar schouders was genomen, stopte ze hem in een envelop. Precies om vijf uur deponeerde ze de envelop op het bureau van Greg Gannon. Ze wist dat hij na de directievergadering naar alle waarschijnlijkheid nog even zijn kantoor binnen zou lopen om te kijken of er belangrijke berichten voor hem waren en het leek haar beter als hij tot morgenochtend, wanneer ze elkaar weer zouden zien, de tijd zou hebben om te wennen aan het feit dat ze ontslag had genomen. Hij houdt niet van veranderingen. Tenzij het zíjn idee was, dacht ze. En ik wil niet dat hij me overhaalt, of liever gezegd min of meer dwíngt, om langer dan een maand te blijven.
Toen ze wegging, zat de receptioniste aan de telefoon. Esther zwaaide even naar haar en nam de lift naar de begane grond, terwijl ze probeerde te bedenken of ze nog iets nodig had uit de supermarkt die daar zat. Nee, ik heb alles wel, besloot ze. Ik ga meteen naar huis.
Genietend van de kou en de harde windvlagen, liep ze over Broadway naar haar appartementengebouw tegenover het Lincoln Center. Sommige mensen vinden het veel te koud om in de winter in Vermont te wonen, maar ik hou juist van kou, dacht ze. Ik zal de drukte van de stad misschien missen, maar je kunt nou eenmaal niet alles hebben.
Beneden in haar appartementengebouw ging ze eerst langs de

conciërge om haar post op te halen. 'Er zitten twee heren op u te wachten, Ms. Chambers,' vertelde de man haar.
Verbaasd keek Esther naar het zitgedeelte van de lobby. Er kwam een keurig geklede man met donker haar naar haar toe lopen. Op zachte toon, zodat de conciërge hem niet kon verstaan zei hij: 'Ms. Chambers, ik ben Thomas Desmond van de Securities & Exchange Commission. Mijn collega en ik zouden u graag willen spreken.' Hij overhandigde haar zijn kaartje en vervolgde: 'Indien mogelijk in uw appartement, waar we niet de kans lopen dat iemand ons gesprek hoort.'

12

Sammy Barber was geen succesvolle huurmoordenaar geworden door impulsief te handelen. Op de meest omzichtige manier die maar mogelijk was, begon hij de dagelijkse gangen van Monica Farrell na te gaan. Binnen een paar dagen wist hij vast te stellen dat ze nooit later dan halfnegen bij het ziekenhuis arriveerde en daar twee van de drie dagen om vijf uur nóg een keer langsging. Twee keer nam ze de bus vanuit het ziekenhuis naar haar praktijkruimte en de andere dag liep ze allebei de afstanden.
Ze was een snelle wandelaar viel hem op, liep met lange, gracieuze stappen op haar laaggehakte laarzen. Hij dacht niet dat het zou lukken om haar onder een bus te duwen. Ze stond nooit te wachten op een stoeprand en probeerde ook nooit nog gauw door het op rood springende licht over te steken.
Vrijdagochtend om acht uur zat hij in zijn auto aan de overkant van de straat van het gerenoveerde roodbruine bakstenen gebouw waar ze woonde. Hij had de buurt al afgezocht en wist dat er een schutting van ongeveer anderhalve meter plus een smal steegje aan de achterkant van haar appartementengebouw la-

gen. Het was de begrenzing met het identieke gebouw erachter. Waarschijnlijk zou hij achterlangs het beste haar huis binnen kunnen dringen.

Toen Monica om tien over acht die morgen haar huis verliet, wachtte Sammy totdat ze veilig en wel in een taxi was weggereden voordat hij uit zijn auto stapte en de straat overstak. Hij was gekleed in een sweatshirt met capuchon, had handschoenen aan en droeg een zonnebril. Schuin over zijn borstkas hing een stevige canvas tas waaruit (lege) dozen staken. Op die manier zou iedereen denken dat hij een koerier was.

Sammy opende de deur naar de vestibule van Monica's appartementengebouw. Met opzet hield hij zijn gezicht afgedraaid van de beveiligingscamera's. Even later wist hij al wat hij wilde weten: er waren acht bellen met namen ernaast, twee appartementen per verdieping en Monica Farrell woonde in 1B. Dat zal waarschijnlijk het achterste appartement op de begane grond zijn, dacht hij. Met een gehandschoende hand drukte hij op de bel van een van de bewoners op de vierde verdieping. Toen hij meldde dat hij een pakketje had, ging de deur naar het gebouw open. Snel zette hij zijn tas in de deuropening zodat de deur open bleef, liep weer terug de vestibule in en drukte nogmaals op de bel van de vierde verdieping. Na zijn excuses aan de bewoonster te hebben gemaakt omdat hij op de verkeerde bel had gedrukt – het pakketje was voor de bewoner van 3B, waarvan hij de naam vanaf het bordje naast de bel aan haar voorlas.

Geïrriteerd vertelde ze hem dat hij de volgende keer beter moest opletten.

Die komt er niet, die volgende keer, dacht Sammy, terwijl de deur naar de centrale hal achter hem dichtviel. Geluidloos liep hij de lange, smalle gang naar appartement 1B af, om te gaan bekijken hoe Monica's appartement in elkaar zat. Net toen hij een van de lopers aan zijn sleutelbos op het slot in haar voordeur wilde proberen, hoorde hij plotseling het gebrom van een stofzuiger opklinken uit haar appartement. Haar werkster is er, schoot het door hem heen.

Abrupt draaide hij zich om en liep haastig weer terug de gang door. In de centrale hal zag hij dat er een lift onderweg was naar beneden. Hij moest nu natuurlijk geen bewoners tegen het lijf lopen die zich hem later misschien zouden herinneren, dus maakte hij zich snel uit de voeten. Eenmaal buiten bedacht hij dat hij eigenlijk wel genoeg wist over Monica Farrells woonsituatie: haar appartement lag op de begane grond aan de achterkant. En dus hoorde het plaatsje achter het gebouw bij haar woning. Er zou natuurlijk een achterdeur naar dat plaatsje zijn. En er is geen slot dat ik niet open kan krijgen, dacht Sammy tevreden.

Ja, dat is de beste manier, overwoog hij kil. Een uit de hand gelopen inbraak. Een indringer die blijkbaar op tilt is geslagen omdat dokter Farrell wakker was geworden. Zoiets gebeurt iedere dag.

Maar toen hij weer in zijn auto zat en de koerierstas op de achterbank gooide, voelde hij zich somber worden. Als fanatieke internetter had hij alles wat hij maar kon vinden over Monica Farrell uitgeprint. Ze was dan wel geen beroemdheid, maar dat betekende niet dat ze zomaar een doorsnee arts was: Monica Farrell had een aantal belangrijke artikelen over kindergeneeskunde geschreven en daarmee zelfs verschillende prijzen gewonnen.

Waarom zou hij de opdracht hebben gekregen om haar te vermoorden? Wie zou zoiets willen? En waarom? vroeg Sammy zich af. Doe ik het eigenlijk niet voor te weinig geld? Terwijl hij met brandende ogen van vermoeidheid terugreed naar zijn appartement aan de Lower East Side, was dat de vraag die door zijn hoofd bleef zeuren. Hij was doodop: eerst had hij gewoon van negen uur ’s avonds tot vier uur ’s nachts zijn werk als uitsmijter gedaan en daarna was hij meteen naar Monica’s apparte-

ment gereden om de eventuele kans niet te missen dat ze door het ziekenhuis zou worden opgeroepen voor een spoedgeval.
Hij was erop voorbereid geweest dat ze eruit moest: gekleed in een donker pak met das, met een vals identiteitsbewijs bij zich waaruit bleek dat hij werkte als chauffeur voor een limousineservice – voor het geval dat ze snel naar het ziekenhuis moest en in de eerste auto die beschikbaar was wilde stappen, in plaats van te moeten wachten op een officiële taxi.
Ik hou met iedere mogelijkheid rekening, dacht Sammy. Hij trok zijn sweatshirt en spijkerbroek uit en liet zich op zijn bed vallen, te moe om zich verder uit te kleden.

13

Dokter Clay Hadley, cardioloog, en dokter Douglas Langdon, psychiater, hadden samen op de universiteit gezeten en de jaren daarna veel contact met elkaar gehouden. Nu waren ze beiden begin vijftig en gescheiden en maakten ze deel uit van de directie van de Gannon Foundation. Ze waren het met elkaar eens dat de Foundation in handen van Greg en Peter Gannon moest blijven.
Clay was als beginnend arts ooit door Regina, de moeder van Olivia Morrow, voorgesteld aan de Gannons en had toen meteen begrepen dat het ontwikkelen van een hechte vriendschapsband met Greg en Peter alleen maar in zijn voordeel kon uitpakken. Kort daarna had hij zichzelf in de directie van de Foundation weten te manoeuvreren. Later had híj de Gannons weer aan Langdon voorgesteld en gesuggereerd dat hij een uitstekende vervanger voor een van de vrienden van de oude Mr. Gannon zou zijn, die met pensioen ging en zich terugtrok uit de directie van de Foundation.
Die vrijdagavond had hij met Langdon voor een borrel afgesproken in het Hotel Elysée op East Fifty-fourth. Ze kozen een

rustig tafeltje uit om ongestoord met elkaar te kunnen overleggen. Duidelijk nerveus en zich ervan bewust dat hij steeds weer de neiging had om door zijn haar te strijken en hij daardoor een onverzorgde en warrige indruk zou maken, klemde Clay bewust zijn handen stevig in elkaar en legde hij ze voor zich op de tafel. Ongeduldig wachtte hij totdat de serveerster hun martini's had gebracht en weer buiten gehoorsafstand was en zei toen zachtjes en gespannen: 'Ik ben erachter gekomen waar Olivia laatst is geweest.'

Even zachtjes, maar uiterst kalm, vroeg Langdon: 'Hoe heb je dat voor elkaar gekregen?'

'Een van de onderhoudsmedewerkers van het gebouw waar ze woont, heeft me getipt dat ze afgelopen dinsdag in de centrale hal met een chauffeur is gezien en daarna ongeveer de hele middag weg is geweest. Ik heb de man wijsgemaakt dat ik me veel zorgen maak om Olivia's gezondheid en hem dus gevraagd of hij mij op de hoogte wilde houden van haar komen en gaan. Hij wist echter niet waar ze heen was geweest. Toen schoot me gisteren te binnen dat ze altijd een bepaalde chauffeursdienst gebruikt en die heb ik toen gebeld. Haar chauffeur van die dag, ene Tony Garcia, was tot vanmiddag vrij en de service wilde me zijn privénummer niet geven. Maar vanmiddag heeft hij me zelf gebeld.'

Langdon wachtte in stilte. Hij was onberispelijk gekleed in een donkergrijs pak met een uiterst fijn blauw streepje en zijn opvallend knappe gezicht straalde zelfvertrouwen, kracht en rust uit. Maar zo voelde hij zich niet: in gedachten was hij absoluut niet kalm. Clay mag dan wel degene zijn geweest die me heeft verteld over die kleindochter, maar hij is nu veel te langzaam in het zich ontdoen van dat oude mens, dacht hij. 'En wat ben je te weten gekomen van die chauffeur?' vroeg hij.

'Hij vertelde dat hij Olivia naar Rhinebeck heeft gebracht.'

Langdons ogen werden groot. 'Is ze naar het klooster geweest?

Je gaat me toch niet vertellen dat ze de documenten aan de nonnen in bewaring heeft gegeven, hè?'

'Nee, gelukkig niet. Ze is alleen naar het kerkhof geweest waar Catherine begraven ligt. Volgens mij probeert ze nog steeds tot een besluit te komen over wat ze het beste kan doen.'

'Dat zou een uiterst ongelukkige ontwikkeling zijn geweest, als Olivia Morrow de bewijzen aan die nonnen had gegeven. En als de waarheid dan naar buiten was gekomen, zou de dood van Monica Farrell natuurlijk uiterst verdacht zijn geweest. Denk je dat de papieren nog steeds bij Olivia in de kluis liggen?' Langdons stem klonk ijskoud.

'Toen ik laatst in haar appartement was, legde ze de papieren daar in ieder geval wel in. Haar twee beste vriendinnen zijn dit jaar gestorven, dus volgens mij heeft ze niemand aan wie ze ze kan toevertrouwen. Dus ik vermoed dat alles gewoon nog in de kluis ligt.'

Langdon was een tijdje stil en drong toen aan: 'Heb je nog steeds geen manier gevonden om Olivia iets toe te dienen waardoor ze thuis, in jouw bijzijn, zou sterven?'

'Nog niet. En dat brengt ook een enorm risico met zich mee. Als ze de papieren over Catherine aan iemand anders heeft gegeven of er iemand over heeft verteld, dan zou de politie, ondanks haar hoge leeftijd en slechte gezondheid, een autopsie kunnen eisen. Zeker als Monica Farrell ook opeens overlijdt. Hoe zit het met die vent die jij hebt ingehuurd?'

'Ik heb een telefoontje van hem gehad. Sammy Barber heeft zijn prijs verhoogd. Hij vraagt nu honderdduizend dollar, contant en van tevoren uit te betalen. Zoals hij het uitdrukte: 'U weet dat ik de reputatie heb van een man die nooit terugkomt op een afspraak. Maar helaas moet ik gezien het doelwit nu toch constateren dat de beloning die we in eerste instantie zijn overeengekomen, veel te laag is.'

14

Monica had er geen idee van hoe Ryan Jenner zou wonen. Ze wist dat hij nog altijd zijn studieschulden aan het afbetalen was, zoals de meeste van haar vroegere medestudenten, dus verwachtte ze dat hij een bescheiden appartementje zou hebben, hoewel hij nu natuurlijk een uitstekend inkomen had. Ze verheugde zich erop haar oude bekenden uit Georgetown weer te zien. Ryan had haar een e-mail gestuurd dat er tussen zeven en acht bij hem werd geborreld en dat ze daarna naar een Thais restaurant in de buurt zouden vertrekken.

Die vrijdagavond was ze dankzij een paar late patiënten pas om kwart voor zeven thuis. In het vervelende besef dat ze zowat een uur te laat zou zijn voor de cocktails, nam ze een snelle douche en trok ze een zwartzijden broek met een strak wit kasjmier truitje aan. Niet te opgedirkt en niet te sportief, dacht ze. Haar enige make-up bestond uit wat mascara en lipgloss. Eigenlijk had ze haar haar nog willen opsteken, maar na een blik op de klok besloot ze het maar los te laten hangen. Als ik niet vóór acht uur daar ben, denken ze misschien dat ik niet kom en dan gaan ze natuurlijk al naar het restaurant, dacht ze. Ik heb Ryans mobiele nummer niet eens, om te zeggen dat ik zo laat kom.

Haastig stopte ze haar moeders zwarte pareloorbellen en zwarte parelketting in haar handtas. Ze greep haar jas, dacht er zelfs nog even aan om te checken of de achterdeur wel op slot zat, en rende haar appartement uit de straat op.

'Monica.'

Monica draaide zich met een ruk om. Die overbekende stem...

Het was Scott Alterman.

En hij stond duidelijk op haar te wachten. 'Het is koud,' zei hij. 'Kom, dan help ik je in je jas. Wat ben je toch mooi, Monica, nog mooier dan ik me je in gedachten had.'

Monica trok haar jas met een ruk weg, toen hij probeerde die van haar over te nemen. 'Scott, je moet iets heel goed begrijpen,' begon ze, haar stem onvast van schrik en ontsteltenis, vanwege het feit dat ze hem zo plotseling voor haar huis aantrof. 'Het is uit. En het is niet eens ooit aan geweest. Jij hebt me uit Boston verjaagd. Maar je gaat me niet ook nog uit New York verjagen.'

Er kwam een taxi langs, met het lichtje dat hij 'vrij' was aan. In een flauwe poging hem tot stilstand te manen, stak ze haar hand op.

'Ik breng je wel, Monica. Ik ben hier met de auto.'

'Scott, laat me met rust!' Monica draaide zich om en begon de straat af te rennen, terwijl ze wenste dat ze niet op het laatste moment had besloten om hoge hakken aan te doen. Toen ze First Avenue bereikte, keek ze even over haar schouder, maar Scott was haar gelukkig niet gevolgd. Zijn lange gestalte stond op de stoep, in het licht van een straatlantaarn, met zijn handen in de zakken van zijn jas, die, daarvan was ze overtuigd, wel op maat gemaakt zou zijn.

Pas na vijf minuten lukte het haar om een taxi aan te houden en pas om tien voor halfnegen stond ze in de lift naar het appartement van Ryan. De conciërge had haar ervan verzekerd dat Ryan en zijn vrienden nog niet waren vertrokken en Monica probeerde haar kalmte te hervinden, maar het lukte haar niet om haar vrees te onderdrukken over wat haar weer allemaal te wachten zou staan nu Scott weer was komen opdagen.

Scotts vrouw, Joy, was vanaf de eerste dag op de kleuterschool haar beste vriendin geweest. Joy en Monica waren als zusjes voor elkaar geweest en omdat Monica enig kind was, had het feit dat ze steeds werd uitgenodigd voor familie-uitjes van Joy, haar het gevoel gegeven dat ze erbij hoorde. Zeker na de dood van haar moeder op haar tiende.

Joy was een hele tijd later ook degene geweest die regelmatig in Boston in het verpleeghuis bij Monica's vader op bezoek was gegaan. Joy en Scott waren zelfs bij hem geweest toen hij stierf, ter-

wijl zij haar laatste examens zat te doen in Georgetown. Daarna hadden ze haar geholpen bij het regelen van de begrafenis, en omdat Scott jurist was, had hij ook alle zaken wat betreft de nalatenschap afgewikkeld. En toen was hij opeens zo geobsedeerd geraakt door Monica. Waarom toch, in vredesnaam? Joy verwijt het míj, maar ik weet zeker dat ik hem nooit, maar dan ook nooit, enige aanleiding heb gegeven, dacht ze.
Voor haar was het zoiets als het omgekeerde van die oude grap: 'Mijn vrouw is er met mijn beste vriend vandoor en ik mis hem.' Scott heeft mijn vriendschap met Joy verwoest en ik mis haar ontzettend. En nu, als hij naar New York is verhuisd om in mijn buurt te kunnen zijn, wat kan ik daar dan tegen doen? Een straatverbod of iets dergelijks?
De trage, krakende lift was intussen op de achtste etage tot stilstand gekomen, besefte ze opeens. De liftdeur was al open. Gelukkig kon ze nog net uitstappen voordat die zich weer ratelend sloot. Stond ik verdorie bijna weer beneden in de centrale hal, dacht ze. Resoluut zette ze iedere gedachte aan Scott uit haar hoofd en ging ze op zoek naar het goede appartement. 9E, had Ryan gezegd. Die kant op, besloot ze.
Toen ze even later op de bel drukte, vloog de deur van het appartement meteen open. De blije, verwelkomende glimlach waarmee Ryan Jenner haar begroette, vrolijkte haar meteen op. Hij onderbrak haar verontschuldigingen. 'Luister, ik heb mezelf op m'n kop gegeven dat ik zo stom was om je niet naar je mobiele nummer te vragen. Maak je niet druk. Ik heb het restaurant al gebeld en de reservering een uurtje verlaat.'
Een eventuele reactie van haar kant werd helemaal weggevaagd door de enthousiaste welkomstkreten van haar vroegere medestudenten. Nu ze hen weer zag, besefte Monica opeens hoezeer ze de gezelligheid en het gezelschap miste uit haar studententijd. Ik heb natuurlijk acht jaar uit mijn leven in Georgetown gezeten, schoot het door haar heen, terwijl ze haar vriendinnen omhels-

de. We hebben hard gewerkt die jaren, maar ook veel leuke dingen met elkaar meegemaakt.

Twee van de acht mensen die er waren kende ze heel goed: Natalie Kramer en Genine Westervelt. Genine, plastisch chirurg, was net een privépraktijk in D.C. begonnen en Natalie werkte als arts op de spoedeisende hulp. Ik ken hun veel beter dan ik Ryan ken, dacht Monica, terwijl ze ergens met een glas wijn in haar handen op een stoel neerplofte. Hij zat drie jaar hoger dan ik en ik heb nooit samen colleges met hem gehad, Bovendien leek hij vanaf een afstandje altijd zo op zichzelf en formeel. Zelfs nu ken ik hem eigenlijk alleen in pak, en natuurlijk in een witte doktersjas of groene operatiekleding. Maar vanavond, gekleed in een spijkerbroek en sportief overhemd, in kleermakerszit op de vloer met een biertje in zijn handen, zag hij er volkomen ontspannen uit en hij leek ervan te genieten.

Peinzend zat ze een tijdje naar hem te staren. Hij is natuurlijk hersenchirurg. Ik vraag me af wat zijn opinie zou zijn over de scans van Michael O'Keefe. Zal ik vragen of hij er eens een keer naar wil kijken, voordat ik die afspraak met die priester heb over dat zogenaamde wonder? Ja, misschien een goed idee, besloot ze.

Ze keek de kamer rond in de hoop Ryan Jenner iets beter te leren kennen door te zien hoe zijn appartement was ingericht. Verbazend 'gesetteld' vond ze, met twee keurig bij elkaar passende blauwe banken, een antieke kast, bijzettafeltjes met bewerkte kristallen lampen erop, een antieke pers in blauwe en roestbruine tinten en wat stoelen die bekleed waren met een blauw-met-crèmekleurige stof.

'Ryan, dit is echt een prachtig appartement,' merkte Genine op. 'Volgens mij past mijn hele etage alleen al in de woonkamer hier. En dat blijft ook zo totdat ik al mijn studieschulden heb afgelost. Tegen die tijd ben ik er zowat aan toe om zelf mijn gezicht te laten liften, ben ik bang.'

‘Of moet ik mijn eigen knie vervangen,’ voegde Ira Easton eraan toe. ‘Maar voor Lynn en mij is de verzekering tegen medische fouten even duur als het aflossen van onze studieschulden.’
Ik heb geen studieschulden, dacht Monica, maar verder heb ik ook weinig. Mijn vader is zo lang ziek geweest, dat ik financieel nog van geluk mag spreken.
‘Om te beginnen is dit appartement niet van míj,’ reageerde Ryan Jenner. ‘Het is van mijn tante, en alles hier, behalve mijn tandenborstel, is van haar. Maar mijn tante woont in Florida, waar ze niet meer weg wil, en op een gegeven moment zet ze dit hier natuurlijk te koop. Maar tot die tijd heeft ze mij uitgenodigd hier te wonen, als ik alle maandelijkse kosten en dergelijke betaal. Dus zodoende zit ik hier. En ik ben ook druk bezig om mijn studieschulden af te lossen.’
‘Nou, dat is voor ons allemaal een geruststelling,’ merkte Seth Graan op. ‘Kom, laten we gaan. Ik heb honger.’
Een uur later in het restaurant, was het gespreksonderwerp overgegaan van de kosten van de verzekering tegen medische fouten, naar de problemen die diverse ziekenhuizen hadden met het werven van genoeg fondsen. Ryan had ervoor gezorgd dat Monica naast hem zat. ‘Ik weet niet of je het hebt gehoord,’ zei hij zachtjes, ‘maar het geld dat aan het Greenwich was beloofd voor de nieuwe kindervleugel, gaat misschien niet door. De Gannon Foundation beweert dat haar inkomsten drastisch zijn verminderd en komt misschien terug op haar belofte.’
‘Maar Ryan, we hebben die vleugel keihard nodig!’ zei Monica geschrokken.
‘Ik heb vandaag gehoord dat er waarschijnlijk een aantal mensen opgetrommeld worden om te proberen de Gannons op andere gedachten te brengen,’ zei Ryan. ‘Niemand is er méér van overtuigd dat we zitten te springen om een nieuwe kindervleugel dan jij. Jij zou ook bij dat groepje moeten horen.’
‘Daar zal ik zeker voor zorgen,’ reageerde Monica verhit. ‘Die

Greg Gannon staat altijd met zijn kop in de *Sunday Times* alsof hij zo'n geweldige filantroop is, maar mijn vader is een paar jaar voordat hij overleed een tijdlang onderzoeker geweest bij het Gannon-lab in Boston. De Gannons komen aan hun geld door de patenten die ze hebben geërfd op kunstonderdelen voor het lichaam: kunstheupen, kunstknieën en dat soort dingen. Hij vertelde dat ze werkelijk miljarden per jaar binnenkrijgen door die patenten. En ze hebben vijftien miljoen beloofd voor de nieuwe vleugel. Dat kunnen ze dus gemakkelijk opbrengen en dat zullen ze doen ook!'

15

Maandagochtend om zes uur maakte Rosalie Garcia haar echtgenoot wakker. 'Tony, de kleine heeft koorts. Hij is nu ook verkouden, net als ik.'

Tony deed met moeite zijn ogen open. De avond ervoor had hij een stel naar een bruiloft in Connecticut gebracht en moeten wachten totdat hij hen weer naar huis had kunnen brengen. Dat betekende dat hij maar drie uur had geslapen. Maar toen het tot hem doordrong wat Rosalie vertelde, was hij onmiddellijk klaarwakker, gooide de dekens van zich af en holde naar het kleine tweede slaapkamertje van hun appartementje op East Fourth Street. Daar boog hij zich over Carlos' bedje heen. Carlos lag, jengelend en met hoogrode wangetjes onrustig in zijn bedje te woelen. Naar zijn flesje keek hij niet om. Zachtjes raakte Tony het voorhoofd van zijn zoon aan en constateerde dat dat ongewoon warm aanvoelde.

Weer rechtop, keek hij zijn vrouw aan, vol begrip voor de paniek die hij in haar ogen zag. 'Rosie, luister,' zei hij kalmerend. 'Hij heeft géén leukemie meer. Dat moet je goed onthouden. We geven hem wat paracetamol en om acht uur bellen we dokter

Monica. Als zij zegt dat we moeten komen, breng ik Carlos meteen naar haar toe. Jij kunt nu beter binnen blijven met die verkoudheid van je.'

'Tony, ik wil dat ze naar hem kijkt. Misschien is het wel een gewone verkoudheid, maar...'

'Schat, ze heeft gezegd dat we goed moeten onthouden dat we hem als een normaal kind moeten behandelen, dat zijn kop wel eens stoot, een koutje oploopt of een oorontsteking krijgt. Hij is nu een gewoon, gezond kind. Zijn immuunsysteem is helemaal in orde.'

Maar zelfs terwijl hij het zei, wist Tony al dat noch hij, noch Rosalie enige rust zou hebben, voordat dokter Monica Farrell hun Carlos had gezien.

Om zeven uur belde hij naar de praktijk en kreeg Nan aan de lijn, die op dat moment net de praktijk binnenkwam. Ze spraken af dat hij om elf uur, als de dokter terug was van het ziekenhuis, met Carlos kon komen.

Om halfelf trok Tony een slaperige Carlos een dikke jas aan, zette hem zijn mutsje op en legde hem in de wandelwagen. Nadat hij een dikke deken over hem heen had gelegd, maakte hij de plastic hoes over de wagen vast om zijn zoontje te beschermen tegen de snijdende wind. Met grote stappen begon hij de wandeling naar tien straten verderop, waar Monica's praktijkruimte lag. Een taxi vond hij niet nodig. 'Rosie,' had hij gezegd, 'ik ben er eerder als ik gewoon loop en de rit heen en weer in de taxi kost minstens dertig dollar. En bovendien houdt Carlos ervan om in zijn wandelwagen voortgeduwd te worden, dan valt hij lekker in slaap.'

Toen hij twintig minuten later bij Monica's praktijkruimte aankwam, deed ze net haar jas uit. Na één blik op Tony zag ze hoe ongerust hij was en dus maakte ze meteen de plastic beschermhoes los en legde ze haar hand op Carlos' voorhoofdje, precies zoals Tony eerder had gedaan. 'Tony, hij heeft inderdaad koorts, maar het is geen hoge koorts,' zei ze geruststellend. 'Voordat we zijn mutsje zelfs maar afzetten, kan ik je dat al verzekeren. Alma zal Carlos klaarmaken voor een onderzoek, maar mijn diagnose van dit moment is dat alles wat hij nodig heeft wat kinderaspirine en misschien een antibioticakuurtje is.' Ze glimlachte. 'Dus hou op met eruit te zien alsof je ieder moment een hartaanval kunt krijgen. Ik ben kinderarts, hoor, geen cardioloog!'

Tony Garcia beantwoordde haar glimlach, terwijl hij de plotselinge tranen die achter zijn ogenleden dreigden, probeerde weg te knipperen. 'Het is alleen... u weet wel, dokter.'

Monica keek hem aan en voelde zich plotseling eeuwen ouder dan deze jonge vader. Hij is nog maar een jaar of vierentwintig, dacht ze. Hij ziet er zélf nog uit als een kind en Rosalie net zo. En dan te bedenken dat ze door een hel zijn gegaan de laatste twee jaar. Ze raakte even zijn schouder aan. 'Ja, ik weet het,' zei ze zacht.

Een halfuur later was Carlos alweer in zijn dikke buitenkleding ingepakt en zat hij in de wandelwagen. Tony had één antibioticapil plus een recept voor een kuurtje van drie dagen ervan in zijn zak. 'Dus Tony,' zei Monica, terwijl ze met hem meeliep naar de buitendeur. 'Ik durf je bijna te beloven dat hij je binnen een paar dagen weer tot uitputting drijft, maar áls de koorts hoger wordt, moet je me meteen op mijn mobiel bellen, dag en nacht.'

'Dat zal ik doen, dokter Monica. En nogmaals bedankt. Ik kan u niet vertellen...'

'Doe maar niet dan. Ik hoor je toch niet,' reageerde Monica met een knikje naar de wachtkamer, waar nu vier patiëntjes op haar wachtten, waaronder een schreeuwende tweeling.

Tony, met zijn hand al op de deurklink, stopte. 'O, nog even snel, dokter Monica. Ik had vorige week een heel aardige oudere dame in mijn auto. Toen ik haar die foto van Carlos en u liet zien en vertelde dat u hem had genezen, vertelde ze me dat ze uw grootmoeder had gekend.'

'Ze had mijn gróótmoeder gekend?' Monica keek hem verbijsterd aan. 'Vertelde ze verder nog iets over haar?'

'Nee. Alleen dat ze haar had gekend.' Tony trok de deur open en zei: 'Sorry, ik hou u van uw werk. Nogmaals bedankt.'

Hij was weg. Monica was het liefste achter hem aan gerend, maar ze hield zichzelf tegen. Ik kan hem later natuurlijk bellen, dacht ze. Kan het zijn dat die vrouw mijn grootmoeder van vaders kant heeft gekend? Papa had geen idee wie zijn echte moeder kon zijn geweest. Hij werd geadopteerd door een stel dat al ver over de veertig was. Die zijn al jaren dood en mama's ouders ook. Pap en mam zouden nu allebei midden in de zeventig geweest zijn. En als hun ouders nog in leven zouden zijn geweest, waren die nu al over de honderd. Als die mevrouw mijn adoptief grootouders heeft gekend, moet ze zelf ook al heel oud zijn. Ze vergist zich, dat kan niet anders.

Maar de hele verdere, drukke dag had Monica het zeurende gevoel dat ze Tony moest bellen en hem de naam van de vrouw moest vragen die had gezegd dat ze haar grootmoeder kende...

16

Sammy Barber had het weekend gebruikt om alles nog eens goed te overdenken. Die vent van wie hij de opdracht had gekregen was een hotshot. Tijdens die afspraak in dat cafeetje had hij zijn naam niet genoemd, maar wel zijn mobiele nummer gegeven. Natuurlijk was dat een van die prepaid niet-traceerbare nummers geweest. Maar het was duidelijk dat de man niet gewoon was om dit soort zaken te regelen. Die stommerd was in zijn eigen auto naar hun afspraak gekomen en ging er blijkbaar van uit dat het voldoende was om die een paar straten verderop te parkeren!

Sammy was hem natuurlijk gevolgd en had de camera van zijn telefoon gebruikt om Douglas Langdons nummerbord te fotograferen en was vervolgens, via een van zijn contacten, zijn naam te weten gekomen.

Hij had Langdon niet verteld dat hij wist wie hij was, toen hij hem had gebeld om de prijs voor de moord op die dokter Farrell te verhogen, omdat hij eerst een beslissing had willen nemen over zijn volgende stap. Dus toen hij Langdon belde had Sammy keurig het mobiele nummer gebruikt dat hij van hem had gekregen. Maar Langdon had niets meer van zich laten horen en zijn eis dus genegeerd. En dus wist Sammy nu precies wat hem te doen stond.

Langdon was psychiater, maar het voornaamste was dat hij ook directielid was van de Gannon Foundation. En die beheerde miljarden dollars! Als Langdon wanhopig genoeg was om een huurmoordenaar te regelen om die dokter uit te schakelen, moest hij wel enorm in de problemen zitten. En ook in staat zijn een greep te doen in de kas van die Foundation en een gift van een miljoen dollar over te laten maken naar Sammy Barbers favoriete liefdadige doel: Sammy zelf. Natuurlijk zou hij het niet op die manier brengen. Langdon kon best een miljoentje afromen van een gift die al goedgekeurd was door de directie; dat gebeurde waarschijnlijk constant.

Sammy had er nu enorme spijt van dat hij zijn ontmoeting met Langdon niet op tape had vastgelegd, maar hij was ervan overtuigd dat hij Langdon wijs zou kunnen maken dat hij dat wél had gedaan. En bij hun volgende ontmoeting zou hij er natuurlijk voor zorgen dat het hele gesprek wel werd opgenomen.

Die maandagmorgen om elf uur liep Sammy de centrale hal binnen van het Park Avenue gebouw waarin het kantoor van Douglas Langdon was gehuisvest. Na zich te hebben gemeld, checkte de beveiliging bij Langdons secretaresse, Beatrice Tillman, of Sammy een afspraak had. Maar zij antwoordde gedecideerd:

‘Nee, ik heb nergens staan dat er een afspraak is met ene Mr. Barber.’
De beveiligingsmedewerker deelde dat weer aan Sammy mee en die reageerde absoluut niet verbaasd: ‘Zijn secretaresse weet waarschijnlijk niet dat ik in het weekend met dokter Langdon heb gesproken en dat hij vroeg of ik vandaag even langskwam. Ik wacht wel tot hij beschikbaar is.’ In de ogen van de beveiligingsmedewerker stond wantrouwen te lezen, en Sammy wist heel goed dat hij er niet uitzag als iemand die duizenden dollars te spenderen had aan een psychiater, zelfs al droeg hij zijn nieuwe jasje en zijn nieuwe broek met zijn enige das.
De medewerker gaf Sammy’s boodschap weer door aan de secretaresse, legde toen de telefoon weer neer en pakte een pasje waarop hij Langdons naam en het nummer van zijn kantoor noteerde. Dat overhandigde hij aan Sammy. ‘De dokter wordt pas over ongeveer een kwartier verwacht, maar u kunt boven op hem wachten.’
‘Dank u,’ zei Sammy en liep naar de liften, waar een andere beveiligingsmedewerker hem door het poortje liet. Wat een Micky Mousebeveiliging hier, dacht Sammy minachtend.
Mooie kantoren, dat wel, vond hij terwijl hij nummer 1202 binnenliep. Niet heel groot, maar wel mooi. Het was overduidelijk dat de secretaresse van de psych nog altijd niet overtuigd was van zijn verhaal, maar ze nodigde hem uit plaats te nemen in de receptie, vlak bij haar bureau. Sammy zorgde ervoor dat hij een stoel uitkoos waar Langdon hem niet direct zou opmerken als hij de deur door kwam lopen.

Tien minuten later kwam Langdon binnen. Sammy keek toe terwijl hij de secretaresse begon te begroeten, die hem meteen onderbrak en, te zacht voor Sammy om het te kunnen verstaan, iets tegen hem zei. Langdon draaide zich om en Sammy verkneukelde zich bij het zien van de paniek die over zijn gezicht vloog.
Hij stond op. ‘Goedemorgen, dokter. Het is heel prettig dat u me

op zo'n korte termijn wilde zien en dat waardeer ik ten zeerste. U weet hoe mijn hoofd af en toe nogal in de war raakt.'

'Kom binnen, Sammy,' zei Langdon kortaf.

Met een vrolijke zwaai naar Beatrice Tillman, die hem met een nieuwsgierig gezicht nakeek, liep Sammy achter de dokter aan naar wat waarschijnlijk zijn privékantoor was. Op de grond lag een dieprood tapijt en tegen de muren stonden mahoniehouten boekenkasten. De ruimte werd bepaald door een mooi bureau met een lederen bovenblad, waar een brede, lederen draaistoel achter stond, met twee, bij elkaar passende, rood-wit beklede stoelen ertegenover.

'Geen bank?' vroeg Sammy nogal verbaasd.

Langdon deed de deur dicht. 'Jij hebt geen bank nodig, Sammy,' snauwde hij. 'Wat kom je hier doen?'

Zonder daartoe uitgenodigd te zijn, liep Sammy om het bureau heen en ging hij op de lederen draaistoel zitten. 'Doug, ik heb je een aanbod gedaan en daar heb je niet op gereageerd. Ik houd er niet van om zonder respect te worden behandeld.'

'Je bent akkoord gegaan met een bedrag van vijfentwintigduizend dollar en dat heb je opeens opgetrokken naar honderdduizend dollar,' bracht een zenuwachtige Langdon hem in herinnering.

'Ik denk dat vijfentwintigduizend dollar om dokter Monica Farrell te vermoorden veel te weinig is,' was Sammy's commentaar. 'Ze is niet zomaar een doktertje van wie niemand ooit iets heeft gehoord. Ze is, hoe zeg je dat... een gerespecteerde arts.'

'We zijn díe prijs overeengekomen,' zei Langdon en nu hoorde Sammy de angst die hij al had verwacht doorklinken in Langdons stem.

'Maar je hebt niet gereageerd op mijn nieuwe voorstel,' bracht Sammy hem opnieuw in herinnering. 'Dus daarom gaat de prijs nog een keer omhoog. Het is nu één miljoen dollar, van tevoren te voldoen.'

'Je bent gek,' fluisterde Langdon.

'Nee hoor,' verzekerde Sammy hem. 'Ik heb ons gesprek van de vorige keer opgenomen en dat doe ik nu weer.' Hij sloeg zijn jasje open en liet de draad van het afluisterapparaatje zien die hij aan zijn telefoon had vastgemaakt. Langzaam en dreigend knoopte hij zijn jasje weer kalmpjes dicht. 'Wat u of iemand die u kent over míj weet, doet niet ter zake, mocht het tot een proces komen. De politie laat alle aantijgingen direct vallen in ruil voor dit bandje en het vorige dat ik heb van ons gesprek. Dus luister goed: voor één miljoen dollar doe ik het. Ik heb bedacht hoe ik het kan arrangeren zodat het een misgelopen inbraak lijkt. Dus zorg dat je dat geld krijgt, dan kun je 's nachts weer rustig slapen. En je zult wel slim genoeg zijn om te begrijpen dat ik geen bandjes naar de politie zal sturen als het klusje eenmaal is geklaard.'

Hij stond op, liep vlak langs Langdon heen en legde zijn hand op de deurknop. 'Zorg dat je het vrijdag hebt,' zei hij, 'of anders ga ik zelf naar de politie.' Hij deed de deur open. 'Bedankt, dokter,' zei hij overdreven hard, zodat de secretaresse het, hopelijk, kon horen. 'U hebt me fantastisch geholpen. Zoals u al zei, kan ik moeilijk al mijn problemen op mijn moeder terugvoeren. Ze heeft tenslotte haar best gedaan.'

17

Esther Chambers had een ellendig weekend. Het bezoekje van Thomas Desmond en zijn partner van de Securities & Exchange Commission had haar helemaal van streek gemaakt. Toen ze woensdagavond volkomen onverwacht in de hal van haar appartementencomplex op haar hadden zitten wachten, had ze hen inderdaad mee naar boven genomen, zoals Desmond had voorgesteld.

En daar, in de beslotenheid van haar eigen huis, hadden de twee mannen haar verteld dat haar baas al geruime tijd door de SEC in de gaten werd gehouden en dat er zeer waarschijnlijk een aanklacht tegen hem zou worden ingediend wegens handel met voorkennis.

Desmond en zijn collega hadden haar ook gezegd dat zijzelf helemaal was gecheckt en dat er geen sprake van leek te zijn dat zij boven haar stand leefde, dus dat ze ervan uitgingen dat zíj niet betrokken was bij illegale activiteiten. Daarna hadden ze haar gevraagd of ze met hen wilde samenwerken en hun informatie wilde verstrekken over Gregs zaken. Ze beweerden dat het zo goed als zeker was dat ze uiteindelijk zou worden gevraagd te getuigen op de rechtszaak en dat het op dit moment van het grootste belang was om de zaak uiterst vertrouwelijk te behandelen.

'Ik kan gewoon niet geloven dat Greg Cannon zich schuldig zou maken aan handel met voorkennis,' had ze gereageerd. 'Waarom zou hij? De beleggingsmaatschappij is heel succesvol en hij ontvangt al jaren een enorm salaris voor zijn voorzittersschap van de directie van de Gannon Foundation.'

'Het gaat er niet om hoeveel hij hééft, maar eerder om hoeveel hij wíl,' had Desmond geantwoord. 'In ons werk hebben we te maken gehad met multimiljonairs die hun geld hun hele leven onmogelijk op zouden kunnen krijgen, maar die toch fraudeerden om nog meer te krijgen. Waarschijnlijk heeft dat meer te maken met een gevoel van macht dan met het geld zelf. En op het laatst, vlak voordat ze worden gepakt, raken de meesten van hen in paniek en gaan ze rare dingen doen, uit angst.

Angst. Dat klopte. Opeens was Esther ervan overtuigd dat het niet allemaal een vergissing was. Greg Gannon begon zich inderdaad angstig te gedragen, schoot het door haar heen.

Desmond en zijn partner waren er niet gelukkig mee dat Esther nu net haar ontslag had ingediend. In eerste instantie had Des-

mond haar zelfs gevraagd of ze het nog terug zou kunnen draaien, maar meteen daarna had hij zich bedacht. 'Nee, dat is toch geen goed idee, denk ik. Hij zal op dit moment wel zo onderhand niemand meer vertrouwen. Dus wanneer u nu plotseling van gedachten verandert, komt hij misschien op het idee dat wij contact met u hebben gezocht. U zei dat u hebt aangeboden om nog één maand te blijven?'
'Ja.'
'Dan denk ik dat hij uw aanbod zal aannemen. Hij zit diep in de nesten. Een van de laatste tips die hij kreeg ging over een fusie die op komst was, maar die is op het laatste moment afgeblazen. Daarbij heeft hij tweehonderdvijftig miljard dollar verloren, dus zal zijn hoofd er zeker niet naar staan om op dit moment iemand in te moeten werken.'
En zo was het ook gegaan, dacht Esther die maandagmorgen. Toen Greg haar ontslagbrief de donderdag ervoor op zijn bureau had aangetroffen, was hij naar haar toe gekomen. 'Esther, ik begrijp heel goed dat je graag met pensioen wilt. Vijfendertig jaar voor één werkgever is tenslotte niet niks. Maar ik zou graag hebben dat je nog één maandje blijft en de sollicitatiegesprekken houdt om een vervangster voor je te regelen. En die persoon dan daarna nog inwerkt.' Hij was even stil. 'Man of vrouw, maakt niet uit,' voegde hij eraan toe.
'Ja, ik weet dat u het niet belangrijk vindt of het een man of een vrouw is. En ik zal ervoor zorgen dat ik een capabel iemand aanneem om me te vervangen,' beloofde Esther. Bij het zien van de bezorgde uitdrukking op Gregs gezicht was Esthers hart een beetje week geworden: ze had teruggedacht aan die ambitieuze jongen die, nog maar net een week afgestudeerd, bij zijn vader in de zaak was gekomen. Maar de vlaag van medelijden die ze even had gevoeld, was ook snel weer verdwenen. Als hij de boel belazerde was het alleen maar uit egoïstische motieven. En dat met alles wat hij al had. Hij gokte met het zuurverdiende geld van

andere mensen, dacht ze verontwaardigd. Voor zijn eigén gewin.

Thomas Desmond had haar gevraagd om hem van al Gregs afspraken op de hoogte te houden. 'We moeten inzicht hebben in zijn handel en wandel. Wie hij vertroetelt, wie hij mee uit eten neemt en dat soort zaken,' had Desmond uitgelegd. 'Ik denk niet dat al die afspraken in zijn officiële agenda staan. We weten dat sommige van zijn gesprekken via de vaste telefoonlijn van het kantoor gaan, maar lang niet ál zijn telefoontjes. We luisteren degenen die we ervan verdenken hem informatie toe te spelen over fusies en overnames af, maar alle telefoontjes die Gannon naar onze andere verdachten doet, gaan via een prepaid mobiele telefoon. Gelukkig zijn een aantal van zijn tipgevers niet slim genoeg om telefoons te gebruiken die we niet kunnen natrekken.'

'Veel van Gregs telefoontjes gaan niet via mij,' had Esther beaamd. 'Hij heeft natuurlijk een mobiele telefoon, maar die rekeningen krijg ik altijd onder ogen omdat ik ze moet betalen, maar dat zijn allemaal routinetelefoontjes. Het komt wel vaak voor dat ik probeer een telefoontje aan hem door te verbinden en dat hij dan niet opneemt. Zogenaamd omdat hij op dat moment op zijn mobiele telefoon in gesprek was met iemand van zijn familie of van zijn vrienden, maar het gebeurt zo vaak dat hij dan niet steeds met zijn gewone mobiele telefoon aan het bellen kan zijn.'

Zich uiterst bewust van het feit dat ze Thomas Desmond had beloofd bewijzen te verzamelen van Greg Gannons zakelijke activiteiten, inclusief zijn lunches met cliënten, zei Esther: 'Mr. Gannon, ik heb een lunch met Arthur Saling hier staan vandaag. Zal ik iets voor u reserveren?'

'Nee, Saling wilde dat ik naar zijn club kwam. Hij is een potentiele nieuwe cliënt en een forse ook. Duim maar voor me.' Gannon draaide zich om en liep terug naar zijn kantoor. 'En geen telefoontjes tot nader order, Esther.'

'Natuurlijk, Mr. Gannon.'

De rest van de ochtend liep alles zoals gewoonlijk. Toen kreeg Esther een telefoontje van het Greenwich Village Hospital. Het was de algemeen directeur. Zijn toon was lang niet zo hartelijk als anders en Esther begreep heel goed waarom. 'Esther, met Justin Banks van het Greenwich Village Hospital. Zoals je zeker zult begrijpen willen we beginnen met de concretisering van de plannen voor de nieuwe Gannon kindervleugel. We wachten al zes maanden op het geld dat de Gannon Foundation ons heeft beloofd en om eerlijk te zijn is het absoluut noodzakelijk dat die belofte nu wordt ingelost.'
Mijn hemel, dacht Esther. Greg heeft dat geld al bijna twee jaar geleden aan hen beloofd en waarom is het dan nu nog niet betaald? Ze koos haar woorden zorgvuldig: 'Ik zal het nagaan,' zei ze, op professionele toon.
'Esther, dat is niet voldoende.' Banks' stem klonk nu een paar tonen hoger. 'Er wordt geroddeld dat de Gannon Foundation toezeggingen doet die nooit worden nagekomen, of zo laat worden nagekomen dat ze hun doel voorbijschieten. Het Greenwich Village Hospital eist een gesprek met Greg Gannon, plús alle andere directieleden van de Foundation, om hen ervan te overtuigen dat dit gewoon niet kan ten opzichte van de kinderen die we in behandeling hebben en in de toekomst nog hopen te behandelen.'

18

Maandagmiddag, na de eerste werkdag in zijn nieuwe functie bij het prestigieuze advocatenkantoor, besloot Scott Alterman te gaan joggen in Central Park. Het weekend ervoor had hij zichzelf constant vermanend toegesproken. Het was een stomme en grote vergissing geweest om zich bij het appartementengebouw waar Monica woonde te vertonen. Daarmee had hij haar aan het schrikken gemaakt en misschien zelfs de stuipen op het lijf gejaagd en dat was natuurlijk niet de methode om haar voor zich te winnen.

Hij wist dat hij vier jaar geleden veel te heftig achter haar aan had gezeten en nu zo slim had moeten zijn te beseffen dat Monica er niet over piekerde een afspraakje te maken met de echtgenoot van haar allerbeste vriendin.

Maar nu zijn Joy en ik voorgoed uit elkaar, dacht hij, terwijl hij in looppas door Central Park draafde en genoot van het frisse herfstbriesje. De scheiding is vriendschappelijk verlopen en Joy ziet nu ook in dat het gekkenwerk was om zes maanden nadat we elkaar hadden ontmoet al te trouwen. We kenden elkaar niet eens goed. Zij kwam rechtstreeks na haar afstuderen voor mijn firma werken en voordat we het goed en wel beseften had ik al een ring voor haar gekocht en een aanbetaling op een huis voor ons gedaan.

Gelukkig waren we nog niet aan kinderen begonnen, peinsde hij. En dat was natuurlijk ook niet voor niks. Zo bouwde hij in gedachten voort aan de manier waarop hij de boel aan Monica wilde presenteren. Joy beseft nu dat het gewonde trots was, waardoor ze zo vastberaden was om ons huwelijk te redden. En die drie lange jaren van huwelijkstherapie en dergelijke zijn gewoon tijdverspilling gebleken. Maar ik besefte maar al te goed dat ik nooit een kans bij Monica zou hebben, als Joy het niet met me eens zou zijn dat ons huwelijk een vergissing was. Nu geeft Joy gelukkig ook toe dat ze nooit echt heeft geloofd dat Monica een verhouding met mij had, terwijl we getrouwd waren. En in het jaar dat we nu uit elkaar zijn, hebben we ons allebei een stuk gelukkiger gevoeld...

Zou ik Joy zover kunnen krijgen dat ze Monica belt om haar dat uit te leggen? Joy vindt tenslotte dat ik meer dan gul ben geweest in de manier waarop we de scheiding hebben geregeld, doordat ik het huis en alle meubels gewoon aan haar heb gegeven. En al-

les is nu een stuk meer waard dan toen ik het allemaal kocht. Ik heb een goed oog voor kunst, dat blijkt wel. Maar ik begin gewoon een nieuwe verzameling.
Joy heeft het huis, een gezonde bankrekening en een goede baan. Voordat ik mijn partners heb aangekondigd dat ik van plan was te vertrekken, heb ik hun voorgesteld te overwegen Joy als nieuwe partner aan te nemen. Ik denk dat ze dat wel zullen doen. Daar is ze me natuurlijk dankbaar voor, maar ze is nu eenmaal een verdomd goede juriste en verdient het. Ik weet dat ze het prettig vindt dat ik weg ben bij de firma. Ze wil me natuurlijk niet iedere dag tegenkomen. Ik heb gehoord dat ze al met verschillende mannen afspraakjes heeft gehad en dat vind ik des te beter. Mijn opvolger heeft mijn zegen.
Scott was bijna aan het einde van zijn joggingrondje en met een tevreden gevoel over hoe gemakkelijk het hem was afgegaan, arriveerde hij weer bij zijn huurappartement. Daar nam hij een douche, verkleedde zich en ging toen met een whisky in een stoel zitten, op de plek waar hij een mooi uitzicht had over het park.
Zelfs zonder Monica mee te wegen in de beslissing om hierheen te verhuizen, was hij blij dat hij het gedaan had. Een jurist in New York ligt nu eenmaal beter dan een jurist uit Boston.
Monica. Zoals altijd wanneer hij zichzelf toestond aan haar te denken, kon hij zich haar gezicht tot in de kleinste details voor de geest halen. Vooral die ongelofelijke, blauwgroene ogen van haar, die zo warm en liefdevol waren geweest toen ze Joy en hem had bedankt voor al hun vriendelijkheid jegens haar vader in het verpleegtehuis. En hoe ze had gezegd dat ze hoopte ooit iemand net als Scott te ontmoeten. Maar diezelfde ogen hadden vol minachting voor hem gestaan toen hij haar had gevraagd een keer met z'n tweetjes uit eten te gaan.
Scott dacht er niet graag aan terug hoe stom hij was geweest door haar maar te blijven bellen, in de hoop dat ze van gedachten zou veranderen. Maar ze heeft ooit wel gevoelens voor me

gehad, hield hij zichzelf voor. Dat weet ik gewoon zeker, dacht hij verdedigend.

Wanneer ben ik eigenlijk verliefd op haar geworden? Wanneer was het moment dat ik haar niet meer beschouwde als Joys beste vriendin, maar als de aantrekkelijke vrouw met wie ik de rest van mijn leven wilde delen?

Waarom heb ik niet meer aangedrongen dat ze moest luisteren naar haar vaders vermoedens over zijn afkomst? Toen ze de foto's zag die haar vader met elkaar vergeleek, veegde ze ze direct van tafel. 'Papa probeerde constant zijn biologische ouders te vinden, Scott,' had ze gezegd. 'Hij vond altijd wel de een of andere foto ergens van iemand op wie hij leek en hij vroeg zich altijd af of dat misschien zijn vader was. Het was triest, een grijsgedraaide grammofoonplaat. Hij wilde het zó graag te weten komen. En natuurlijk is dat nooit gelukt.'

Scott voelde zijn goede humeur wegzakken. Er móét een manier zijn om achter Edward Farrells biologische ouders te komen. En de gelijkenis tussen hem en Alexander Gannon is werkelijk verbijsterend. Gannon is nooit getrouwd, maar in 1935, toen hij zijn testament opstelde, heeft hij wel geen afstammeling genoemd, maar wel duidelijk aangegeven dat zijn nalatenschap naar zijn zoon of dochter moest gaan als hij die had en pas daarna naar zijn broer. Ik acht de kans groot dat Monica's vader gelijk heeft gehad wat betreft zijn vermoedens. Misschien is dát de weg om een afspraak met Monica te kunnen regelen? Haar daar het een en ander over vertellen? Ik wil met haar trouwen, dat staat vast, maar als dat niet kan, dan wil ik haar in ieder geval juridisch bijstaan, dacht hij spijtig. En als haar advocaat krijg ik natuurlijk een flinke som van het geld dat ze dan in handen krijgt.

Scott keek laatdunkend naar de eenvoudige meubels in zijn huurappartement. Ik moet een plek zien te vinden die ik wil kopen, dacht hij, een plek waar Monica op een dag ook zou willen wonen.

Het gaat me niet alleen om het geld van de Gannon Foundation dat ooit van haar zal zijn.
Ik wil haar. En alles voor haar.

19

Maandagavond belde de gepensioneerde rechercheur John Hartman zijn buurvrouw, Nan Rhodes. Hij wist dat ze op maandagavond wel eens een etentje had met haar zussen, maar hij wist niet of dat iedere week zo was.
Als weduwnaar zonder kinderen en zelf het enige kind van ook weer twee enige kinderen, betreurde Hartman het vaak dat hij, ondanks zijn vele vrienden, niet in een groot gezin was geboren. Vanavond voelde hij zich daar om de een of andere reden nog triester over dan anders. Hij vrolijkte enorm op toen Nan de telefoon al na één keer overgaan opnam.
Nadat hij had gezegd dat hij half-en-half had verwacht dat ze uit eten zou zijn met haar zussen, lachte Nan vrolijk en zei: 'Dat is maar eens in de maand. 'Als we dat wekelijks zouden doen, vervallen we alleen maar in oude ruzies in de trant van: "Weet je nog dat jij die nieuwe trui van mij had ingepikt, voordat ik hem zelf ook maar één keer aan had kunnen trekken?" Nee, het is beter zo.'
'Ik heb die foto van dokter Farrell langer gehouden dan ik van plan was,' zei hij. 'De vingerafdrukken erop matchen niet met die van een bekende van de politie. Zal ik de foto weer onder je deur door schuiven?' Waarom vraag ik dat nou, vroeg hij zich meteen af. Waarom heb ik niet gevraagd of ik die foto even langs mocht komen brengen?
Tot zijn opluchting antwoordde Nan: 'Ik heb net een pot thee gezet en hoewel het tegenwoordig als een doodzonde wordt beschouwd, heb ik bij de bakker een heerlijke chocoladetaart ge-

kocht. Waarom kom je niet even langs om er een stukje van te proeven?'

Zonder te beseffen dat Nan schrok van zichzelf dat ze hem zomaar uitnodigde en tegelijkertijd blij was dat hij haar invitatie accepteerde, pakte Hartman gauw een schoon vest uit de kast en trok dat over zijn sportieve hemd aan. Vijf minuten later zat hij al tegenover Nan aan haar eettafel.

Terwijl ze thee inschonk en hem een groot stuk taart gaf, besloot hij de foto nog niet meteen aan haar terug te geven. Hij wilde eerst nog even genieten van de warmte die Nan uitstraalde. Altijd vragen naar de kinderen dacht hij, in de wetenschap dat Nan een zoon had. 'Hoe gaat het met je zoon, Nan?' vroeg hij.

Haar ogen lichtten op. 'Ik heb net een nieuwe foto van hem, met zijn vrouw en Sharon, de baby.' Nan stond haastig op om de foto te gaan halen en toen ze terugkwam maakte hij alle gepaste opmerkingen. Ze raakten in gesprek over haar familie. Toen vertelde de gewoonlijk erg gereserveerde John Hartman haar hoe hij het had gevonden om als enig kind op te groeien en dat hij als klein kind al had geweten dat hij op een dag rechercheur wilde worden.

Pas na een tweede kop thee en nog een klein stukje taart, haalde hij de foto van Monica met het Garcia-jongetje in haar armen tevoorschijn. 'Nan,' begon hij opeens ernstig. 'Ik ben altijd een goede rechercheur geweest en toen ik nog werkte had ik vaak een voorgevoel over een zaak. En dat voorgevoel is heel wat keren uitgekomen. Ik vertelde je door de telefoon al dat degene die die foto heeft vastgehad geen bekende van de politie is, maar dat betekent nog niet dat er geen luchtje zit aan het feit dat deze foto bestaat en dat die twee adressen op de achterkant zijn geschreven.'

'Ja, dat gevoel had ik ook, John, dat zei ik je vorige week al,' reageerde Nan. Ze pakte de envelop en haalde de foto eruit, bekeek die nog eens goed en draaide hem toen om, om nogmaals de adressen op de achterkant ervan te bestuderen. 'Ik zal hem aan haar moeten laten zien,' zei ze met tegenzin. 'Misschien is ze wel boos dat ik hem niet vorige week al aan haar heb gegeven, maar dat zal ik dan voor lief moeten nemen.'

'Ik ben een paar dagen geleden naar het ziekenhuis gelopen,' zei John, 'en heb een paar foto's van de overkant van de straat gemaakt, om dezelfde hoek te krijgen als van waaruit deze foto is genomen. Ik denk dat degene die die foto heeft genomen dat vanuit een auto heeft gedaan.'

'Bedoel je dat er misschien iemand heeft zitten wachten totdat dokter Monica naar buiten kwam?' vroeg Nan ongelovig.

'Het is een mogelijkheid. Herinner je je of er vorige week maandag iemand heeft gebeld om te achterhalen wanneer ze afspraken had?'

Nan fronste haar voorhoofd, terwijl ze een poging deed de vele telefoontjes die ze per dag kreeg na te gaan. 'Ik weet het niet,' zei ze langzaam. 'Maar het is heel gewoon dat er bijvoorbeeld een apotheek belt om te vragen hoe laat dokter Farrell verwacht wordt. Dat zou me niet als iets ongewoons zijn opgevallen.'

'Wat zou je bijvoorbeeld hebben geantwoord als je afgelopen maandag zo'n telefoontje had gehad?'

'Dan zou ik hebben geantwoord dat ze om een uur of twaalf werd verwacht. Op maandagochtend zijn er meestal stafvergaderingen in het ziekenhuis en dus plan ik pas vanaf één uur afspraken in de praktijk.'

'En hoe laat is ze met de Garcia's naar buiten gegaan om die foto te laten maken?'

'Dat weet ik niet.'

'Als je die foto aan de dokter geeft, wil je dat dan vragen?'

'Oké.' Nan besefte dat ze opeens een droge keel had. 'Je denkt dat ze gestalkt wordt of iets dergelijks, is het niet?'

'Misschien is stalken te sterk uitgedrukt. Ik ben Scott Alterman, die ex-vriend, of wat hij dan ook voor een relatie met de dokter had, nagegaan. Hij is een bekende, gerespecteerde advocaat in Boston, pas gescheiden en vorige week verhuisd naar Manhattan om voor een gerenommeerd advocatenkantoor op Wall Street te gaan werken. Maar hij kan niet degene zijn die die foto heeft genomen, omdat hij vorige week maandag in het Ritz-Carlton zat, waar de firma waar hij wegging een afscheidslunch voor hem had georganiseerd. Daar is hij geweest.'

'Kan iemand anders dan die foto voor hem hebben genomen?'

'Dat kan, ja. Maar ik betwijfel het. Dat klinkt mij niet erg logisch in de oren.' Hartman schoof zijn stoel naar achteren. 'Nan, bedankt voor je gastvrijheid. De taart was heerlijk en iedere keer dat ik thee drink die nog ouderwets in een theepot is gebrouwen, neem ik mezelf voor om nooit meer een theezakje te gebruiken.'

Nan stond ook op. 'Ik zal goed opletten of er iemand belt die achter dokter Monica's afsprakenlijst wil komen,' zei ze en fleurde toen opeens op. 'O, ik moet je nog iets vertellen. Dat baby'tje, Carlos Garcia, dat jochie dat is genezen van leukemie, is vanmorgen op consult geweest. Hij had gewoon een verkoudheid, maar die ouders van hem zijn natuurlijk een beetje overbezorgd. Tony Garcia, de vader, werkt ook als privéchauffeur en hij vertelde dokter Monica dat hij de week daarvoor een oude dame had moeten rijden die beweerde dat ze Monica's grootmoeder heeft gekend. Dokter Monica zei tegen mij dat dat een vergissing moest zijn, omdat ze haar grootouders nooit heeft gekend, maar ik kon de verleiding niet weerstaan om het verder uit te zoeken. Ik heb Tony gebeld en naar de naam van die oude dame gevraagd. Ze heet Olivia Morrow en woont op Riverside Drive. Ik heb het adres aan dokter Monica gegeven en haar aangespoord om die dame te bellen. Zoals ik tegen haar zei: "Wat hebt u te verliezen?"'

20

Peter Gannon zat achter zijn bureau in zijn kantoortje op Shubert Alley, in de theaterbuurt van Manhattan. Met één veeg schoof hij alle papieren erop aan de kant en stond daarna op. Hij liep naar de boekenkast en pakte daar zijn exemplaar van *Webster's Encyclopedic Unabridged Dictionary* uit om de exacte betekenis van het woord 'massacre' erin op te zoeken.

Massacre, las hij. 1. moordpartij waarbij veel mensen worden afgeslacht; bloedbad; 2. (verouderd) dode lichamen van omgekomen soldaten na een veldslag.

'Dat beschrijft het inderdaad,' zei hij hardop, hoewel hij alleen in zijn kantoortje was. 'Afgeslacht door de critici. Uitgemoord door het publiek. En dan nog de lijken van de acteurs, de musici, en de rest, die allemaal keihard hebben gewerkt om er een geweldige hit van te maken.'

Hij zette het zware woordenboek terug op z'n plek en ging weer achter zijn bureau zitten. Ik was er zo zeker van dat het dit keer goed was, dacht hij triest. Hij legde zijn hoofd in zijn handen. Zelfs zó zeker dat ik persoonlijk garant heb gestaan voor de helft van de kosten. Hetzelfde bedrag als de rijke sponsors van het project erin hebben gepompt. Hoe kan ik dat in godsnaam waarmaken? Het inkomen van de patenten is al jaren geleden gestopt en de foundation heeft veel te veel beloftes gedaan. Ik zei nog tegen Greg dat ik vond dat Clay en Doug veel te hard aandrongen op die geestelijke gezondheids- en cardiologische onderzoeksbeurzen, maar hij zei dat ik me met mijn eigen zaken moest bemoeien en dat ik al geld genoeg kreeg voor mijn theaterprojecten. Hoe moet ik hem vertellen dat ik meer nodig heb? Een hele hoop meer?

Te rusteloos om te kunnen blijven zitten, stond hij weer op. De musical *Extravaganza* had afgelopen maandag zijn première en tegelijkertijd zijn einde gevonden. Nu, een week later, was hij nog steeds bezig om alle kosten van het debacle op te tellen. Een recensent had zelfs geschreven: 'Producer heeft kleine off-Broadway productie op de planken gezet, maar zijn derde poging om een grote musical te brengen is alweer een enorme mislukking. Geef het op, Peter.'

Geef het op, Peter, dacht hij, terwijl hij het kleine koelkastje achter zijn bureau opendeed en er een fles wodka uit pakte. Niet te veel, waarschuwde hij zichzelf, terwijl hij de dop eraf draaide en een glas van het blad dat op de koelkast stond pakte. Ik weet dat ik de laatste tijd te veel drink. Ik weet het.

Nadat hij een bescheiden hoeveelheid wodka had ingeschonken en er ijs bij had gedaan, zette hij de fles weer terug, sloot de koelkast en ging weer achter zijn bureau zitten. Hij leunde achterover. Misschien kan ik maar beter een dronkenman worden, dacht hij. Bezopen. Volkomen van de wereld. Niet in staat om twee zinnen achter elkaar uit te brengen. Niet in staat om na te denken, maar wel om te slapen, al is het dan een dronkenmansslaap die eindigt in een barstende koppijn.

Hij nam een grote slok wodka en stak zijn vrije hand uit naar de telefoon. Susan, zijn ex, had een boodschap achtergelaten hoe het haar speet dat zijn musical alweer van het toneel af was. Iedere andere ex zou het geweldig vinden dat zijn stuk was geflopt, maar Sue niet, dacht hij. Sue meende het.

Sue. Nog iets om vreselijk veel spijt van te hebben. Nee, vergeet het, niet bellen. Dat is veel te pijnlijk.

Terwijl hij zijn hand terugtrok, ging de telefoon over. Toen hij aan het nummer zag wie er belde, stond hij even in de verleiding om net te doen of hij er niet was. Maar dat zou niets oplossen en dus nam hij op en mompelde hij een begroeting.

'Ik had verwacht eerder iets te horen,' hoorde hij een ruzieachtige stem zeggen.

'Ik was van plan je te bellen, maar het is nogal hectisch geweest.'

'Ik bedoel geen telefoontje. Ik bedoel mijn betaling. Je bent te laat.'

'Ik... heb... het... op... dit... moment... gewoon... niet,' fluisterde Peter benauwd.
'Zorg... dat... je... het... krijgt... of... anders...'
De hoorn werd op de haak gesmeten.

21

Toen ze dinsdagochtend wakker werd, had Olivia Morrow het gevoel alsof er in haar slaap een groot deel van haar kracht was weggevloeid. Vreemd genoeg schoot haar een scène van *Little Women* te binnen, een boek dat ze als jonge tiener prachtig had gevonden: Beth, het negentienjarige meisje dat stervende is aan tuberculose, vertelt haar oudere zus dat ze weet dat ze niet meer beter zal worden, dat haar leven wegebt.
Mijn leven ebt ook weg, dacht Olivia. Als Clay het bij het rechte eind heeft, en mijn lichaam vertelt me maar al te duidelijk dat dat zo is, heb ik nog minder dan een week te leven. Wat moet ik doen?
Met het kleine beetje energie dat ze nog in zich had stond ze moeizaam op, trok langzaam haar kamerjas aan en schuifelde vervolgens naar de keuken. Zelfs na dat kippeneindje was ze al te moe om de ketel nog op het vuur te kunnen zetten en ze liet zich eerst op een van de stoelen aan de eettafel neerzakken om op adem te komen. Catherine, smeekte ze, geef me een teken. Laat me weten wat je wilt dat ik doe.
Na een paar minuten was ze weer in staat om op te staan, thee te zetten en plannen te maken voor de dag. Ik wil terug naar Southampton, dacht ze. Ik vraag me af of het huis van de Gannons daar nog altijd overeind staat en het huisje erachter er nog is, waar Catherine en mama en ik woonden...
Op het kerkhof van Southampton lagen ook generaties overleden Gannons in een imposant mausoleum. Alex ook. Niet dat

ik denk dat hij op me wacht in het hiernamaals, dacht ze bedroefd. Catherine was zijn grote liefde, maar toen zíj stierf, hoopte ze vast niet om in de hemel met hem herenigd te worden.

Of wel?

Een herinnering uit haar kindertijd waar ze de laatste dagen steeds maar weer aan moest denken, kwam weer in haar geheugen naar boven. Heb ik dat verzonnen of is het echt gebeurd, vroeg ze zich af. Heb ik het werkelijk gezien? Speelt mijn geest spelletjes met me of heb ik Catherine echt in haar habijt gezien, vlak nadat ze in het klooster ging? Ik dacht dat novices een tijdlang hun familie niet mochten opzoeken. Het was op een steiger en er was een andere non bij haar. Catherine en mama waren in tranen. Dat moet het moment zijn geweest dat ze naar Ierland vertrok.

Waarom lijkt het nou opeens zo belangrijk dat ik dit te weten kom? vroeg ze zichzelf af. Of probeer ik de dood te verdrijven door allerlei jeugdherinneringen op te halen, alsof ik mijn leven weer opnieuw kan beginnen?

Ze zou de chauffeursservice kunnen bellen om vandaag naar Southampton te gaan. Over een paar dagen kan het al te laat zijn voor die reis, dacht ze. Ik vraag me af of ik die aardige jongeman van vorige week weer zou kunnen krijgen? Hoe heette die ook alweer? Ja, ik weet het al: Tony Garcia.

Ze nam het laatste slokje thee en overwoog of ze een sneetje toast naar binnen zou proberen te krijgen, maar zag ervan af. Ik heb geen honger en wat maakt het nu nog uit of ik eet of niet?

Langzaam stond ze op en ordelijk en schoon als ze was nam ze haar kopje mee naar de gootsteen, spoelde het uit en zette het in de vaatwasser, plotseling heel helder beseffend dat dit soort normale activiteiten binnenkort voor altijd voorbij zouden zijn.

In haar slaapkamer belde ze de chauffeursfirma en was teleurgesteld te horen dat Tony Garcia die dag niet kwam werken.

‘Hij had beschikbaar moeten zijn,’ vertelde degene aan de andere kant van de lijn geïrriteerd, maar zijn vrouw en kind zijn ziek en hij moet vandaag thuisblijven.’

‘O, wat spijtig,’ reageerde Olivia meteen. ‘Het is toch niets ernstigs hoop ik? Hij vertelde me dat zijn kleine jongen leukemie had gehad.’

‘Nee. Het is gewoon een flinke verkoudheid. Ik kan u verzekeren: als dat kind maar even zijn neus ophaalt, maakt Tony er al een hele toestand van.’

‘Nou, dat zou ik ook doen als ik in zijn schoenen stond,’ reageerde Olivia een beetje kattig.

‘Ja, natuurlijk, Ms. Morrow. Ik zal een goede chauffeur naar u toe sturen.’

Om twaalf uur arriveerde de chauffeur, een zwaargebouwde man met een door de wind verweerd gezicht. Dit keer zat Olivia al in de centrale hal op hem te wachten. In tegenstelling tot Tony Garcia bood hij haar geen arm aan op weg naar de garage. Maar op weg erheen vertelde hij haar wel dat hij wist dat ze een goede klant was en dat iedereen haar een vriendelijke dame vond en dat ze het gewoon moest zeggen als ze onderweg naar Southampton iets wilde, zoals stoppen om even naar het toilet te gaan.

Eigenlijk was ze vast van plan geweest hem te vragen haar schoudertas met de envelop met de papieren van Catherine tevoorschijn te halen vanonder de plaid in de achterbak, maar plotseling besloot ze om dat toch maar niet te doen.

Ik ken die brieven die Catherine aan mijn moeder heeft geschreven uit mijn hoofd, dacht ze, dus ik kan ze net zo goed in gedachten nog eens overlezen. En ik wil niet dat deze man ze tevoorschijn haalt en daarna weer teruglegt. Hij heeft duidelijk al over mij zitten kletsen met allerlei andere mensen.

Maar waarom verstop ik die envelop eigenlijk? Waarom?

Ze wist het antwoord niet, maar intuïtief voelde ze dat ze de envelop voorlopig maar gewoon in de kofferbak van de auto moest laten liggen.

Het was zo'n onverwacht warme dag in oktober, waarop de zon hoog en helder aan de hemel stond en er af en toe een klein wolkje door de strakblauwe lucht dreef. En hoewel ze zelfs een warme cape over haar kleding had aangetrokken, voelde Olivia zich toch verkleumd. Toen ze door de stad reden vroeg ze de chauffeur om de bedekking over het glazen afdak in de auto terug te schuiven, zodat de zon de achterbank van de auto kon verwarmen.

Hoe ging dat gebed ook alweer, dat haar moeder op het nachtkastje had liggen dat laatste jaar voordat ze stierf? Misschien kan ik dat ook maar beter eens opzoeken en overlezen, dacht ze. Ik weet dat het mama in ieder geval veel troost heeft geboden.

Door het drukke verkeer kostte het hun bijna een halfuur om de Midtown tunnel te bereiken. Olivia merkte dat ze met heel nieuwe ogen keek naar de winkelpuien en de restaurants die ze passeerden, en ze dacht terug aan de keren dat ze daar boodschappen had gedaan of had gegeten.

Maar toen ze eenmaal de tunnel door waren en op de Long Island Expressway waren, schoot het lekker op. Terwijl ze het ene na het andere stadje passeerden, kwamen er allerlei mensen van vroeger in Olivia's geheugen naar boven. Lilian had in Syosset gewoond... Beverly had dat prachtige huis in Manhasset...

'Ik weet niet naar welke straat u wilt in Southampton,' zei de chauffeur toen ze vlak bij het plaatsje waren.

Olivia vertelde het hem en alleen het noemen van de naam van de straat, bracht de zilte geur terug die in haar jeugd altijd in haar kamertje had gehangen. Ook het huisje achter het grote huis had op de zee uitgekeken, mijmerde ze. En het huis van de Gannons was zó prachtig, met die veranda er helemaal omheen. De Gannons hadden zich nog altijd gekleed voor het diner.

Er kwam weer een herinnering in haar op. Catherine, op blote voeten op het strand, met haar lange haar wapperend in de wind. Ik weet zeker dat het zo was. Ik stond erbij. Het moet kort voordat ze naar het klooster vertrok zijn geweest. Alex stond achter haar en had zijn armen om haar heen geslagen...

Olivia sloot haar ogen. Er komen zoveel herinneringen in me op, dacht ze. Zou dat bij iedereen die aan het doodgaan is zo zijn?

Ze wist niet of ze misschien in slaap was gevallen, want een seconde later hield de chauffeur het portier al voor haar open. 'We zijn er, Ms. Morrow.'

'O, ik wil niet uitstappen. Ik wilde het huis alleen nog een keertje zien. Als klein kind heb ik hier gewoond.' Ze keek langs hem heen en zag meteen dat het terrein was opgedeeld en dat het huisje waar zíj was opgegroeid er niet meer stond. Op die plek was nu een imposant landhuis gebouwd. Maar het huis van de Gannons was nog precies zoals ze het zich herinnerde. Het was nu in een zachte kleur geel geverfd, waardoor de eeuwenoude schoonheid ervan nog beter uitkwam. Olivia kon Alex' vader en moeder gewoon voor zich zien, op de veranda, gasten verwelkomend die voor een van hun vele festiviteiten arriveerden.

De naam Gannon stond nog op de brievenbus. Dus het is nog steeds van hen, dacht ze. Het moet aan Alex nagelaten zijn; hij was tenslotte de oudste zoon. Dat betekent dus dat Monica Farrell nu de rechtmatige eigenaar is, Alex' kleindochter.

'Hebt u in dit huis gewoond, Ms. Morrow?' vroeg de chauffeur nieuwsgierig.

'Nee, ik heb in een klein huisje erachter gewoond, dat er niet meer staat. Ik wil iets verderop graag ook nog even stoppen,' zei ze. Ik ben naar Catherines graf gegaan om een antwoord te vinden, dacht ze, en heb er geen gekregen. Misschien kan ik wel tot een besluit komen als ik het kerkhof híér bezoek. En het mausoleum, waar Alex ligt.

Maar toen de chauffeur voor het mausoleum parkeerde, was

Olivia al te moe om uit de auto te stappen en had ze al helemaal de energie niet meer om na te denken over de vraag die aan haar geweten knaagde. Ze werd overspoeld door een triest gevoel van verlies, diep verlies, omdat Alex nooit van haar had gehouden. Nadat we elkaar weer hadden ontmoet bij de begrafenis van zijn vader, gingen we zes maanden lang regelmatig met elkaar uit. Ze beleefde opnieuw de schok en de vernedering toen ze hem had gevraagd met haar te trouwen en hij gezegd had: 'Olivia, je zult altijd een dierbare vriendin van me blijven, maar meer zal er nooit tussen ons kunnen zijn.'
Dat was de laatste keer dat ze hem had ontmoet, dacht ze. Het had haar te veel pijn gedaan om in zijn buurt te zijn. En intussen was dat allemaal al meer dan veertig jaar geleden! Ik ben niet eens naar zijn begrafenis geweest. Alex koos ervoor zijn leven lang alleen te zijn, in plaats van een gedeelte ervan te willen delen met een andere vrouw. Zelfs niet met een vrouw die zoveel van hem hield als zíj.
Ze staarde naar de naam Gannon boven de ingang van het mausoleum. Ooit, in de verre toekomst, hoort de laatste rustplaats van Monica Farrell hier te zijn, dacht ze. Haar overgrootouders en haar grootouders liggen hier begraven.
Maar dat betekent nog niet dat ik mijn moeders belofte aan Catherine mag verbreken, bracht ze zichzelf in herinnering. Ik zou zelf de waarheid niet hebben gekend als ze mij die, op haar sterfbed en zwaar onder de medicijnen, niet had verteld.
Olivia was naar Southampton gegaan op zoek naar een teken. Een teken zodat ze zou kunnen beslissen wat ze moest doen. Maar er was niets. Alles wat de reis had opgeleverd waren herinneringen aan pijnlijke gebeurtenissen. 'Ik denk dat het tijd is om te gaan,' zei ze tegen de chauffeur. Ik weet zeker dat er op zijn werk gekletst zal worden over dit ritje, dacht ze. Nou ja, over een week of zo zullen ze tot op een bepaalde hoogte wel begrijpen waarom ik hierheen wilde. Mijn afscheidstocht.

Zodra ze weer thuis was, kleedde Olivia zich uit en kroop ze in bed. Te moe om zelfs maar iets te eten te maken, dacht ze alleen maar aan het feit dat ze nog steeds geen oplossing had voor de beslissing die ze al heel snel moest nemen.

Haar ogen begonnen dicht te vallen. Het gerinkel van de telefoon was een onwelkome storing. Ze wilde eigenlijk niet opnemen, maar bedacht toen dat het Clay Hadley zou kunnen zijn. Als ze niet opnam zou hij bijna zeker de conciërge bellen, checken of ze thuis was en dan meteen naar haar toe komen.

Met een zucht stak Olivia haar hand uit en voelde ze op het nachtkastje naar de telefoon.

'Ms. Morrow?'

Het was een stem die ze niet kende. Een vrouw.

'Ms. Morrow, ik val u waarschijnlijk lastig met iets wat niet klopt. Mijn naam is Monica Farrell. Ik ben kinderarts. U hebt vorige week een chauffeur ingehuurd die de vader is van een van mijn patiëntjes. Tony Garcia, degene die u heeft gereden, vertelde me dat u had gezegd dat u mijn grootmoeder hebt gekend. Heeft hij het verkeerd begrepen?'

Catherines kleindochter belt me, schoot het door Olivia's hoofd. Vlak nadat ik Catherines graf heb bezocht heb ik Tony Garcia verteld dat ik Monica's grootmoeder ken en hij heeft het dus weer aan haar verteld. Dus Catherine heeft me wél een teken gegeven...

Met trillende stem antwoordde ze: 'Ja, ik heb haar heel goed gekend en ik wil je graag over haar vertellen. Het is heel belangrijk dat je alles te weten komt, voordat het te laat is. Kun je misschien morgen bij me op bezoek komen?'

'Dat kan, maar pas laat in de middag, vrees ik. Ik heb 's morgens praktijk en daarna een afspraak in New Jersey die ik niet kan afzeggen. Ik weet zeker dat ik op z'n laatst tegen vijven in uw appartement kan zijn.'

‘Dat is goed. O, Monica, ik ben zo blij dat je hebt gebeld. Heeft Tony mijn adres aan je gegeven?’
‘Ja, ik heb het. Ms. Morrow, mag ik één vraag stellen? Bedoelde u de vrouw die de adoptiefmoeder was van mijn vader, of de grootmoeder van mijn moeders kant?’
‘Nee, ik heb het over de biologische ouders van je vader, je eigen vlees en bloed. Monica, ik ben ontzettend moe. Ik ben de hele dag onderweg geweest. Morgen zal ik ervoor zorgen dat ik uitgerust ben. Ik verheug me enorm op onze ontmoeting.’
Olivia verbrak de verbinding. Ze wist dat ze op het punt stond in tranen uit te barsten en ze had niet gewild dat Monica daar iets van zou horen in haar stem.
Olivia deed haar ogen dicht en viel onmiddellijk in slaap. Ze droomde over haar ontmoeting met de jonge vrouw die het kleinkind van Catherine en Alex was, toen de telefoon opnieuw rinkelde.
Deze keer was het Clay Hadley.
Nog half in slaap zei Olivia spontaan: ‘O, Clay, ik ben zo blij. Monica Farrell heeft me gebeld. Ongelofelijk, vind je niet? Ze heeft me gebeld! Het is een teken. Ik ga haar alles vertellen. Het is zo’n opluchting om dat nu zeker te weten. En dan kan ik gerust sterven.’

22

Helemaal verbijsterd door wat Olivia Morrow haar had verteld, legde Monica de telefoon neer. Beduusd bleef ze even achter het bureautje in haar kantoortje zitten, terwijl haar hersens op volle toeren voortraasden.
Bedoelt ze nou werkelijk wat ze zei: dat zij papa’s echte ouders heeft gekend? Ze klinkt zo oud en zwak. Misschien is ze in de war? Maar als ze ze werkelijk heeft gekend en me zou kunnen

vertellen wie het waren, zou dat zó heerlijk zijn. Papa heeft er zijn leven lang naar verlangd om de waarheid over zijn afkomst te weten te komen. Hij zei altijd dat het hem niets kon schelen of zijn ouders dronkaards of oplichters waren, maar hij wilde gewoon weten wie het waren. Dat was voldoende voor hem.

Morgen om deze tijd weet ik het misschien, dacht ze. Zou ik neven en nichten hebben en misschien een grote familie? Dat zou leuk zijn...

Monica schoof haar stoel naar achteren en stond op. Ik wou dat ik morgen maar niet moest getuigen in dat heiligverklaringsgedoe, dacht ze. Papa was een devote katholiek en ik weet dat mijn moeder dat ook was. Ik herinner me nog dat we iedere zondag met z'n drieën naar de kerk gingen, met de regelmaat van de klok. Ik behoor bij de generatie die een beetje van het geloof is afgedwaald, hoewel ik nog wel af en toe een mis bijwoon. Papa vond dat het te gemakkelijk voor ons was geworden. 'Jullie denken maar dat het ook goed is als je uit roeien gaat op zondagmorgen en onderweg even een gebedje doet. Nou, dat is het niet!'

Ryan Jenner had beloofd om zeven uur langs te komen om de scans van Michael O'Keefe te bekijken. En het wás al zeven uur, zag ze. Monica liep haastig naar de kleine badkamer en keek daar in de spiegel. Buiten een beetje lipgloss en wat poeder maakte ze zich overdag nooit op. Maar nu deed ze toch het kastje open en pakte ze daar haar make-up en mascara uit.

Het is een lange dag geweest, zei ze tegen zichzelf, en ik moet mijn gezicht een beetje opkalefateren. Nadat ze haar gekleurde dagcreme had opgebracht, besloot ze dat ze er net zo goed wat meer werk van kon maken en deed ze ook wat oogschaduw op. Toen herinnerde ze zich Ryans opmerking dat hij het mooi vond als ze haar haar los droeg en dus haalde ze de speldjes waarmee het was opgestoken eruit.

Dit is idioot, hield ze zichzelf voor. Hij komt hier om de medische dossiers van Michael O'Keefe te bekijken en ik sta mezelf helemaal op te tutten voor hem. Maar hij ís leuk.

In het weekend had ze af en toe nog zitten mijmeren over die avond in Ryans appartement. Ze had altijd veel respect gehad voor zijn werk als chirurg, maar nooit geweten dat hij zo warm en charmant kon zijn in de privésfeer. Ik kende hem ook nauwelijks eigenlijk. In Georgetown zat hij al in zijn laatste jaar toen ik nog maar net begon met de medicijnenstudie. En hij zag er altijd zo ernstig uit.

Om twintig over zeven ging de deurbel.

'Sorry,' begon Ryan meteen toen ze de deur opende.

'Dat zei ik ook toen ik vrijdag bij jou voor de deur stond,' onderbrak Monica hem. 'Kom binnen. Ik heb alles wat ik je wil laten zien al klaargelegd. Ik weet dat je op weg bent naar het theater.'

Ze had het dossier van Michael O'Keefe op de tafel in de wachtkamer gelegd. De kinderboeken die daar normaliter overal lagen uitgespreid, had ze zolang op een stapeltje op het hoekje gelegd. Jenner wierp er even een blik op. 'Als kind was ik gek op dokter Seuss,' zei hij. 'Jij ook?'

'Een van mijn favorieten,' beaamde Monica. 'Hoe kan het ook anders?' Terwijl Jenner ging zitten en de papieren oppakte, ging Monica tegenover hem zitten. Hij voelde in zijn zak naar zijn bril.

Monica bestudeerde hem, terwijl hij alle scans bekeek. De ernstige uitdrukking die op zijn gezicht verscheen toen hij de ene na de andere scan tegen het licht hield, bevestigde Monica's vermoedens. Uiteindelijk legde hij alles terug op de tafel en keek hij haar aan. 'Monica, dit kind heeft een ongeneeslijke hersentumor die binnen een jaar tot zijn dood had moeten leiden. Maar je zegt dat hij nog in leven is?'

'Die MRI-scans zijn van vier jaar geleden. Destijds had ik net mijn praktijk hier geopend, dus zoals je je wel kunt voorstellen, was ik nogal nerveus. Michael was toen vier jaar oud. Hij had last van toevallen en zijn ouders dachten dat het epilepsie was. Maar je ziet wat ik destijds te zien kreeg op de scans. Kijk nu maar eens in dat andere dossier. Daar zitten allerlei tests in die Michael de afgelopen drie jaar heeft ondergaan. Het is trouwens een fantastisch jongetje, heel goed op school en ook nog aanvoerder van zijn voetbalteam.'

Met zijn wenkbrauwen hoog opgetrokken keek Jenner het tweede dossier in, bestudeerde dat grondig en keek daarna alles nóg eens nauwkeurig door. Uiteindelijk legde hij de papieren weer neer. Voordat hij iets zei, staarde hij Monica een tijdlang aan.

'Denk jij dat een spontaan verdwijnen van de tumor mogelijk is?' vroeg Monica.

'Nee. Absoluut onmogelijk,' zei Jenner vol overtuiging.

Monica knikte. 'Pas maar op. Straks word jij ook nog opgeroepen om te getuigen in dat heiligverklaringsproces.'

Ryan Jenner stond op. 'Als ze mijn opinie in een getuigenis willen, zal ik die met plezier geven. Uit alles wat ik heb gezien als arts en chirurg, kan ik alleen maar concluderen dat Michael O'Keefe allang dood had moeten zijn. Tenzij zijn scans natuurlijk zijn verwisseld met die van een ander kind. Maar nu moet ik gaan, want een bepaalde jongedame zal niet blij met me zijn als ik niet in het theater ben voordat het doek opengaat.'

Woensdagochtend, na een stevige discussie met zichzelf, vertelde Monica aan Nan dat ze Olivia Morrow aan de lijn had gehad en bij haar op bezoek zou gaan, als ze die middag terug was van haar gesprek in het kantoor van de bisschop in Metuchen, New Jersey.

'Kent ze je grootmoeder?' vroeg Nan ademloos.

Monica aarzelde en koos haar woorden zorgvuldig. 'Ze zegt van wel, maar aan haar stem te horen is ze nogal oud. Dus ik wil haar eerst zien, dan kan ik het beter inschatten.'

Waarom heb ik Nan niet verteld dat Olivia Morrow beweert dat ze allebei mijn biologische grootouders kent? vroeg Monica zich die middag af, terwijl ze in haar zes jaar oude autotootje stapte om naar New Jersey te vertrekken. Omdat ik ervan overtuigd ben dat dat te mooi is om waar te zijn. En als ze ze wel heeft gekend en me kan vertellen wie mijn grootouders werkelijk waren, ga ik spontaan in wonderen geloven, schoot het door haar heen, terwijl ze centimeter voor centimeter in het verkeer op Fourteenth Street richting Lincoln Tunnel vooruitkwam.

Een uur later parkeerde ze haar auto voor het gebouw waar het kantoor van de bisschop van Metuchen was gevestigd. Met het gevoel dat ze liever op een plek duizend kilometer ver weg was geweest, meldde ze zich bij de receptie in de ruim opgezette ontvangsthal. Ze noemde haar naam en zei: 'Ik heb een afspraak met monseigneur Joseph Kelly.'

De receptioniste glimlachte en zei: 'De monseigneur verwacht u, dokter. Hij zit op de eerste verdieping, kamer 1024.'

Toen ze zich omdraaide, zag Monica dat er aan de linkerkant van de ontvangsthal een kapelletje lag. Zou daar de officiële heiligverklaringsceremonie plaatsvinden? vroeg ze zich af. Tijdens het weekend had ze het een en ander opgezocht over het heiligverklaringproces. Als mijn informatie klopt, is monseigneur Kelly de kerkelijke afgezant die het hele onderzoek leidt. Als ik word gehoord, zullen er nog twee mensen bij aanwezig zijn. De ene is de promotor *fidei*, wiens taak het is uit zoeken dat het niet om nepwonderen gaat. Vroeger werd hij de 'advocaat van de duivel' genoemd. De andere is de notaris. Ik neem aan dat hij of zij alles moet vastleggen. En ik moet eerst een eed zweren dat ik de waarheid en niets dan de waarheid zal spreken.

Monica sloeg geen acht op de lift, maar nam de met een dik tapijt beklede trap. De deur naar het kantoor van monseigneur Kelly stond open. Hij zag haar aan komen lopen en wenkte haar met een vriendelijk armgebaar en een glimlach op zijn gezicht naar binnen. 'Dokter Farrell, kom binnen. Hartelijk dank voor

uw komst.' Hij sprong op en kwam haastig vanachter zijn bureau vandaan om haar de hand te schudden.
Monica vond hem direct een aimabele man. Hij moest ergens laat in de zestig zijn, had donker haar dat nog nauwelijks sporen van grijs vertoonde, een rijzige gestalte en helderblauwe ogen.
Zoals ze had verwacht waren er nog twee andere mensen aanwezig in het ruime kantoor. Een daarvan was een jongere priester die zich voorstelde als monseigneur David Fell. Het was een magere man van vroeg in de veertig met een jongensachtig gezicht. De andere aanwezige was een lange vrouw met kortgeknipt krullend haar, die een jaar of tien ouder moest zijn dan Fell en die werd geïntroduceerd als Laura Shearing.
Monseigneur Kelly nodigde Monica uit om plaats te nemen en bedankte haar nogmaals voor haar komst. Toen vroeg hij: 'Bent u op de hoogte van wat er speelt rond zuster Catherine?'
'Ik weet dat ze zeven kinderziekenhuizen heeft gesticht, dus vanuit mijn beroep als kinderarts heb ik veel respect voor haar, maar over haar persoon weet ik verder niets,' antwoordde Monica, plotseling meer ontspannen, omdat dit geen inquisitie leek te worden omtrent haar geloof in God of haar niet-geloven in wonderen. 'Ik weet dat ze een franciscaner non was en dat de door haar opgerichte ziekenhuizen allemaal op de behandeling van een bepaalde handicap bij kinderen zijn gericht, zo ongeveer op dezelfde manier als het St. Jude Hospital door Danny Thomas is gesticht om kinderen met kanker te behandelen.'
'Dat klopt exact,' stemde Kelly met haar in. 'En na zuster Catherines dood, drieëndertig jaar geleden, waren er veel mensen die geloofden dat zij een heilige was. We doen nu een specifiek onderzoek naar de genezing van het O'Keefe-jongetje, maar er hebben zich ontelbaar veel ouders bij ons gemeld om te vertellen dat zuster Catherine blijkbaar speciale gaven bezat, omdat veel kinderen, nadat ze in haar nabijheid waren geweest, de weg naar genezing bleken te zijn ingeslagen.' Monseigneur Kelly keek

monseigneur Fell aan. 'Misschien kun jij het beter overnemen, David?'
David Fells glimlach lichtte zijn serieuze gezicht op. 'Dokter Farrell, misschien moet ik beginnen met u het verhaal te doen van een zaak die op dit moment in Rome wordt bestudeerd. Terence Cooke was kardinaal-aartsbisschop van New York. Hij stierf vijfentwintig jaar geleden. Hebt u ooit van hem gehoord?'
'Ja, dat heb ik. Mijn vader hield erg van New York,' reageerde Monica, 'en na de dood van mijn moeder, die stierf toen ik tien jaar oud was, gingen we vaak samen naar Manhattan om in het weekend musea te bezoeken of naar het theater te gaan. En dan gingen we op zondagochtend ook altijd naar de kardinaalsmis in St. Patricks. Ik herinner me dat ik daar kardinaal O'Connor heb gezien. Dat was na de dood van kardinaal Cooke, weet ik.'
Fell knikte. 'Kardinaal Cooke was een man die door velen op handen werd gedragen. Mensen voelden zich al gezegend door hem te kénnen en in zijn nabijheid te mogen verkeren. Na zijn dood hebben duizenden mensen brieven over hem naar het bisdom geschreven, over zijn goedheid, zijn vriendelijkheid, over de invloed die hij op hun leven had gehad. Een van die brieven kwam, en dat zal u waarschijnlijk interesseren, van president Reagan en zijn vrouw Nancy.'
'Maar die waren toch niet katholiek?' zei Monica.
'Heel veel van de brieven naar het bisdom waren afkomstig van mensen die niet katholiek waren. De berichten kwamen ook uit alle lagen van de maatschappij. Niet iedereen weet dat president Reagan, nadat hij was neergeschoten, veel dichter bij de dood was dan aan het publiek werd vrijgegeven. Reagans stafchef, Michael Denver, heeft de president toen gevraagd of hij misschien graag een geestelijke zou willen spreken. Reagan vroeg om kardinaal Cooke, die vervolgens van New York naar Washington is gevlogen en tweeënhalf uur aan zijn bed heeft gezeten.'

Fell vervolgde: 'Het onderzoek naar de zaak Kardinaal Cooke is al vele jaren aan de gang. Er zijn meer dan tweeëntwintigduizend documenten onderzocht, waaronder brieven, maar ook verbale getuigenissen, plus door hem zelf geschreven papieren. Aan hem wordt, net als aan zuster Catherine, een wonder toegeschreven: ook híj zou het leven van een stervend kind hebben gered.'

'Ik wil u graag uitleggen hoe ik ertegenover sta,' zei Monica, voorzichtig haar woorden kiezend. 'Het is niet dat ik niet geloof in de mogelijkheid van de tussenkomst van God, maar als arts blijf ik natuurlijk zoeken naar andere redenen waarom dit kind, Michael O'Keefe, een spontane remissie had. Ik zal u een voorbeeld noemen: Iemand met verschillende persoonlijkheden, iemand die lijdt aan schizofrenie dus, kan bijvoorbeeld als de ene persoonlijkheid zingen als een leeuwerik en als de andere persoonlijkheid volkomen toondoof en a-muzikaal zijn. Er zijn voorbeelden van mensen met meerdere persoonlijkheden die als ze de ene persoon zijn een bril nodig hebben en als de andere persoonlijkheid uitstekend kunnen zien. Als wetenschapper blijf ik een dergelijke verklaring zoeken voor het feit dat Michael O'Keefe een kwaadaardige hersentumor had die vanzelf is verdwenen en waarvan hij misschien zelfs werkelijk is genezen.'

'Toen er door ons contact met u is gezocht, heeft u verteld wat de reactie van Michaels moeder was, toen u haar en zijn vader vertelde dat hun zoontje een dodelijke ziekte had.'

'Nadat ik erop had aangedrongen bij Mr. en Mrs. O'Keefe mijn diagnose te laten controleren door gerenommeerde specialisten, en Michael niet het slachtoffer te laten worden van allerlei valse beloften van charlatans, heb ik ze de doktoren van het Cincinnati aangeraden. Ik voorspelde dat ze dezelfde mening toegedaan zouden zijn als ik en vertelde hun dat ik hoopte dat ze daarna naar huis zouden gaan om te genieten van het jaar dat hun zoon nog te leven had.'

‘En hoe reageerden de ouders?’

‘Michaels vader viel bijna flauw. Maar zijn moeder keek me aan en zei: “Mijn zoon zal niet sterven. Ik ga een novene aan zuster Catherine richten en dan wordt hij beter.”’

De monseigneurs Fell en Kelly wisselden een blik. ‘Dokter Farrell, we zouden nu uw getuigenis graag onder ede afnemen en daarna kunt u weer naar huis,’ zei monseigneur Kelly. ‘Wat u vertelt is van cruciaal belang voor de procedure.’

‘Ik vind het prima om dit nog eens onder ede te verklaren,’ zei Monica zacht. Wat vreemd, dacht ze, de enige eed die ik ooit heb afgelegd is de gelofte van Hippocrates. Woorden uit zijn *Precepts* speelden door haar hoofd... ‘omdat sommige patiënten, hoewel ze aan een ernstige ziekte lijden, alleen al door het feit dat ze tevreden zijn over de goedheid van hun arts, weer gezond kunnen worden.’

Ik vraag me af of het uiteindelijk de goedheid is geweest van zuster Catherine, een overleden franciscaner non die haar leven heeft geofferd aan de zorg voor invalide kinderen, in plaats van die van een arts – mij dus in dit geval – waardoor Michael O’Keefe uiteindelijk is opgeknapt. Michaels moeder had er in ieder geval het volste vertrouwen in dat zuster Catherine het haar niet zou aandoen haar haar kind te laten verliezen.

Die gedachte bleef Monica bij terwijl ze onder ede haar getuigenis aflegde.

23

Greg Cannons dubbele appartement lag in een van de Museum Mile gebouwen op Fifth Avenue, die zo werden genoemd omdat ze vlak bij onder andere het Metropolitan Museum of Art en het Guggenheim Museum lagen. Het appartement had meerdere terrassen van waaruit hij in vier richtingen over Manhattan uitkeek en een werkelijk adembenemend uitzicht over het meest beroemde eiland ter wereld had.

Voor zijn tweede huwelijk, acht jaar geleden, had Greg in het gebouw dat ernaast lag gewoond, in een appartement met twaalf kamers, dat nog altijd werd bewoond door Caroline, zijn eerste vrouw. Zijn twee zonen waren daar ook opgegroeid: Aidan was jurist en werkte als openbaar aanklager bij het Manhattan Legal Aid Society kantoor. De andere zoon, William, had na zijn studie sociologie een baan als leraar aanvaard bij een school in de binnenstad. Na de scheiding hadden ze allebei niets meer met Greg te maken willen hebben. 'Je hebt tegen de media verteld dat je van mama ging scheiden om met Pamela te trouwen, terwijl mama nog niet eens wist dat je haar ontrouw was,' had Aidan tegen hem gezegd. 'Mooi. Jij hebt Pamela nu. Bovendien heb ik een citaat van je in de krant kunnen lezen waarin je zegt: "Voor het eerst in mijn leven weet ik wat echt gelukkig zijn is." Dus heb je ons blijkbaar niet meer nodig. En dat komt goed uit, want wij willen ook niets meer met jou te maken hebben.'

De jongens waren nu allebei achter in de twintig. Af en toe, als Greg besloot om te voet van of naar kantoor te gaan, kwam hij een van hen wel eens tegen als ze onderweg waren voor een bezoekje aan hun moeder. Greg gaf het niet graag toe, maar hij wist maar al te goed dat hij, wanneer hij langs het appartementengebouw kwam waar Caroline woonde, altijd stiekem hoopte een van hen tegen te komen. Maar als dat gebeurde, beantwoordde geen van zijn beide zonen zelfs zijn groet.

Af en toe zag hij Caroline, meestal bij een liefdadigheidsgebeurtenis en aan de andere kant van de zaal. Hij had gehoord dat het serieus begon te worden met Guy Weatherill, de directeur van een internationale firma die was gespecialiseerd in brug- en wegenbouw. Weatherill was weduwnaar en voor zover Greg had gehoord, een keurige, betrouwbare vent. En dat hoopte hij van harte voor Caroline. Ze verdiende een goeie vent. En bij de schei-

ding is ze er natuurlijk lang niet slecht afgekomen, dacht Greg daarna altijd verdedigend.
Dit soort gedachten speelden door Gregs hoofd terwijl hij thuis in zijn bibliotheek aan een glas wodka zat en uit het raam staarde naar het vallen van de schemering over de stad.
Hoeveel zou dit appartement opleveren? vroeg hij zichzelf af. Acht jaar geleden, toen Pamela en ik trouwden, heb ik er achttien miljoen voor betaald. Maar toen heeft Pam het totaal op z'n kop gezet en heb ik nog acht miljoen aan de renovatie ervan moeten uitgeven. Ik denk niet dat ik er op dit moment, in de huidige markt, zesentwintig miljoen voor zou krijgen. En hoe kan ik Pam nog onder ogen komen als ik haar moet vertellen dat ik mijn verlies moet beperken en dat we moeten verhuizen?
Ik heb redelijk wat geluk gehad met de tips die ik kreeg en ik heb nooit op een manier gehandeld die verdacht zou kunnen lijken. Behalve de laatste paar jaar, toen ben ik te hebberig geweest. Gelukkig liep de lunch vandaag gesmeerd. Die Saling heeft voldoende financiële leefruimte, maar werd door zijn trustfonds strak aan de leiband gehouden. Nu zijn moeder is overleden, wil hij de erfenis zo beleggen dat er flinke revenuen uit komen. Via een aantal van zijn vrienden die al cliënt bij hem waren, had hij goede berichten over mij gehoord... Als hij zijn aandelenportefeuille aan mij toevertrouwt, lukt het me misschien om liquide te blijven en een paar flinke klappers te maken.
De Foundation. Het liefdadigheidsfonds. Iedereen wist dat de verdiensten op de investeringen flink waren gekelderd. En de patenten zijn verjaard, dus komt het geld niet meer vanzelf binnenstromen. Maar we zijn te rigoureus met het geld omgegaan, peinsde hij. Ik heb mezelf geld toegeëigend voor zogenaamde liefdadigheidsinstellingen die het daglicht niet konden verdragen en de bedragen die Peter voor het theater heeft gehad zijn als ze onder de loep worden genomen op zijn minst twijfelachtig.

Gelukkig zorgen Clay de cardioloog en Doug de koning van de geestelijke gezondheidszorg ervoor dat we een goede naam hebben door de liefdadige instellingen waarbij ze onze financiële hulp inschakelen.

Ik heb geld, heel veel geld, nodig. Het liefst uit het fonds, maar helaas zit er niet genoeg meer in om dat eruit te kunnen halen.

'Greg?'

Zoals altijd had die verleidelijke stem, waar hij vanaf het eerste moment als een blok voor was gevallen, haar magische effect op Greg Gannon. 'Ik zit hier,' riep hij terug.

'Je zit helemaal verstopt in die grote leren stoel,' merkte zijn vrouw plagend op. 'Je verstopt je toch niet voor míj, is het wel?'

Pamela stond nu achter zijn stoel en Greg voelde haar armen om zijn hals glijden. Een vleugje van het bijzondere, adembenemend dure parfum dat Pamela altijd droeg kwam zijn neusgaten binnen. Zonder haar werkelijk te zien, kon hij zich haar overweldigende schoonheid exact voor de geest halen – mensen hielden haar zelfs regelmatig voor Catherine Zeta-Jones.

Met een enorme wilskracht bracht hij de duivelse stemmetjes in zijn hoofd tot zwijgen. De stemmetjes die hem waarschuwden dat zijn financiële problemen onoplosbaar waren en dat hij uiteindelijk zou eindigen met een lange gevangenisstraf aan zijn broek. Hij stak zijn handen omhoog en legde die om Pamela's schouders heen. 'Me voor jou verstoppen? Nooit, schat, nooit. Je houdt toch van me, hè, Pam?'

'Domme vraag, schat, domme vraag.'

'Wat er ook gebeurt, je zou me nooit verlaten, toch?'

Pamela Gannon lachte zachtjes en geamuseerd. 'Waarom zou ik de meest vrijgevige man ter wereld in vredesnaam ooit willen verlaten?'

24

Woensdagavond om zes uur belde Kristina Johnson met haar moeder.

'Mam, ik weet niet wat ik moet doen. Ms. Carter is gisteravond niet thuisgekomen en neemt ook haar mobiele telefoon niet op. Ik zit hier nog steeds in mijn eentje met de baby.'

'Mijn hemel, dat is belachelijk. Vandaag is je vrije dag. Wie denkt dat mens wel dat ze is?'

'Vorige week is ze ook een nacht niet thuis geweest, maar toen was ze er de volgende ochtend wél. En ze heeft nog nooit zo lang niets laten horen. Ik maak me zorgen om Sally, ze is wat kortademig.' Kristina keek naar Sally, die rustig op het tapijt zat, met een pop in haar schoot.

'Hou je haar wel uit de buurt van die hond?'

'Ik probeer het, maar Sally is dol op die hond en die hond op haar. Maar labradors verliezen nu eenmaal haar en de dokter heeft Sally's moeder gewaarschuwd dat ze daar allergisch voor is.'

'René Carter hoort geen huisdier te hebben als ze weet dat haar kind er ziek van wordt. Wat een moeder, zeg!'

Een vermoeide Kristina kon horen dat haar moeder op het punt stond een litanie te beginnen dat oppassen geen gemakkelijk werk was en dat ze veel beter die opleiding voor verpleegster had kunnen gaan doen. Dan zou ze nu niet afhankelijk zijn van de luimen van zo'n verwend rijk vrouwtje, dat alleen maar een kind had om er af en toe mee naar Central Park te kunnen gaan en een of andere fotograaf een plaatje te laten schieten voor op pagina zes van de *New York Post*.

Voordat haar moeder van start kon gaan, smoorde Kristina haar woordenvloed al in de kiem. 'Mam, ik bel alleen maar om te zeggen dat ik vanavond dus niet thuiskom. Aan de andere kant moet je wel toegeven dat Ms. Carter me nu het dubbele betaalt,

omdat ik hier al de hele week ben. Ze zal zo wel komen.'
'Heb je een van haar vriendinnen al geprobeerd?'
Kristina aarzelde. 'Ik heb er twee gebeld van wie ik weet dat ze er veel contact mee heeft.'
'En, wat zeiden die?'
'De ene barstte in lachen uit en zei: "Typisch René. Ze zal wel een nieuwe vent aan de haak geslagen hebben." En de andere zei alleen maar dat ze geen idee had waar René uithing.'
'Tja, er zit niets anders op dan gewoon te wachten tot ze weer komt opdagen, neem ik aan. Weet je met wie ze een afspraak had toen ze gisteravond wegging?'
'Nee, maar ze was wel heel opgewekt.'
'Goed. Ik wil dat je overweegt om ontslag te nemen. En buiten dat: hou dat kindje goed in de gaten. Als ze kortademig is, moet je de luchtzuivering aanzetten. En als het erger wordt, moet je geen risico nemen en de dokter bellen. Heb je daar het nummer van?'
'Ja. Dokter Farrell heeft al een paar keer gebeld sinds Sally uit het ziekenhuis is. En iedere keer geeft ze me dan haar mobiele nummer weer.'
'Goed. Ik denk dat dat alles is wat je nu kunt doen. Maar als dat mens morgenochtend nog niet terug is, moet je misschien de politie maar bellen.'
'Dan is ze vast al terug. Ik bel wel weer, mam.'
Met een diepe zucht verbrak Kristina de verbinding. Ze had vanuit Sally's slaapkamer gebeld, de enige plek waar ze de hond buiten de deur had kunnen houden. Het was een grote kamer: met roze vloerbedekking met een wit patroon erin op de grond, muren die met sprookjesfiguren beschilderd waren en wit rieten meubeltjes. Voor de ramen hingen gedrapeerde roze-witte gordijnen en tegenover het bedje waren planken opgehangen waarop allerlei kinderboeken en speelgoed lagen. Toen Kristina deze kamer voor het eerst had gezien, had ze René Carter een compli-

ment gemaakt dat het er zo enig uitzag. Daarop had ze gereageerd met: 'Dat mag ik hopen met die torenhoge rekening die ik van de binnenhuisarchitecte kreeg!'
Sally had nauwelijks iets gegeten en speelde nu een beetje met haar pop, maar tot Kristina's ongerustheid liep ze even later naar haar bedje, trok daar haar dekentje vanaf en legde dat op de grond om erop te gaan liggen.
Ze is weer ziek aan het worden, dacht Kristina. Ik zal de luchtzuivering aanzetten en blijf dan hier wel bij haar op de bank slapen. Als het morgenochtend niet beter met haar gaat, bel ik dokter Farrell, of haar moeder nou terug is of niet. Ms. Carter is dan natuurlijk woedend op me omdat ik dan tegen de dokter zal moeten vertellen dat ze niet hier was. Maar dat kan me niks schelen.
Kristina liep naar Sally toe en pakte het half slapende kindje op. 'Arm kleintje,' zei ze. 'Jij hebt geen geluk met zo'n rotmens als moeder.'

25

Monica had gehoopt nog even naar huis te kunnen om zich op te frissen voordat ze naar Olivia Morrow ging, maar toen ze eenmaal op de terugweg was en door de Lincolntunnel reed, besloot ze dat ze toch te weinig tijd had. Ik ben liever te vroeg dan dat ik haar misschien moet laten wachten, dacht ze. Ze verkeert duidelijk niet in een al te beste gezondheid.
Ms. Morrow beweert dat zij mijn biologische grootouders kent, de echte ouders van papa. Hoe zou dat mogelijk zijn? Papa's biologische moeder heeft er alles aan gedaan om haar identiteit verborgen te houden. In de geboorteregisters van het ziekenhuis in Ierland stonden de Farrells genoteerd als de biologische ouders. Wat bedoelde Olivia Morrow toen ze zei dat ze mij over hen wilde vertellen, voordat het te laat was? Hoezo te laat? Is ze

zo ziek dat ze stervende is? Als ze die toevallige opmerking niet tegen Tony Garcia had gemaakt, zou ik haar nooit hebben gebeld. Zou zíj dan ooit met míj contact hebben opgenomen?

Om twintig minuten voor vijf kwam Monica, nadat ze haar auto had geparkeerd, de centrale hal van het Schwab House binnen. Bij de receptie gaf ze haar naam en zei ze: 'Ik heb om vijf uur een afspraak met Ms. Morrow. Ik ben wat vroeg, dus ik blijf hier eerst nog wat zitten wachten, totdat het voor jullie tijd is om haar bellen.'

'Natuurlijk, mevrouw.'

De twintig minuten dat ze nog moest wachten leken wel uren. Toen ze eindelijk voorbij waren, liep Monica terug naar de receptie. 'Wilt u Ms. Morrow nu alstublieft bellen en zeggen dat dokter Farrell er is?'

Monica kon nog maar nauwelijks haar geduld inhouden en haar verwachtingen waren hooggespannen, terwijl de conciërge het nummer draaide. Vervolgens kon ze aan zijn gezicht zien dat er een probleem was. Hij verbrak de verbinding en toetste het nummer nogmaals in, wachtte een paar minuten en verbrak de verbinding opnieuw.

'Ze neemt niet op,' merkte hij toonloos op. 'Misschien is er een probleem. Ik weet zeker dat Ms. Morrow vandaag de deur niet uit is gegaan. Maar ze is niet in orde, en toen ze gisteren terugkwam, leek ze zelfs te moe om nog naar de lift te kunnen lopen. Maar ik heb het nummer van haar arts en ik ga hem nu bellen. De nachtportier vertelde me dat hij gisteravond nog bij haar op bezoek is geweest.'

'Ik ben zelf arts,' zei Monica snel. 'Als u denkt dat er een medisch probleem is, zou de tijd van cruciaal belang kunnen zijn.'

'Ik zal dokter Hadley nu bellen en als hij het goedvindt zal ik u naar boven begeleiden.'

Vol ongeduld en ongerustheid wachtte Monica af, terwijl de conciërge naar dokter Hadley belde. Hij bleek niet in zijn praktijk te zijn, maar gelukkig nam hij zijn mobiele telefoon wél op. Van wat ze de conciërge hoorde vertellen, legde hij de situatie beknopt uit en even later legde hij de hoorn weer neer. 'Dokter Hadley komt zo snel mogelijk, maar hij zei dat ik u meteen naar Ms. Morrows appartement moest begeleiden en dat we de deur moesten forceren, mocht ze die hebben vergrendeld.'

Toen de conciërge zijn duplicaatsleutel in het slot van de voordeur van Ms. Morrows appartement omdraaide, hoorden ze gelukkig een klik, en nadat hij de deurknop naar beneden had gedrukt, ging de deur inderdaad open. De grendel zat er dus niet voor geschoven. 'Ik weet zeker dat ze niet weg is gegaan,' zei de conciërge weer. 'Dokter Hadley is hier gisteravond nog geweest. Misschien lag ze toen al in bed en had ze, toen hij eenmaal weg was, geen fut meer om op te staan en de grendel voor de deur te schuiven.'

Er was nergens een lamp aan, maar er viel nog genoeg daglicht naar binnen, waardoor Monica, terwijl ze haastig door de gang achter de conciërge aan liep, in het voorbijgaan een blik kon werpen in de woonkamer met eetgedeelte en de keuken. Overal was het keurig schoon en opgeruimd. 'Haar slaapkamer is aan het einde van de gang, naast de studeerkamer,' zei de conciërge.

Hij klopte op de slaapkamerdeur die gesloten was, klopte, aarzelde even en deed de deur toen voorzichtig open, waarna ze naar binnen stapten. Vanuit de deuropening zag Monica dat er een frêle gestalte in het bed lag, met haar hoofd op een kussen en de rest van haar lichaam onder de dekens.

'Ms. Morrow,' begon de conciërge, 'ik ben het, Henry. We komen even kijken of alles goed is met u. De dokter is bezorgd dat u hem nodig heeft.'

'Doe het licht maar aan,' droeg Monica hem op.

'O, ja, natuurlijk dokter, natuurlijk,' stamelde Henry.

Plotseling baadde de kamer in het licht van de plafondlamp. Monica liep snel naar het bed toe en keek daar neer op het wasachtige gezicht van Ms. Morrow. Haar tanden waren gedeeltelijk over haar onderlip geklemd en haar ogen stonden nog halfopen. Ze is al uren dood, dacht Monica. De rigor mortis is al ingezet. O, mijn god, had ik haar maar eerder gebeld! Zal ik nu nog ooit meer te weten komen over mijn biologische grootouders?

'Je moet de politie bellen, Henry,' droeg ze hem op. 'Als iemand alleen is gestorven, moet dat altijd aan de politie worden gerapporteerd. Ik wacht hier wel totdat haar eigen dokter er is. Hij is de aangewezen persoon om de overlijdensverklaring te ondertekenen.'

'Ja, mevrouw. Ja. Dank u wel. Ik bel beneden wel.' Henry wilde duidelijk het liefst zo snel mogelijk weer weg bij de dode.

In de hoek van de kamer stond een stoel, die Monica naast het bed neerzette. Daar ging ze zitten, naast het dode lichaam van de vrouw die ze zo graag had willen ontmoeten. Olivia Morrow was duidelijk heel erg ziek geweest. Ze zag er bijna doorschijnend uit. Wist ze werkelijk van mijn bestaan, dacht Monica, of was het allemaal een vergissing? Nu zal ik het waarschijnlijk nooit te weten komen.

Een kwartier later kwam dokter Clay Hadley haastig binnen. Hij pakte Olivia's hand vanonder de dekens en legde die toen zachtjes weer terug. 'Ik ben hier gisteravond nog geweest,' zei hij met schorre stem. 'Ik heb Olivia gesmeekt om zich in een ziekenhuis te laten opnemen, of in een hospice, zodat ze niet in haar eentje zou zijn als het einde kwam. Maar ze stond erop in haar eigen bed te sterven. Kent u haar al lang, dokter?'

'Ik heb haar nooit ontmoet. Ik had vanavond een afspraak met haar,' antwoordde Monica met zachte stem. 'Mijn vader was geadopteerd en Ms. Morrow beweerde dat ze mijn biologische grootouders had gekend. Ze wilde me over hen vertellen. Heeft ze het misschien ooit met u over mij gehad?'

Hadley schudde zijn hoofd.

'Dokter Farrell, ik ben bang dat u geen geloof moet hechten aan de dingen die Olivia beweerde. De laatste paar weken, sinds ik haar heb moeten vertellen dat ze niet lang meer te leven had, leed ze aan waandenkbeelden. De arme ziel had geen familie en ze begon te denken dat iedereen die ze ooit had ontmoet of van wie ze iets hoorde, op de een of andere manier familie van haar was.'

'Ik begrijp het. Om eerlijk te zijn, vroeg ik me al af of dat misschien het geval was. Ik denk dat ik maar het beste kan blijven totdat de politie er is, omdat ik haar samen met de conciërge zo heb aangetroffen. Ze zullen wel een verklaring van me willen.'

'Zullen we dan in de woonkamer gaan zitten?' stelde Hadley voor.

Met een laatste blik op het bed met daarin Olivia Morrow, verliet Monica de kamer. Maar terwijl ze door de gang naar de woonkamer liep, had ze het zeurende gevoel dat er iets niet klopte...

Misschien ben ik hier degene die gek aan het worden is, dacht ze. Ik denk dat ik niet besefte hoe ik erop rekende dat Olivia Morrow me echt iets zou kunnen vertellen over mijn achtergrond. Ik voel me opeens ontzettend triest en teleurgesteld.

In de woonkamer, die duidelijk van de goede smaak van Olivia Morrow getuigde, bleef Monica het gevoel houden dat ze iets belangrijks over het hoofd had gezien, iets wat niet klopte aan de dood van de vrouw die ze nooit eerder had ontmoet. Maar wat?

26

Donderdagochtend belde Doug Sammy Barber op. Zich welbewust van het feit dat alles wat hij zei waarschijnlijk op band werd vastgelegd, hield hij het kort en probeerde hij zijn stem te verdraaien. 'Ik ga akkoord met je voorwaarden.'

'O Dougie, kalm maar,' zei Sammy. 'Ik neem je niet meer op. Ik

heb alles wat ik nodig heb voor het geval je niet voldoet aan mijn eisen. Je hebt het geld. En in gebruikte biljetten, neem ik aan?'
'Ja.' Langdon spuugde het woord zowat uit.
'Ik heb het zo bedacht: we moeten allebei een grote zwarte koffer hebben, zo'n koffer die we achter ons aan kunnen trekken. Dan ontmoeten we elkaar op de parkeerplaats van ons favoriete tentje in Queens. We parkeren dicht bij elkaar en verwisselen de koffers op de parkeerplaats. Het is niet nodig om samen koffie te drinken, hoewel de koffie daar niet slecht was als ik me goed herinner. Wat denk je ervan?'
'Wanneer wil je dat doen?'
'Dougie, je klinkt niet erg blij. En ik wil juist zo graag dat je blij bent. Hoe eerder hoe beter. Wat dacht je van vanmiddag, zo rond drie uur? Dan is het rustig en de baas van de nachtclub wil dat ik vroeg in de avond op mijn werk ben. Er hebben vanavond een stelletje beroemdheden wat tafeltjes gereserveerd en ik moet er zijn om hen tegen idioten te beschermen.'
'Dat zal wel. Vanmiddag om drie uur op de parkeerplaats van dat tentje in Queens.' Douglas Langdon deed geen poging meer om zijn stem te verdraaien. Als Sammy Barber het geld inpikte zonder zijn afspraken na te komen, was er absoluut niets wat hij daartegen zou kunnen doen. Behalve, hield hij zichzelf grimmig voor, iemand vinden die Sammy op zíjn beurt zou vermoorden. Maar als het zover kwam, zou hij er wel verdomde goed voor zorgen dat Sammy's heengaan op geen enkele manier naar hem kon worden teruggevoerd.
Maar toch denk ik dat hij, als hij het geld eenmaal heeft, wel doorzet, dacht Langdon, terwijl hij op zijn kantoor zat te wachten tot Roberta Waters, zijn eerste patiënte van die dag, zou arriveren. Weer zo'n type dat chronisch te laat kwam. Niet dat het hem wat uitmaakte. Hij hield altijd precies op als haar uur voorbij was, zelfs al zat ze pas een kwartiertje bij hem op de bank. En als ze protesteerde, zei hij: 'Ik kan de volgende patiënt niet langer

ophouden, dat zou niet eerlijk zijn. Denk daar maar eens over na. Een van de redenen van jouw gespannen relatie met je echtgenoot is dat het hem ongelofelijk irriteert dat je nooit ergens op tijd bent en er daardoor voor zorgt dat hij, op jullie gezamenlijke afspraken, altijd en eeuwig beschamend laat is.'

Mijn god, wat had hij schoon genoeg van dat mens!

Geef het maar toe, berispte hij zichzelf, je hebt schoon genoeg van alles en iedereen. Wees voorzichtig, je loopt op iedereen te snauwen, waarschuwde hij zichzelf. Je begint ook al aardig kattig tegen Beatrice te doen, die toch een goede secretaresse is en natuurlijk vreselijk nieuwsgierig was toen Sammy hier opeens opdook.

De telefoon ging. Even later kondigde Beatrice aan: 'Dokter Hadley aan de lijn, meneer.'

'Dank je, Beatrice,' zei Doug geforceerd vriendelijk. Zijn toon veranderde toen hij haar de haak erop hoorde leggen. 'Ik heb je gisteravond proberen te bellen. Waarom nam je niet op?'

'Omdat ik een wrak was,' antwoordde Clay Hadley met bevende stem. 'Ik ben dokter. Ik red levens. Het is makkelijk praten over iemand doodmaken. Maar het is heel iets anders als je een kussen op het gezicht moet drukken van een vrouw die altijd je patiënte is geweest.'

Doug Langdon kon zijn oren niet geloven toen hij duidelijk het geluid van een snik opving vanaf de andere kant van de lijn. Als Beatrice niet meteen de haak erop had gelegd, zou ze Clays uitbarsting hebben gehoord, dacht hij nerveus. Het liefst had hij Hadley nu toegeroepen dat hij zijn kop dicht moest houden, maar hij slikte de beklemming die hij plotseling in zijn keel voelde weg en zei kalm: 'Clay, beheers je. Olivia Morrow had op zijn hoogst nog maar een paar dagen te leven. Door haar die paar dagen af te nemen, heb je jezelf levenslang in de gevangenis bespaard. Je hebt me zélf verteld dat ze van plan was Monica Farrell in te lichten over Alex en het fortuin van de Gannons.'

'Doug, Monica Farrell was in het appartement toen ik gisteravond daar arriveerde. Ze zat naast het bed van Olivia. Ze is dokter. Er kan haar iets zijn opgevallen.'
'Zoals wat?'
Langdon wachtte. Hadley was opgehouden met dat gesnik van hem, maar zijn stem klonk aarzelend toen hij zei: 'Ik weet niet. Ik neem aan dat ik gewoon zenuwachtig ben. Sorry. Er is hoogstwaarschijnlijk niets aan de hand.'
'Clay,' begon Langdon weer, terwijl hij probeerde zijn stem geruststellend te laten klinken. 'Er mag gewoon niets aan de hand zijn. Zowel voor jou, als voor mij. Stel je al dat geld op die Zwitserse bankrekening van je eens voor en het leven dat je daarmee kunt leiden. En bedenk eens goed wat er met jou en mij zou kunnen gebeuren als we niet kalm blijven.'
'Je hebt gelijk, je hebt gelijk. En er is niets aan de hand, dat beloof ik je.'
Langdon hoorde de klik in zijn oor. Clay had de verbinding verbroken en op hetzelfde moment zoemde de intercom. Hij veegde met zijn zakdoek het zweet van zijn voorhoofd en van zijn handen.
'Dokter, Mrs. Waters is hier,' kondigde Beatrice aan. 'En ze is helemaal gelukkig. Ze wil dat ik u erop wijs dat ze maar vier minuten te laat is. Ze zei dat ze wist dat dat uw hele dag goed zou maken.'

27

Andrew en Sarah Winkler woonden al sinds ze getrouwd waren in een comfortabel appartement op York Avenue en Seventyninth Street in Manhattan, één straat van de East River verwijderd. Omdat ze geen kinderen hadden, waren ze nooit in de verleiding gekomen om naar een van de voorsteden te verhuizen. 'Ik moet er niet aan denken,' zei Andrew altijd. 'Als ik een hoop bladeren zie, ben ik blij dat die van iemand anders is en ik de boel niet hoef op te ruimen.' Andrew, accountant, en Sarah, bibliothecaresse, nu allebei gepensioneerd, waren helemaal tevreden met hun manier van leven. Een paar avonden per week gingen ze naar Lincoln Center of naar een lezing op de 92nd Street Y. Eens per maand trakteerden ze zichzelf op een Broadway Show.

Een van de vaste dingen in hun dagelijkse routine was hun wandeling na het ontbijt. Met die gewoonte braken ze nooit, tenzij het weer heel extreem was. 'Mist is geen probleem, maar een wolkbreuk wel,' vertelde Sarah haar vriendinnen. 'Kou ook niet, tenzij het onder de min vijfentwintig is. En warm is ook geen punt, behalve als het meer dan dertig graden is. We willen geen couchpotato's worden, maar we hoeven natuurlijk ook niet dood te gaan aan bevriezing of bevangen worden door de hitte.'

Soms wandelden ze dan door Central Park. Andere dagen kozen ze het voetpad langs de East River. Deze donderdagochtend hadden ze voor het rivierpad gekozen en in hun exact dezelfde regenjacks gingen ze van start.

Die nacht had het onverwacht geregend en Sarah merkte tegen Andrew op dat de weersvoorspelling ook nooit klopte en dat je je afvroeg wat die mensen betaald kregen om op de televisie te komen terwijl ze voor een landkaart stonden en een beetje met hun armen op en neer zwaaiden om de windstromen aan te geven. 'De helft van de tijd als ze zeggen dat het misschien gaat regenen, zouden ze doorweekt raken als ze gewoon even buiten gingen staan,' merkte ze op, terwijl ze in de buurt van Gracie Mansion kwamen, de ambtswoning van de burgemeester van New York. 'Maar nu is het in ieder geval helder.'

Plotseling onderbrak ze haar litanie over die vreselijke onvoorspelbaarheid van de weersverwachting en greep ze paniekerig de arm van haar echtgenoot beet. 'Andrew! Kijk! Kijk!' Ze liepen langs een bankje dat aan de rand van het pad stond. Half eronder geduwd lag een grote vuilniszak, zo'n vuilniszak die op bouwplaatsen wordt gebruikt. Er stak een voet uit, met daaraan een hooggehakt damessandaaltje.

'O mijn god, mijn god...' jammerde Sarah.

Andrew voelde in de zak van zijn jack en haalde zijn mobiele telefoon tevoorschijn. Hij toetste het alarmnummer in.

28

Donderdagochtend ging Monica, na een bijna slapeloze nacht, rechtstreeks naar het ziekenhuis. Ergens rond drie uur die nacht had ze haar enorme teleurstelling over de dood van Olivia Morrow proberen te verzachten door zichzelf te beloven dat ze een privédetective in zou huren, om ieder verband dat er zou kunnen bestaan tussen Olivia en haar biologische grootouders te onderzoeken.

Maar ondanks dat voornemen werd ze achtervolgd door het gevoel dat ze haar kans had gemist. En het werd er allemaal niet gemakkelijker op toen Ryan Jenner haar ook nog op de kinderafdeling op stond te wachten om te informeren hoe haar gesprek op het kantoor van de bisschop was verlopen.

'Vrijwel zoals ik al verwachtte. Ik heb het over de mogelijkheid van spontaan herstel gehad en zij hadden het over wonderen.'

Terwijl ze het zei, besefte Monica tegen haar zin dat ze zich prettig voelde bij Jenner in de buurt, het prettig vond terug te denken aan die vrijdagavond ervoor, toen ze naast elkaar in het restaurant hadden gezeten en hun schouders elkaar af en toe hadden geraakt.

'Om eerlijk te zijn krijg ik dat dossier van Michael O'Keefe niet meer uit mijn hoofd, Monica. Er zit toch echt álles in vanaf de eerste scan die je liet doen? Plus alle MRI's en alle scans van een jaar later, waarop de tumor totaal is verdwenen, toch?'

'Absoluut. Alles. De hele rataplan.'

‘Zou je dat dossier een paar dagen aan me willen uitlenen? Ik wil het graag nog eens uitgebreid bestuderen. Ik blijf het ongelofelijk vinden.’

‘Dat was precies mijn reactie. Nadat de artsen in Cincinnati mijn diagnose bevestigd hadden, namen de O’Keefes Michael mee naar huis. Daar heb ik ze regelmatig gebeld en alles wat ze zeiden was dat Michael zich goed hield. Ik weet dat hij in het begin nog regelmatig een toeval had, maar op een gegeven moment zijn ze naar Mamaroneck verhuisd en kwamen ze dus niet meer naar mijn praktijk. Mrs. O’Keefe wilde ook verder geen medische onderzoeken en zo meer bij haar zoontje, zelfs geen MRI’s, omdat het kind er bang voor was. Toen ze uiteindelijk wel een keer op controle kwam, zag ik meteen dat er een gezond jochie binnen kwam stappen en dat werd bevestigd door alle onderzoeken.’

‘Is het goed dan, dat ik dat dossier een tijdje leen? Ik kan laat in de middag op je praktijk langskomen om het op te halen. En dit keer zal ik echt op tijd zijn.’

‘Oké. Ik ben daar tot een uur of zes.’ Toen Ryan zich omdraaide om te gaan, vroeg ze: ‘En, hoe was het in het theater?’

Hij bleef staan en draaide zich weer om. ‘Geweldig. Het was een nieuwe uitvoering van *Our Town*. Dat is altijd een van mijn favoriete stukken geweest.’

‘O, toen ik op de middelbare school zat, heb ik ooit nog eens de rol van Emily gespeeld.’ Mijn hemel, waarom vertel ik dat? vroeg Monica zich af. Omdat ik dit gesprek nog wat langer wil laten duren?

Ryan glimlachte. ‘Nou, ik ben blij dat het maar een rol was. Ik krijg aan het eind nog altijd een brok in mijn keel als George zichzelf op Emily’s graf werpt.’ Terwijl hij zich omdraaide om te gaan, wierp hij haar even een klein glimlachje toe, een glimlachje waarvan ze wist dat het meteen weer verdwenen zou zijn en vervangen zou worden door die gewone ernstige gezichtsuitdrukking van hem.

Het gesprek had voor het verpleegsterskantoortje plaatsgevonden en toen Monica zich omdraaide, zag ze dat Rita Greenberg daar zat, met haar ogen op Ryans verdwijnende gestalte gericht.
'Wat een leuke man, vindt u niet, dokter?' zei ze met een zucht. 'Hij heeft zoveel autoriteit en lijkt tegelijkertijd ook een klein beetje verlegen.'
'Mmm,' reageerde Monica neutraal.
'Ik denk dat hij u wel leuk vindt. Dit is al de tweede keer vanochtend dat hij hier op de afdeling is om te kijken of u er was.'
Mijn hemel, dacht Monica. Dat is alles wat ik nu nog nodig heb, dat de verpleegsters gaan roddelen over een romance op de werkvloer. 'Dokter Jenner wil gewoon het dossier van een van mijn patiënten inzien,' zei ze afgemeten.
Rita begreep de verborgen terechtwijzing meteen en antwoordde net zo afgemeten: 'Natuurlijk dokter.'
'Ik ga, je weet waar je me kunt vinden,' zei Monica, terwijl ze haar mobiele telefoon in de zak van haar jasje voelde trillen.
Het was Kristina Johnson. 'Dokter,' zei ze met een angstig stemmetje. 'Ik zit in een taxi naar het ziekenhuis. Sally is heel, heel erg ziek.'
'Hoe lang is ze al ziek?' vroeg Monica haastig.
'Zo'n beetje sinds gisteren. Ze was al kortademig, maar vannacht heeft ze best goed geslapen. Maar vanmorgen werd ze steeds slechter en ik ben echt bang. Ze ligt naar adem te snakken.'
Op de achtergrond kon Monica het snikken en het benauwde hoesten van Sally Carter horen. 'Hoe ver ben je nog van het ziekenhuis?' beet ze het meisje toe.
'We zijn op de West Side Highway. We kunnen er over een kwartiertje zijn.'
Plotseling schoot het door Monica's hoofd dat René Carter, Sally's moeder, eigenlijk degene had moeten zijn die ze aan de telefoon had. 'Is Ms. Carter erbij?' vroeg ze scherp.

‘Nee. Ze is al in twee dagen niet meer thuis geweest en ik heb ook niets van haar gehoord.’

‘Oké. Ik zie je op de spoedeisende hulp, Kristina,’ zei Monica. Ze verbrak de verbinding en liet haar telefoon weer in de zak van haar jasje glijden.

Rita Greenberg had alles gehoord. ‘Sally heeft weer een astma-aanval.’ Het was geen vraag.

‘Ja. Ik ga haar opnemen en voordat ik haar weer laat gaan laat ik maatschappelijk werk haar situatie doorlichten. Had ik dat vorige week maar gedaan.’

‘Ik zal haar bedje in orde laten maken,’ beloofde Rita.

‘Ja, leg haar maar weer in haar oude kamertje. Het laatste wat ze nu kan gebruiken is een virusje van een ander kind.’

Een kwartier later stond Monica bij de ingang van de spoedeisende hulp te wachten toen de taxi voorreed. Ze rende erheen, rukte het portier open en pakte Sally over van haar oppas. ‘Geef maar aan mij,’ zei ze en rende terug het ziekenhuis in, zonder te wachten tot Kristina de chauffeur had betaald. Sally vocht om te kunnen ademen. Haar lippen waren blauw en haar ogen rolden naar achteren in haar hoofd.

Ze krijgt geen lucht, dacht Monica, terwijl ze het kindje op een brancard in een onderzoekskamertje legde. Er stonden twee verpleegsters paraat. Een van hen kleedde Sally snel uit en Monica zag dat haar moeizame ademhaling eerder te maken had met haar keel dan met haar borstkas. Het is een longontsteking geworden, constateerde ze, terwijl ze het zuurstofmasker dat de verpleegster naar haar uitstak aanpakte.

Een uur later werd Sally op de intensive care van de kinderafdeling geïnstalleerd. Ze droeg nog altijd een zuurstofmasker en ze had een infuusje waardoor haar medicijnen werden toegediend in haar arm. Haar handjes waren vastgebonden, zodat ze de naald van het infuus er niet uit kon trekken en haar angstige jammerkreten waren zo langzamerhand overgegaan in een slaperig kreunen.

Kristina Johnson was hun achternagekomen. Met haar ogen vol tranen wachtte ze tot Monica weg zou gaan bij het bedje van Sally. Monica wierp een blik op het vermoeide, ongeruste gezicht van het meisje en ze hield de berisping die ze haar had willen geven voor zich.

'Sally is heel erg ziek,' zei ze. 'Heb ik nou goed begrepen dat haar moeder al twee dagen niet thuis is geweest, Kristina?'

'Ja, eergisteravond is ze weggegaan. Gisteren was eigenlijk mijn vrije dag, maar toen ik opstond zag ik dat haar bed niet was beslapen en ik heb ook niets meer van haar gehoord.'

Kristina barstte in huilen uit. 'Als het misgaat met Sally is het mijn schuld, maar dokter, gisteren was ik bang dat Ms. Carter woedend op me zou zijn als ik met Sally naar het ziekenhuis ging. Gisteren leek ze niet zo heel erg ziek, totdat ik haar in bed legde. Toen heb ik de luchtzuivering aangezet en ben ik op de bank in haar slaapkamer gaan liggen om te slapen. Ik rekende erop dat haar moeder thuis zou komen en dat we dan samen konden beslissen of Sally naar het ziekenhuis moest als ze het benauwder zou krijgen en...'

Monica onderbrak haar nerveuze woordenvloed. 'Kristina, dit is níét jouw schuld. Waarom ga je niet terug naar het appartement van Ms. Carter om wat uit te rusten. Ik blijf hier, totdat ik zeker weet dat Sally goed ademt. En als Ms. Carter morgenochtend nog niet is komen opdagen, denk ik dat je het beste een briefje voor haar kunt achterlaten en naar huis kunt gaan. Ik ben van plan om haar afwezigheid op te nemen met de kinderbescherming.'

'Mag ik dan morgen bij Sally op bezoek komen?'

'Natuurlijk mag je dat.'

Er ging een alarm af bij het bedje van Sally en terwijl een intensive-careverpleegster zich naar haar toe haastte, hield Sally op met ademhalen...

29

'Ze is ongeveer een meter vijfenzeventig, vroeg in de dertig, heeft een goed figuur, kort roodbruin haar en draagt dure kleding,' vertelde rechercheur Barry Tucker zijn vrouw, toen hij haar belde om te zeggen dat hij pas laat thuis zou zijn. 'Het lijk is door een bejaard stel gevonden dat iedere ochtend na het ontbijt een wandeling maakt.'

Hij was weer terug op het hoofdbureau, had een kop koffie voor zich en grijnsde toen hij haar antwoord hoorde. 'Ja, ja, schat, ik weet dat ik ook wel iedere dag een wandelingetje zou kunnen gebruiken. Misschien zelfs een in looppas. Maar de stad New York betaalt me om criminelen te arresteren, niet om te wandelen.'

Hij luisterde weer. Tucker was een gezette man van vroeg in de dertig met een goedaardig gezicht. 'Nee, geen sieraden, geen handtasje,' zei hij. 'Waarschijnlijk een beroving die uit de hand is gelopen. Misschien is ze zo dom geweest om zich te verzetten. Ze is gewurgd. Had geen enkele kans.' Een beetje ongeduldig zei hij: 'Luister, schatje. Ik moet ophangen. Ik bel wel als ik hier weg kan. Wel te...'

Met wat minder geduld luisterde hij weer. 'Ja. Alles wat ze aanhad zag er nieuw uit. Zelfs de schoenen, van die idiote weet je wel, met van die torenhoge hakken. Ze zagen eruit alsof ze ze voor de eerste keer aanhad. Schatje, ik...'

Ze bleef doorkletsen, maar hij onderbrak haar. 'Schat, dat is precies wat ik van plan ben. Haar jas, pakje en bloesje hebben allemaal Escada-labels. Oké, goed. Ja, ik ken hun *flagship store* op Fifth Avenue. Ik ga er nu heen met de beschrijving van het pakje dat ze droeg.'

Barry klapte zijn mobiele telefoon dicht, nam zijn laatste slok koffie en keek zijn partner aan. 'Mijn god, wat is het toch een kletskous. Maar ze heeft me wel één handig ding verteld: het wordt uitgesproken als "esscáádaa", in plaats van "ésscadda".'

30

Op donderdagmiddag hadden monseigneur Joseph Kelly en monseigneur David Fell nog twee interviews met getuigen in het onderzoek met betrekking tot de heiligverklaring van zuster Catherine Mary Kurner. Nadat de notaris was vertrokken, bleven ze samen achter in Kelly's kantoor en bespraken ze alles nog eens met elkaar.

Ze waren het erover eens dat de getuigen die ze hadden gehoord allemaal overtuigende verhalen hadden verteld over hun ontmoetingen met zuster Catherine. Een van hen, Eleanor Niven, was vrijwilligster geweest in het door zuster Catherine gestichte ziekenhuis in Philadelphia. Ze had verteld dat zuster Catherine op het moment van de ontmoeting duidelijk ziek was en dat het gerucht ging dat ze stervende was.

'Ze had een prachtig gezicht en een serene uitstraling,' had Niven zich herinnerd. 'Toen ze binnenkwam, veranderde de sfeer duidelijk. We wisten allemaal dat we ons in de buurt van een heel bijzonder persoon bevonden.' Eleanor had verder verteld dat ze met zuster Catherine was meegelopen toen die haar ronde langs de patiënten maakte.

'Er lag een achtjarig meisje dat een hartoperatie had ondergaan en er heel ernstig aan toe was. De moeder, een jonge weduwe, zat naast het bed van haar dochtertje te huilen. Zuster Catherine omhelsde haar en zei: "Onthoud goed dat Christus de kreet van de vader van wie de zoon stervende was hoorde en hij zal jouw kreet om hulp ook horen." Toen knielde de zuster bij het bed neer en begon ze te bidden. De volgende ochtend was het kind uit de gevarenzone en een paar weken laten kon ze weer naar huis.'

'Dat verhaal kende ik al,' zei monseigneur Kelly tegen Fell. 'Toen ik nog maar pas priester was, ben ik ook eens in dat ziekenhuis geweest. Ik heb dat meisje nooit ontmoet, maar ik kan heel goed begrijpen dat alle getuigen zeggen dat zuster Catherine zo'n bijzondere aanwezigheid was. Ze had een uitstraling, een aura. En al helemaal als ze een ziek kindje oppakte en in haar armen hield. Het was wonderbaarlijk hoe zelfs het meest onrustige kind dan kalmeerde en de behandeling waartegen het zich had verzet accepteerde.'

'Onze kroongetuige van gisteren was ook heel interessant, vind je niet?' vroeg monseigneur Fell.

'Dokter Farrell? Dat was ze zeker, ja. Ze is heel belangrijk in dit proces. Michaels moeder, Emily O'Keefe, geloofde niet alleen dat haar zoon zou blijven leven, maar stopte ook met het consulteren van artsen wat betreft de ziekte van haar zoontje.'

'Dokter Farrell noemde nog een collega van haar, ene dokter Ryan Jenner,' vervolgde Fell. 'Ik heb opgezocht wat hij doet en hij blijkt een neurochirurg met een uitstekende reputatie te zijn. Dokter Farrell vertelde dat ook hij op basis van alle MRI's en CT-scans had geoordeeld dat Michael Jenner ongeneeslijk ziek was en ondertussen allang dood had moeten zijn. Het lijkt mij een goed idee om hem te vragen dat voor ons onder ede te verklaren. Ik zou hem graag oproepen als getuige en hem ondervragen.'

Monseigneur Kelly knikte. 'Daar had ik ook al over zitten nadenken. Het zou een tweede medische verklaring zijn van een zeer gerespecteerd arts, wat de zaak alleen maar vooruit kan helpen.'

Daarna zaten de twee mannen een tijdje zwijgend bij elkaar, zich allebei bewust van het onderwerp waar de ander aan dacht. 'Ik vind het zo teleurstellend dat we er niet achter kunnen komen hoe het zit met het feit dat zuster Catherine een kind heeft gebaard,' merkte Fell op.

'Ja, ik ook,' was Kelly het met hem eens. 'We weten dat ze pas zeventien was toen ze het klooster in ging. Het moet kort daarvoor zijn gebeurd, want de moeder-overste heeft haar pas een paar maanden nadat ze novice was geworden naar Ierland gestuurd. Daaruit zou je kunnen concluderen dat zuster Catherine pas een paar maanden nadat ze tot het klooster was toegetreden, heeft ontdekt dat ze zwanger was. En niemand zou er ook maar iets van hebben geweten als die verpleegster, die haar verzorgde toen ze stervende was, niet het litteken van een keizersnee bij Catherine had ontdekt en dat verhaal jaren niet aan de roddelkrantjes had verkocht, op het moment dat het proces om haar heilig te verklaren in gang werd gezet. Dan hadden we de arts die haar behandelde tijdens haar laatste ziekte ook nooit ondervraagd, de dokter die dat verhaal van die verpleegster bevestigde. Het feit dat hij het niet kon ontkennen zonder zijn geweten geweld aan te doen, was natuurlijk olie op het vuur van de roddelpers...'

Monseigneur Fell reageerde: 'We kunnen het feit niet negeren dat we geen informatie hebben over hoe ze tegenover die zwangerschap stond. Kwam de conceptie voort uit een wederzijds verlangen? De foto's van haar als jong meisje tonen aan dat ze uitzonderlijk mooi was. Het zou me niets verbazen als ze bewonderaars had. Heeft ze het kind levend ter wereld gebracht en zo ja, wat is er dan van geworden? Heeft ze er ooit met iemand over gepraat? Dat zijn de vragen waar ik mee zit.'

Monseigneur Fell besefte wel dat hij waarschijnlijk nooit een antwoord op zijn vragen zou krijgen. 'Het is mijn taak te garanderen dat wonderen werkelijk wonderen zijn en dat alleen mensen met uitzonderlijke kwaliteiten op de lijst van heiligen terechtkomen,' merkte hij op.

Monseigneur Kelly knikte en peinsde nog even verder over het feit dat zijn herinneringen aan zuster Catherine, sinds de ontmoeting met dokter Farrell gisteren, hem weer heel helder voor de geest stonden. Misschien komt het omdat ik de pijn in het gezicht van dokter Farrell kon zien, toen ze vertelde over het moment dat ze de O'Keefes had moeten zeggen dat hun zoontje ten dode was opgeschreven?

Het was dezelfde blik als ik me van zuster Catherine herinner, wanneer ze het verdriet deelde met de ouders van kinderen die ongeneeslijk ziek waren.

31

Op de terugweg naar René Carters appartement in Central Park West, belde Kristina Johnson haar beste vriendin, Kerianne Kennan, met wie ze een klein appartementje deelde in Greenwich Village. Kerianne, studente aan het Fashion Institute of Technology, nam al na de eerste keer overgaan op.

'Keri, met Kris.'

'Ik hoor aan je stem dat er iets aan de hand is. Wat is er?' vroeg Keri meteen.

'Alles,' jammerde Kristina. 'De baby waar ik op moet passen, ligt op de intensive care en de moeder is niet bereikbaar. Je hebt geen idee wat er allemaal is gebeurd.' Twintig minuten later, toen de taxi op de hoek van Ninety-sixth Street en Central Park West stopte, had Kristina de geruststellende verzekering van Kerianne dat ze zo snel mogelijk bij haar zou zijn en de rest van de dag zou blijven.

'Ik weet gewoon zeker dat René Carter tegen me begint te schelden en zal zeggen dat ik niet goed voor Sally heb gezorgd,' had Kristina in tranen aan haar vriendin uitgelegd. 'Misschien wordt ze niet zo woedend als jij erbij bent. En als ze vanavond niet thuis is, laat ik een briefje voor haar achter en vertrek ik gewoon. Ik blijf niet meer voor dat rotmens werken.'

Kristina stapte de taxi uit, liep de centrale hal in en nam de lift naar het appartement. Toen ze de deur opende, herinnerde het nerveuze geblaf van de hond haar eraan dat het arme beest sinds de avond daarvoor niet meer was uitgelaten. O, god, dacht ze, terwijl ze haastig zijn riem pakte. Ze nam niet de tijd om het appartement helemaal te controleren, want het was al meteen duidelijk dat alles nog precies hetzelfde was als ze het de avond daarvoor had achtergelaten en dat Ms. Carter dus niet was thuisgekomen.

Weer beneden, met de labrador hard trekkend aan zijn lijn, riep ze naar de conciërge: 'Jimmy, als mijn vriendin Kerianne arriveert, wil je haar dan zeggen dat ik zo terug ben?'

Een kwartier later, toen ze terugkwam, zag ze Keri tot haar opluchting in de centrale hal zitten. Maar voordat ze naar de lift liep, bleef ze nog even stilstaan bij de conciërge. 'Jimmy, is Ms. Carter toevallig thuisgekomen terwijl ik de hond uitliet?'

'Nee, Kristina,' antwoordde hij. 'Ik heb haar de hele ochtend niet gezien.'

'En gisteren de hele dag ook al niet,' mompelde Kristina tegen Keri, terwijl ze in de lift omhooggingen. 'Het eerste wat ik ga doen is een pot koffie zetten. Anders val ik straks nog staand in slaap.'

Eenmaal binnen liep ze rechtstreeks naar de keuken. 'Kijk maar even rond,' zei ze tegen Kerianne. 'Want zodra ze binnenkomt, gaan wíj ervandoor.'

Een paar minuten later kwam Keri de keuken binnen. 'Wat een prachtig appartement,' merkte ze op. 'Mijn vader zat in de antiekhandel en geloof me, er staan hier een paar heel mooie stukken. Ms. Carter moet rijk zijn, heel rijk.'

'Ze werkt als festiviteitenorganisator,' zei Kristina. 'En er zal nu wel iets heel groots aan de gang zijn, omdat ze haar telefoon niet beantwoordt en haar gezicht niet laat zien. Moet je nagaan. Ze heeft een baby'tje dat een week geleden nog in het ziekenhuis lag en net weer thuis was. Ik hou zeker op met dit werk, maar ik maak me wel zorgen hoe het dan verder met Sally zal gaan.' Ze slaakte een diepe zucht, terwijl ze twee koppen pakte en op het aanrecht zette.

'Hoe zit het met Sally's vader?'

'Geen idee. Ik ben hier nu al een volle week en ik heb nog geen teken van hem gezien. Waarschijnlijk net zo'n goede ouder als zij is. De koffie is klaar. Zullen we die in de woonkamer opdrinken?'

Toen ze net zaten, hoorden ze de intercom zoemen. Kristina sprong op. 'Dat zal Jimmy wel zijn om te zeggen dat Ms. Carter onderweg naar boven is.'

Maar toen ze antwoordde, bleek de conciërge een andere boodschap voor haar te hebben. 'Er zijn hier twee rechercheurs die naar je baas vragen. Toen ze informeerden of er iemand thuis was, heb ik hen natuurlijk verteld dat jij in het appartement bent met een vriendin. Nou willen ze jou spreken.'

'Rechercheurs?' riep Kristina uit. 'Jimmy, zit Ms. Carter in moeilijkheden?'

'Hoe kan ik dat nou weten?'

Kristina sloot de hond op in de studeerkamer. Toen de bel ging, deed ze de deur open. Er stonden twee mannen in de gang. Ze hielden hun politiebadge omhoog, zodat ze die kon zien.

'Ik ben rechercheur Tucker,' stelde de ene zich voor. 'En dit is rechercheur Flynn. Mogen we binnenkomen?'

'Natuurlijk,' reageerde Kristina zenuwachtig. 'Is Ms. Carter iets overkomen? Heeft ze een ongeluk gehad?'

'Waarom vraag je dat?' vroeg Tucker, terwijl hij het appartement binnenstapte.

'Omdat ze sinds eergisterenavond al niet thuis is geweest en ook haar mobiele telefoon niet beantwoordt en Sally, haar kindje, zo ziek is dat ik haar vanmorgen naar het ziekenhuis heb moeten brengen.'

'Is hier ergens een foto van Ms. Carter?'

'O, ja, ik zal er meteen een halen.' Kerianne stond geschrokken op, terwijl Kristina zich naar de slaapkamer van René Carter haastte. Op een tafeltje bij het raam stonden allerlei foto's van René in avondjurk. Kristina pakte er een paar bij elkaar en rende terug naar de woonkamer.

Toen ze ze aan Tucker gaf, zag ze dat hij met een grimmige uitdrukking op zijn gezicht naar zijn collega keek. 'Ze is dood, is het niet?' Kristina hapte naar adem. 'En ik heb zulke gemene dingen over haar gezegd.'
'Laten we even gaan zitten, dan kun je mij het een en ander vertellen over haar,' stelde Tucker voor. 'We hebben begrepen dat ze een baby heeft. En de baby is nu in het ziekenhuis?'
'Ja. Daar heb ik haar vanochtend heen gebracht. Ze is echt heel ziek. Daarom was ik ook zo boos op Ms. Carter. Ik wist niet wat ik moest doen, dus wachtte ik te lang om met Sally naar de spoedeisende hulp te gaan.' Haar ogen stonden vol tranen.
'En hoe zit het met de vader van de baby? Heb je geprobeerd hem te bereiken?'
'Ik weet niet wie de vader is. Toen Ms. Carter vertrok was ze helemaal opgetut, dus dacht ik dat ze naar een van haar feesten ging. Maar nu ik er opnieuw over nadenk, had ze misschien wel een afspraak met hém, want toen ze Sally gedag zwaaide, riep ze iets in de trant van: 'Duim maar voor me, Sally. Die ouwe van je hoest eindelijk het geld op.'

32

Nu Esther Chambers zich bewust was van het feit dat Greg Cannon doorgelicht werd door de Securities & Exchange Commission, viel zijn gespannenheid haar steeds meer op. In haar ogen werd de expressie op Gregs gezicht iedere dag bezorgder, behalve natuurlijk als er een klant langskwam in het kantoor.
Als zijn deur nog een klein stukje openstond, kon ze hem horen wanneer hij aan de telefoon zat: als zijn stem warm en joviaal klonk, was dat met een cliënt en als hij kortaf en abrupt sprak, was het met een van de directieleden van het fonds – met dokter Langdon, dokter Hadley of met zijn broer, Peter. De crux van

wat ze kon afleiden uit hetgeen hij tegen hen zei, was dat ze alle nieuwe goede doelen die ze wilden voorstellen konden vergeten, dat er al veel te veel geld werd gespendeerd aan die verdomde hartresearch van Hadley en aan Langdons instituten voor geestelijke gezondheid, en dat er geen cent meer zou worden uitgegeven aan die theaterprojecten van Peter.

Donderdagochtend kwam hij het kantoor binnen met een boze frons tussen zijn wenkbrauwen en met opgetrokken schouders gooide hij een lijst op haar bureau.

'Bel ze allemaal,' zei hij kortaf. 'En als een van hen aan de lijn wil komen, geef je me snel zijn naam.'

'Natuurlijk, Mr. Gannon.' Esther wierp een blik op de lijst en wist dat het allemaal potentiële cliënten waren en dat Greg een poging ging doen om hen binnen te halen.

De eerste drie personen die ze belde, konden zijn telefoontje nu niet aannemen. Een paar anderen bleven maar heel even aan de lijn. Esther vermoedde dat de obligaties of aandelen die Greg probeerde uit te venten werden afgeslagen. Maar om twintig over elf accepteerde Arthur Saling Gregs telefoontje. Saling was een mogelijke klant, een prospect, en had de week daarvoor met Greg geluncht. Hij was een timide uitziende man van vroeg in de zestig en was na de lunch met Greg mee terug naar het kantoor gekomen, waar hij duidelijk geïmponeerd was geweest door de luxueuze inrichting ervan. Tegen Esther had hij bekend dat hij verschillende beleggingsadviseurs overwoog en dat hij enthousiaste verhalen over Greg had gehoord. 'Maar ik wil heel zeker zijn van degene met wie ik in zee ga,' had hij peinzend gezegd. 'Tegenwoordig kun je niet voorzichtig genoeg zijn, tenslotte.'

Uit nieuwsgierigheid had Esther hem gegoogeld: na de dood van zijn moeder, kortgeleden, was Saling de beheerder van een familiekapitaal van tegen de honderd miljoen dollar geworden.

De deur was nu dicht, maar ze kon nog steeds de harde joviale toon waarop Greg tegen Saling praatte horen, hoewel de woorden nu te gedempt waren om te kunnen verstaan. Toen hoorde ze een tijd helemaal geen geluid uit het kantoor komen, wat betekent dat hij nu op vertrouwelijke toon tegen Saling praat en hem overlaadt met charme, wist ze. Ze kende de woorden uit haar hoofd: 'Ik hou deze aandelen al vier jaar lang in de gaten en de tijd is nu rijp. Het bedrijf staat op het punt te worden overgenomen en u kunt zich voorstellen wat dat betekent. Het is zo ongeveer de beste kans in de markt sinds Google aandelen is uit gaan geven.'

Die arme Arthur Saling, dacht ze. Als Greg zo wanhopig zijn verliezen probeert goed te maken, zit het er dik in dat een hoop van die winsten die hij voorspiegelt alleen maar op papier bestaan, en dus is hij zijn volgende slachtoffer. Ik wou maar dat ik hem kon waarschuwen.

Toen het telefoontje met Saling was afgelopen, drukte Greg op de knop van de intercom. 'Dat blijkt een goed resultaat te geven voor een ochtendje werk, Esther,' zei hij, opgelucht en vriendelijk. 'De rest van de telefoontjes stellen we uit tot vanmiddag. Mijn vrouw en ik gaan uit lunchen en ik moet zo weg.'

'Natuurlijk.' Ik wou dat ík hier weg was, dacht Esther, toen de klok op haar bureau aangaf dat het twaalf uur was. Niet alleen voor de lunch, maar helemaal weg. Ik word er misselijk van dat ik de SEC moet rapporteren over Gregs handel en wandel, ook al heeft hij er net iemand van overtuigd zijn geld aan hem toe te vertrouwen.

Greg zat nog achter zijn bureau toen Pamela Gannon om kwart over twaalf binnen kwam vallen. 'Is er iemand bij hem?' vroeg ze aan Esther.

'Nee, Mrs. Gannon,' antwoordde Esther, terwijl ze een poging deed haar stem vriendelijk te laten klinken. Ik moet toegeven dat ze heel mooi is, dacht ze, terwijl Pamela, adembenemend in een rode, met bont afgezette jas en bijpassende rode laarzen, langs haar bureau zeilde. Maar haar soort trouwt mannen als Greg

Gannon maar om één ding: een woord van vier letters: g-e-l-d.
Ze keek toe terwijl Pamela, zonder te kloppen, de deur van Gregs kantoor opengooide. 'Verrassing! Ik ben er al, papa beer,' riep ze uit. 'Ik weet dat ik vroeg ben, maar ik kon gewoon niet tot één uur wachten tot je in Le Cirque zou zijn. Het spijt me dat ik vanmorgen nog niet wakker was toen je wegging. Ik had je willen feliciteren met het feit dat die geweldige dag dat we elkaar ontmoetten alweer tien jaar geleden is.'
Papa beer! Mijn hemel, dacht Esther, huiverend vanwege Gregs opgetogen reactie.
'Ik denk er iedere minuut aan,' zei Greg. 'En ik heb zo'n succesvolle ochtend achter de rug dat ik van plan was om vóór de lunch even bij Van Cleef en Arpels langs te gaan. Maar nu kun je mee om me iets heel speciaals te helpen uitzoeken.'
Wat dacht je van een tiara? vroeg Esther zich af, terwijl ze samen aan haar bureau voorbijliepen, zonder ook maar één blik in haar richting. Ze gaan dure sieraden kopen van het geld van die arme man die net zijn fortuin bij Greg in beheer heeft gegeven.
Maar dat zal niet gebeuren, hield ze zichzelf voor. Op weg naar een tentje om te lunchen, liep Esther een kantoorboekhandel binnen en kocht ze eenvoudig wit papier plus een witte envelop. In blokletters schreef ze erop: DIT IS EEN WAARSCHUWING. INVESTEER UW GELD NIET BIJ GREG CANNON. DAN RAAKT U ALLES KWIJT. Ze ondertekende met 'een vriend', plakte een postzegel op de envelop, zette er het adres op en nam een taxi naar het hoofdpostkantoor, waar ze de brief in de brievenbus gooide.

33

Monica bleef urenlang naast het bedje van Sally zitten, nadat het haar was gelukt haar weer tot leven te wekken. De longen van het kindje bleven steeds vollopen met vocht en ze had enorm hoge koorts. Uiteindelijk schoof Monica de zijkant van het bed naar beneden en nam ze Sally in haar armen. 'Kom op, kleintje,' fluisterde ze. 'Je moet het redden.' Plotseling dacht ze aan zuster Catherine, aan wat de monseigneur haar had verteld: dat die altijd bad voor zieke kinderen.

Zuster Catherine, ik geloof niet in wonderen, maar er zijn zoveel mensen die echt geloven dat u levens hebt gered, niet alleen doodzieke kinderen zoals Michael O'Keefe, maar ook andere kinderen die stervende waren. Sally heeft zo weinig geluk. Een moeder die haar verwaarloost en een vader die afwezig is. Dit meisje heeft zich in mijn hart genesteld. Als ze blijft leven, beloof ik dat ik voor haar zal zorgen.

Het was een middag die eindeloos duurde, maar om een uur of zeven dacht ze dat ze wel weg kon. Sally's koorts was flink gedaald en hoewel ze nog altijd een zuurstofmasker droeg, was haar ademhaling weer rustig. 'Bel me als er iets verandert,' zei Monica tegen de verpleegster.

'Dat zal ik doen, dokter. Ik had niet gedacht dat we haar nog konden redden.'

'Nee, ik ook niet.' Ze probeerde een glimlach en verliet toen de kinderafdeling en het ziekenhuis. Het was koud buiten, maar terwijl Monica haar jas dichtknoopte, besloot ze toch naar haar praktijkruimte te gaan lopen. Even mijn berichten nakijken en zien in hoeverre het Nan is gelukt om mijn afspraken te verzetten. Een wandelingetje zal me goeddoen, alle muizenissen uit mijn hoofd laten verdwijnen.

Ze hing haar schoudertas om, stopte haar handen diep in haar zakken en begon op haar gewone, haastige manier Fourteenth Street af te lopen. Nu ze er redelijk zeker van was dat Sally erdoorheen zou komen, gingen haar gedachten naar het overlijden van Olivia Morrow en de enorme teleurstelling die dat voor haar was. In haar verbeelding kon ze ieder detail van Olivia's gezicht voor zich zien, de uitgemergelde trekken, de grijze kleur van haar huid, de kraaienpootjes om haar ogen, haar tanden over haar onderlip geklemd.

Ze moet iemand zijn geweest die alles altijd heel netjes hield, dacht Monica, want alles was zo schoon en keurig geweest in het appartement. En met zo veel smaak ingericht. Ze is waarschijnlijk gestorven toen ze nog maar net in bed lag, want anders was ze wel een heel rustige slaapster. De lakens en dekens waren totaal niet gekreukeld en zelfs haar kussensloop had eruitgezien alsof dat hagelnieuw uit de kast was gekomen.

Het kussen. De kussensloop was roze geweest, terwijl de lakens en de andere kussens perzikkleurig waren. Dát was wat me onbewust was opgevallen, dacht Monica. Maar wat maakt het uit? Niks. Het enige wat ik nog kan doen is aan dokter Hadley vragen of hij een lijst van haar vrienden en vriendinnen voor me heeft. Misschien heeft ze het met een van hen over mij gehad.

Toen ze in de drukte op de hoek van Union Square en Broadway bij een bushalte stond, sprong het voetgangerslicht van oranje op rood. Met afkeuring keek ze naar de mensen die nog gauw de straat overstaken terwijl het verkeer al op hen afreed. Er kwam ook een bus naar de halte toe rijden en toen die vlakbij was, voelde ze plotseling een harde duw in haar rug, waardoor ze van de stoep de straat op viel. De omstanders gilden en schreeuwden, maar Monica wist gelukkig nog net op tijd weg te rollen, terwijl de bus haar gevallen schoudertas met zijn enorme wielen vermorzelde.

34

Peter Gannon keek Susan, zijn ex-vrouw, over het tafeltje heen aan. Hij had haar gevraagd met hem uit eten te gaan bij Il Tinello, wat altijd een van hun favoriete restaurants was geweest in de twintig jaar van hun huwelijk. Sinds de scheiding, nu vier jaar geleden, hadden ze elkaar niet meer gesproken of ontmoet, totdat hij dat telefoontje van haar had gekregen waarin ze had gezegd dat ze het enorm spijtig voor hem vond dat zijn nieuwe stuk al van het toneel was verdwenen.

Nu keek hij haar aan, wanhopig op zoek naar hulp. Susan was zesenveertig jaar oud, haar golvende haar begon grijs te worden en haar gezicht werd nog altijd gedomineerd door die enorme hazelnootkleurige ogen van haar. Hij begreep niet hoe hij haar ooit had kunnen laten gaan. Ik ben nooit slim genoeg geweest om te beseffen hoeveel ik van haar houd, dacht hij, en hoe goed we het samen hadden.

Mario, de eigenaar van het restaurant, had hen begroet met een: 'Welkom thuis'. Nu, nadat de fles wijn die hij had besteld was geserveerd, zei Peter: 'Ik weet dat dit nogal goedkoop klinkt, Sue, maar hier zo met je aan deze tafel zitten voelt wel als "thuis".'

Met een wrang lachje antwoordde ze: 'Dat hangt er maar van af wat je "thuis" noemt.'

Peter kromp even in elkaar. 'Ik was vergeten hoe direct je bent.'

'Nou, dan weet je dat nu weer.' Haar opgewekte toon haalde het stekelige uit haar opmerking. 'We hebben elkaar al in geen eeuwen gesproken, Peter. Hoe is je liefdesleven? Wild, neem ik aan, om het zacht uit te drukken.'

'Nee, het is helemaal niet wild en dat is het al in geen tijden meer. Waarom belde je me, Sue?'

Haar vragende expressie verdween. 'Omdat ik toen ik die foto van je na al die vreselijke recensies zag, wist dat je wanhopig was. Hoe erg is het?'

'Ik ga failliet, wat betekent dat een heleboel aardige mensen die in me geloofden een hoop geld zullen verliezen.'

'Je hebt toch genoeg geld.'

'Ik hád genoeg geld, ja. Maar dat is nu niet meer zo.'

Susan nam een slokje wijn voordat ze antwoordde: 'Peter, in het huidige financiële klimaat zijn er veel mensen die zichzelf hebben overeten en in hetzelfde schuitje zitten als jij. Het is pijnlijk en vernederend, maar zulke dingen gebeuren nu eenmaal.’

‘Sue, een bedrijf kan weer opnieuw uit een faillissement verrijzen, maar een falende theaterproducent komt er nooit meer uit, in ieder geval duurt dat in het allerbeste geval vreselijk lang. Wie denk je dat er ooit nog één cent in een theaterstuk van míj wil steken?’

‘Ik meen me te herinneren dat ik je heb gewaarschuwd dat je het beter bij toneelstukken kon houden dan aan komische musicals te beginnen.’

‘Nou, dan zul je wel blij zijn. Jij hebt altijd al het laatste woord willen hebben!’ zei Peter Gannon, een beetje boos.

Susan keek snel om zich heen. De mensen aan de tafeltjes om hen heen in het kleine, intieme restaurantje, hadden blijkbaar niet gemerkt dat Peter zijn stem verhief.

‘Sorry, Sue,’ zei hij nu haastig. ‘Dat had ik niet moeten zeggen. Je hebt natuurlijk gelijk en dat wíst ik ook, maar ik was alleen maar met mijn eigen ego bezig.’

‘Klopt,’ zei Susan op vriendelijke toon.

Peter Gannon pakte zijn glas op en sloeg de wijn naar binnen. Toen hij het weer terug op tafel zette, zei hij: ‘Sue, ik heb je vijf miljoen dollar gegeven bij de scheiding.’

Susan trok haar wenkbrauwen op. ‘Dat weet ik.’

‘Sue, ik smeek je. Ik heb één miljoen dollar nodig. Als ik die niet bij elkaar krijg, komen Greg en ik misschien in de gevangenis terecht.’

‘Waar heb je het over?’

‘Sue, ik weet dat je je geld heel voorzichtig belegt. Ik word gechanteerd. Ik heb ooit, toen ik dronken was, iemand verteld dat Greg en ik geld uit het liefdadigheidsfonds halen voor ons eigen goed. En over de beleggingsmaatschappij van Greg. Dat ik zeker wist dat mijn broer handelt met voorkennis.’

‘Wát?’

‘Sue, ik was dronken. Ik weet dat hij probeert eruit te komen. Maar als de persoon tegen wie ik het heb verteld ermee naar de pers gaat, kan Greg achter de tralies belanden.’

‘Wie is die persoon aan wie je dat allemaal hebt verteld? Een vrouw, neem ik aan. God weet hoeveel je er hebt versleten.’

‘Sue, alsjeblieft, kun je me een miljoen dollar lenen? Ik zweer dat ik het je terug zal betalen.’

Susan schoof haar stoel met een ruk naar achteren en stond op. ‘Ik weet niet of ik dit nou beledigend of om te lachen moet vinden. Of misschien allebei. Dag Peter.’

Met wanhoop in zijn ogen keek Peter Gannon zijn vastbesloten ex-vrouw na, terwijl ze het restaurant verliet.

35

Om zes uur drukte dokter Ryan Jenner vol verwachting op de bel van Monica’s praktijk. Misschien is ze in een van de kamers aan de achterkant, dacht hij, en belde nog een keer aan. Maar na de derde keer, toen hij de bel extra lang ingedrukt had gehouden, begreep hij dat Monica waarschijnlijk was vergeten dat hij het dossier van het O’Keefe-jongetje zou komen ophalen.

Hij besefte dat hij zich erop had verheugd de avond te spenderen met het bestuderen van alle onderzoeken die het kind had ondergaan, om te zien of er een verklaring voor te vinden was dat de hersentumor uiteindelijk vanzelf was verdwenen.

Terwijl hij zijn teleurstelling van zich af probeerde te schudden, liep hij naar de rand van de stoep en hield hij een taxi aan. Op weg naar huis vroeg hij zich af of hij Alice Halloway weer in het appartement zou aantreffen. Hij was niet in staat geweest ‘nee’ te zeggen op de vraag van zijn tante dat ‘een van haar favoriete personen op de wereld’, Alice, naar Manhattan moest voor een zakenreisje en graag in het appartement wilde logeren. Dat vond Ryan toch geen probleem?

'Het is úw appartement, dus hoe zou ik dat nou een probleem kunnen vinden?' had Ryan geantwoord. 'Ze mag zelfs kiezen in welke van de twee logeerkamers ze wil slapen.' Hij was ervan uitgegaan dat Alice Halloway van dezelfde generatie was als zijn tante en dus ergens tussen de zeventig en de vijfenzeventig zou zijn. Maar Alice bleek, toen ze de week ervoor was gearriveerd, een mooie vrouw van begin dertig te zijn, die een congres voor beauty-redacteurs moest bijwonen.

Het congres had maar twee dagen geduurd, maar Alice had besloten langer te blijven. Een paar avonden geleden had ze Ryan uitgenodigd voor een bezoek aan het theater. Ze had hem verteld dat het haar was gelukt om twee plaatsen voor de uitverkochte heropvoering van *Our Town* te bemachtigen. Na de voorstelling waren ze nog snel een hapje gaan eten en naar Ryans smaak was het al te laat geweest toen ze terug in het appartement kwamen. De volgende ochtend moest hij tenslotte alweer om zeven uur staan te opereren.

Pas toen Alice erop had aangedrongen nog één drankje bij de open haard te nemen, was het tot hem doorgedrongen dat zijn tante hem probeerde te koppelen aan 'een van haar favoriete personen op deze wereld' en dat Alice daar maar al te graag aan meewerkte.

Nu Ryan in de taxi zat en op weg was naar zijn appartement, overwoog hij wat hij aan de situatie moest doen. Alice bleef haar vertrek maar uitstellen. Iedere keer dat hij terugkwam van zijn werk, zat ze met kaas en toastjes en een fles gekoelde wijn op hem te wachten.

Als ze niet gauw vertrekt, ga ik gewoon naar een hotel totdat ze weg is, besloot hij.

Meestal was hij aan het einde van de dag blij en opgelucht als hij de sleutel van de deur van het appartement omdraaide, maar nu

vertrok hij zijn gezicht in een grimas terwijl hij binnenstapte. De heerlijke geur van iets wat in de oven stond kwam zijn neusgaten binnen en Ryan besefte dat hij honger had.
Alice zat met opgetrokken benen op de bank naar een quiz te kijken. Ze droeg een sportieve trui en een broek. Er stonden een bordje met toast en kaas, twee glazen en een fles wijn in een koeler op het tafeltje voor haar. 'Hoi, Ryan,' zei ze, toen hij in de gang bleef staan.
'Hoi Alice,' zei hij, naar hij hoopte op hartelijke toon. Ze stond op van de bank en kwam door de kamer op hem af lopen om hem te begroeten. Met een lichte zoen op zijn wang zei ze: 'Je ziet er moe uit. Hoeveel levens heb je vandaag weer gered?'
'Geen een,' reageerde Ryan kort. 'Luister, Alice...'
Ze onderbrak hem. 'Waarom trek je die das en dat jasje niet uit en doe je een gemakkelijke trui aan? Ik heb macaroni met ham en kaas en een salade gemaakt. Een van mijn beroemde gerechten!'
Ryan was eigenlijk van plan geweest te zeggen dat hij een eetafspraak had, maar de woorden bleven in zijn keel steken. In plaats daarvan vroeg hij: 'Alice, ik moet echt weten hoe lang je nog van plan bent hier te blijven logeren?'
Haar ogen werden groot. 'Heb ik je dat niet verteld? Ik vertrek aanstaande zaterdagochtend, dus je hoeft het nog maar twee dagen met me uit te houden, anderhalve dag zelfs.'
'Sorry, maar dit is mijn appartement niet en...'
'Je wilt niet dat de conciërge er iets van denkt. Maak je geen zorgen, ik heb hem al gezegd dat je mijn stiefbroer bent.'
'Je stiefbroer?'
'Ja. Nou, wat denk je van macaroni met ham en kaas? Het is je laatste kans, want morgenavond heb ik al plannen.'
Ze vertrekt zaterdag en morgenavond is ze er niet, dacht Ryan opgelucht. Dan moet ik nu maar beleefd zijn. Met een warme glimlach zei hij: 'Ik zou het heerlijk vinden om jouw macaroni te

proeven, maar ik ben bang dat je verder weinig aan me hebt. Ik moet morgenochtend om zeven uur weer opereren en wil dus vroeg naar bed.'

'Prima. Dan hoef je niet eens te helpen met afruimen.'

'Ik ben zo terug.'

Ryan liep de gang door naar zijn slaapkamer en deed de kast open om zijn jasje op te hangen. De telefoon ging, maar Alice nam al bij de eerste keer overgaan op. Hij zette de deur op een kier om het te kunnen horen als ze hem riep, maar dat gebeurde niet. Het zal wel voor haar zijn, dacht hij.

In de keuken praatte Alice zo zachtjes mogelijk. Een vrouw die zei dat ze dokter Farrell heette vroeg naar dokter Jenner. 'Hij is zich net aan het omkleden,' zei Alice. 'Kan ik een boodschap aannemen?'

'Kunt u hem alstublieft vertellen dat dokter Farrell heeft gebeld om zich te verontschuldigen dat ze niet in haar praktijk was om hem het dossier te geven,' zei Monica, terwijl ze haar best deed kalm te klinken. 'En dat ik ervoor zal zorgen dat hij het morgenochtend krijgt.'

36

Nu het lijk was geïdentificeerd als dat van René Carter, was de uitgebreide machinerie in gang gezet die moest uitzoeken wie haar had vermoord en de dader vervolgens moest inrekenen. Met haar vriendin Kerianne beschermend naast haar, vertelde Kristina de rechercheurs het weinige wat ze wist over haar laatste werkgeefster.

René Carter was een organisator van festiviteiten geweest, die altijd lang uitsliep, daarna het grootste deel van de dag op pad was en pas heel laat 's nachts weer terugkwam. Met haar kindje bracht ze weinig tot geen tijd door. 'Ze was gekker op Ranger, de hond, dan op Sally,' herinnerde Kristina zich. In de korte tijd dat Kristina voor René had gewerkt, had ze geen bezoek gehad. En omdat ze geen vaste lijn had, waren er ook geen telefoontjes geweest die Kristina had aangenomen.

'Ik weet gewoon niet zoveel over haar,' excuseerde Kristina zich. 'Ik ben via een bureau hier terechtgekomen.'

Barry Tucker gaf haar zijn kaartje. 'Als je iemand bedenkt met wie we contact zouden kunnen opnemen, moet je bellen. Je hebt uitstekend gehandeld door de baby naar het ziekenhuis te brengen en je kunt wel wat rust gebruiken, denk ik. Dus ga maar naar huis, dan praten we later nog wel een keer.'

'Hoe moet het nou met Sally?' vroeg Kristina.

'Dat weten we nog niet,' reageerde Tucker. 'We zullen eerst maar eens kijken of we familie van haar kunnen vinden.'

'Als u te weten komt wie haar vader is, denk ik niet dat hij haar zal willen hebben. Ms. Carter heeft eens gezegd dat hij eindelijk het geld ging ophoesten en, tenzij dat een grapje was, klinkt me dat niet in de oren alsof hij haar financieel ondersteunde.'

'Nee, inderdaad.'

'En Ranger, wat gebeurt er met hém?' vroeg Kristina. 'We kunnen hem niet alleen hier achterlaten. Zal ik voor hem zorgen? Kerianne en ik hebben maar een heel klein appartementje, maar mijn moeder is dol op honden en ik weet zeker dat zíj hem wel zolang in huis wil nemen.'

'Dat lijkt me een heel goede, tijdelijke oplossing,' stemde Tucker met haar voorstel in. 'Oké. Ik loop met jullie mee en zorg voor een taxi voor jullie. Ik wil de conciërge hier nog even spreken. Die moet vast een naam van iemand hebben die gebeld moet worden als er een probleem is met het appartement en ze Ms. Carter niet kunnen bereiken.'

Tien minuten later, toen hij de twee meisjes plus de hond in een taxi had gezet, stelde Barry Tucker zich voor aan Ralph Torre, de beheerder van het gebouw en nadat hij hem had uitgelegd dat

Ms. Carter het slachtoffer was geworden van een overval, begon hij hem te ondervragen.
Torre deed zijn best behulpzaam te zijn en vertelde hem dat René Carter het appartement nu ongeveer een jaar bewoonde. Voordat ze ervoor had mogen tekenen, had ze financiële informatie moeten verstrekken waaruit bleek dat ze meer dan honderdduizend dollar per jaar had verdiend in haar vorige baan als assistent-manager in een restaurant in Las Vegas en dat ze een kapitaal van ongeveer één miljoen dollar had vergaard. De naam van de contactpersoon die ze in geval van nood had opgegeven was Flora White. Torre noteerde Whites mobiele en zakelijke nummer en vroeg hoopvol: 'Denkt u dat Ms. Carters familie haar appartement zal opgeven? We hebben een wachtlijst voor de woningen met uitzicht op het park.'
'Ik zou het niet weten,' reageerde Barry kortaf en ging weer terug naar boven, naar het appartement, om Flora White te bellen. Hij begon met haar mobiele nummer.
Flora nam al meteen op. De enigszins zwoele toon waarmee ze haar naam zei, veranderde toen Tucker haar vertelde dat hij haar belde vanwege René Carter.
'Die hele René Carter kan me geen moer schelen,' snauwde ze. 'Gisteravond had ze de leiding over een van onze belangrijke festiviteiten en ze is niet eens komen opdagen. U kunt haar namens mij vertellen dat ze is ontslagen.'
Tucker besloot om nog even voor zich te houden dat René dood was. 'U spreekt met rechercheur Barry Tucker,' zei hij. 'Wanneer hebt u René Carter voor het laatst gezien?'
'Rechercheur? Zit ze in moeilijkheden? Is haar iets overkomen?'
De schrik die nu in Flora Whites stem doorklonk, klonk écht in Tuckers geoefende oor.
'Eergisteravond is ze niet thuisgekomen,' zei Tucker. 'De oppas heeft haar kindje naar het ziekenhuis moeten brengen.'
'Dan moet ze een fantastische man hebben ontmoet,' zei White

kattig. 'Het zou niet voor het eerst zijn dat ze zomaar op een vliegtuig stapt met iemand die ze nauwelijks kent. En dat kind van haar is blijkbaar heel vaak ziek.'
'Wanneer hebt u René Carter voor het laatst gezien?' vroeg Tucker nog een keer.
'Eergisteravond. Toen hadden we een rodeloperpremière voor een of andere rotfilm, en een feest daarna. Maar René moest al om tien uur weg, Ze had een afspraak. Ik weet niet met wie.'
'Heeft ze het ooit over de vader van haar kindje gehad, of over haar eigen familie?'
'Als je haar moet geloven, wat ik twijfelachtig vind, is ze op haar zestiende van huis weggelopen, heeft ze wat kleine rolletjes in Hollywood gehad en is toen naar Las Vegas verhuisd. Ik heb haar hier een jaar of drie geleden leren kennen, toen we allebei als gastvrouw in dezelfde club in SoHo werkten. Toen ontdekte ze dat ze zwanger was. Haar vriendje moet haar een flinke som geld hebben betaald om uit de stad te verdwijnen, want plotseling was ze weg. Toen heb ik een jaar niets van haar gehoord en opeens belde ze me weer. Ze zat weer in Las Vegas, maar verveelde zich daar. Ze miste New York. Ik was toen net de festiviteitenbusiness begonnen en vroeg of ze interesse had om voor mij te werken.'
Tucker had allerlei aantekeningen gemaakt, terwijl Flora White aan het woord was. 'En ik neem aan dat ze daar wel oren naar had?'
'Jazeker! Waar kun je beter een vent met geld leren kennen?'
'En ze heeft het nooit over de vader van haar kind gehad?'
'Als u bedoelt of ze mij zijn naam heeft verteld, is het antwoord "nee". Maar ik vermoed dat ze een hoop geld heeft gevangen om ervoor te zorgen dat de baby niet geboren zou worden, maar dat ze heeft besloten dat ze het kind beter kon laten komen om de vader in de tang te kunnen houden.'
Die Flora White is een uitstekende informatiebron, dacht Barry Tucker, het soort persoon waar iedere rechercheur van droomt

als hij een onderzoek begint, maar haar nonchalante karakterisering van René Carter gaf hem een verdrietig gevoel: dat kindje in het ziekenhuis bleek straks misschien wel door iedereen ongewenst te zijn.

'Als u van René hoort, wilt u het me dan laten weten?' vroeg Flora White nu. 'Ik meende het niet dat ik haar wilde ontslaan. Ik kan haar wel vermoorden dat ze gisteravond niet is komen opdagen, maar aan de andere kant is ze echt goed in haar werk. Als ze haar best doet om charmant te zijn, lukt het haar om iedereen op zijn gemak te stellen en maakt ze de boel aan het lachen. En dan komen ze, als ze een volgende slechte film hebben gemaakt, weer bij ons terug om de feestelijke vertoning daarvan voor hun vrienden en kennissen te organiseren.'

'Ms. White, u hebt me enorm geholpen,' zei Barry. 'U zei dat René eergisteravond vroeg van het feest wegging. Weet u of ze een taxi nam of dat ze werd opgehaald door een chauffeur?'

'Een taxi? René? Nooit van haar leven. Ze maakt gebruik van een chauffeursservice en o wee als de chauffeur geen uniform met pet draagt, of de auto geen Mercedes 500 is die er spiksplinternieuw uitziet. Ze wil altijd de indruk wekken dat ze stinkend rijk is.'

'Weet u hoe die service heet?'

'Jazeker. Ik gebruik dezelfde service, al maak ik niet zo veel stampij als René. De firma heet Ultra-Lux. Ik zal u het nummer geven. Het is...' Ze was even stil. 'Wacht even, ik haal nummers altijd door elkaar. Uhm... ja, hier heb ik het.'

Het was tijd om Flora White te vertellen dat René Carter in de toekomst niet meer beschikbaar was voor festiviteiten.

Nadat hij haar ontzette uitroepen had aangehoord en het hem was gelukt haar enigszins te kalmeren, vroeg Tucker of ze de volgende morgen naar het bureau zou willen komen om een verklaring te ondertekenen die de feiten die ze hem net had verstrekt bevestigde.

Even later belde Barry de telefonist van Ultra-Lux, terwijl rechercheur Flynn in René Carters bureautje zocht naar informatie over haar familie. De telefonist vertelde dat René Carter was afgezet bij een bar op East End Avenue, vlak bij Gracie Mansion en dat ze tegen de chauffeur had gezegd dat hij niet op haar hoefde te wachten.

'We zaten krap in de mensen die avond,' vertelde de man, 'en toen Ms. Carters chauffeur liet weten dat hij weer vrij was, wilde ik dat hij werkelijk zéker wist dat hij dat goed had begrepen. Ik had geen zin door haar gebeld te worden en ervanlangs te krijgen omdat de auto niet op haar stond te wachten. Maar de chauffeur wist het zeker. Hij vertelde dat Ms. Carter had gezegd dat ze wel door haar afspraakje naar huis zou worden gebracht, omdat hij bij haar in de buurt woonde in Central Park West. Toen zei hij nog wat. Het is een beetje roddelachtig, maar misschien is het voor u iets interessants. Als René een goede bui had, kon ze heel aardig zijn. In ieder geval schoot ze in de lach en zei ze dat haar afspraakje dacht dat ze blut was, dus dat er geen chique auto op haar kon staan te wachten als ze met hem naar buiten kwam.'

37

Van streek en met bloed aan haar flink geschaafde handen en linkerbeen, verwierp Monica de suggestie van een aantal mensen om haar heen om een ambulance te bellen. De buschauffeur die had gedacht dat hij haar had overreden, stond zo hard te beven, dat hij eerst twintig minuten moest bijkomen, voordat hij zijn route kon vervolgen.

Een vrouw die ook had gedacht dat Monica onder de wielen van de bus terecht was gekomen had in paniek meteen het alarmnummer gebeld en dus was er binnen de kortste keren een politieauto ter plaatse. Ondertussen stond het bijna-ongeluk volop

in de belangstellig van het publiek op Union Square.
'Ik begrijp niet hoe het precies ging,' hoorde Monica zichzelf zeggen. 'Ik was zeker niet bezig de straat over te steken, want het licht sprong net op rood. Ik denk dat er iemand achter me haast had en me daarom uit de weg heeft geduwd.'
'Het wás helemaal geen ongeluk. Ik heb gezien dat er een man was die u expres de straat op duwde,' hield een oudere vrouw vooraan in het toegestroomde publiek vol; haar stem steeg schril uit boven het commentaar van de andere kijkers.
Geschrokken draaide Monica zich naar haar om. 'O, dat is onmogelijk,' protesteerde ze.
'Ik weet wat ik heb gezien!' Met haar hoofd in een shawl gewikkeld, haar kraag omhoog en een ronde bril op, tikte ze de agent met samengeknepen lippen op zijn mouw. 'Hij dúwde haar,' zei ze nogmaals. 'Ik stond recht achter hem. Hij gaf me een elleboogje, zodat ik opzij stapte en duwde haar toen keihard de straat op.'
'Hoe zag hij eruit?' vroeg de agent snel.
'Het was een grote vent. Niet dik, maar groot. Hij droeg een trui met een capuchon. Die had hij over z'n hoofd getrokken. En hij had een zonnebril op. Wie heeft er nou een zonnebril op als het buiten donker is? Het was geen jongen, eerder iemand van over de veertig. En hij had dikke handschoenen aan. Ziet u hier nog iemand anders die handschoenen aanheeft? En heeft hij gedaan wat wij allemaal deden toen we dachten dat dat arme meisje dood was gereden? Heeft hij geschreeuwd of gegild of proberen te helpen? Nee. Hij draaide zich om, wurmde zich door de mensen heen en maakte dat hij wegkwam.'
De politieagent keek Monica aan. 'Denkt u dat u misschien geduwd bent?'
'Ja. Ja, maar dat kan toch niet met opzet zijn gebeurd.'
'Dat weten we niet,' zei de politieman ernstig. 'Er zijn geestelijk zieke mensen die anderen voor een trein of een bus duwen. Het kan zijn dat u contact hebt gehad met zo iemand.'

‘Dan mag ik wel blij zijn dat ik nog leef, denk ik.’ Ik wil naar huis, dacht Monica. Maar het duurde nog minstens een kwartier voordat dat kon. Ze moest de agent er eerst nog van overtuigen dat ze arts was en dus zelf wel voor haar schaafwonden kon zorgen, toen moest ze haar naam, adres, en telefoonnummer opgeven voor het politieverslag en pas daarna kon ze eindelijk in de wachtende taxi stappen en ontsnappen. Met haar geplette schoudertas naast zich, leunde ze haar hoofd naar achteren en deed ze haar ogen dicht.
Meteen was het alsof ze de scherpe pijn in haar arm en been van het moment dat ze tegen het asfalt was gesmakt weer voelde en rook ze de doordringende stank van de bus weer toen de chauffeur boven op zijn remmen ging staan. Ze deed haar best om kalmer te worden, maar de taxichauffeur had alle commotie gezien en wilde weten wat er aan de hand was geweest. Monica probeerde het beven van haar lichaam te onderdrukken en antwoordde steeds met éénlettergrepige woorden op zijn meelevende verhaal dat er toch een manier te vinden moest zijn dat die gekken hun medicijnen op tijd innamen en niet zo opgefokt raakten dat ze onschuldige mensen kwaad gingen doen.
Pas toen ze eindelijk in haar appartement was, met de deur dicht en op slot, werd ze overvallen door het besef dat ze aan de dood was ontsnapt. Ik had toch naar het ziekenhuis moeten gaan, dacht ze. Ik heb hier helemaal niets in het medicijnkastje staan dat me kan kalmeren. Op dat moment, met het bloed nu korsterig op haar arm en been, bedacht ze opeens dat Ryan Jenner naar haar praktijk zou zijn gekomen om het dossier van Michael O’Keefe op te halen.
Ik heb zijn thuistelefoonnummer, dacht ze, dat heeft hij me pas gegeven. Ik bel hem en zal mijn excuses aanbieden. Zal ik hem vertellen wat er is gebeurd? Ja, dat doe ik. Als hij aanbiedt om naar me toe te komen, zeg ik “ja”. Ik kan wel wat gezelschap gebruiken.

Nee, ik kan Ryans gezelschap wel gebruiken, corrigeerde ze zichzelf.

Oké, geef het maar toe, zei ze tegen zichzelf. Je vindt hem aantrekkelijk, en niet zo'n beetje ook.

Zijn telefoonnummers stonden in het adresboekje dat ze altijd in haar tas had. Bij het zien van haar vernielde zonnebril en poederdoos moest ze even flink met haar ogen knipperen, en zocht toen verder naar het boekje. Met haar jas nog aan, ging ze aan de tafel zitten en toetste ze het nummer van Jenners appartement in – het eerste nummer dat ze had opgeschreven. Maar toen er een vrouw opnam die haar vertelde dat Ryan zich aan het verkleden was, liet ze een boodschap voor hem achter dat ze ervoor zou zorgen dat het dossier de ochtend daarop in zijn bezit zou zijn.

Meteen nadat ze had neergelegd, ging haar telefoon. Het was Scott Alterman. 'Monica, ik hoorde op de radio dat je bijna bent overreden door een bus en dat iemand je heeft geduwd?' Ze was verbaasd dat de journalisten haar naam bekend hadden gemaakt en vroeg zich af hoeveel vrienden en collega's het bericht óók hadden gehoord.

Scotts stem klonk erg geschokt en bezorgd en dat vond ze geruststellend. Ze dacht terug aan de vriendelijkheid van Scott tegen haar vader, toen die in het verpleegtehuis zat, en dat Scott degene was die haar had gebeld dat haar vader was overleden.

'Ik kan het gewoon niet geloven,' zei ze met bibberende stem. 'Ik bedoel dat ik werd geduwd, dat het geen ongeluk was.'

'Monica, je klinkt nogal van streek. Ben je alleen?'

'Ja.'

'Ik kan over tien minuten bij je zijn. Mag ik naar je toe komen?'

Plotseling zat er een brok in haar keel en voelde ze tranen achter haar ogen dringen. 'Dat zou fijn zijn. Ik kan wel wat gezelschap gebruiken.'

38

Alles was zo goed gegaan. Sammy Barber had het geld van Dougie-de-Deus Langdon opgehaald, was naar de opslagruimte in Long Island City gereden en had al die prachtige honderd dollarbiljetten in de kluis van de ruimte die hij daar huurde opgeborgen. Toen had hij, met het gevoel alsof hij de hele wereld in zijn zak had, Monica Farrells praktijk gebeld en zich voorgedaan als ene dokter Curtain, een soort eerbetoon aan de vent met wie hij samen in de cel had gezeten toen hij zijn proces moest afwachten. De secretaresse had hem verteld dat dokter Farrell al haar afspraken had afgezegd vanwege een spoedgeval in het ziekenhuis.

Hij had het geld. Voor de rest van zijn leven zat hij op rozen. Hij had zelfs zín in het leven. Sammy voelde dat het zijn geluksdag was en wilde het klusje zo snel mogelijk geklaard hebben. En daarom was hij haastig naar het ziekenhuis gereden en had hij zijn auto tegenover de ingang geparkeerd. Hij was van gedachten veranderd en had besloten haar onder een bus te duwen.

Nadat hij ongeveer anderhalf uur had gewacht, zag hij Farrell de trap afkomen. Er passeerden twee taxi's, maar die negeerde ze, en ze begon in de richting van Fourteenth Street te lopen.

Ik wed dat ze te voet naar haar praktijk gaat, dacht Sammy, terwijl hij zijn zonnebril en handschoenen uit het handschoenenkastje pakte. Toen hij de bril op zijn neus had gezet en de handschoenen had aangetrokken, stapte hij zijn auto uit en liep hij op een afstandje achter haar aan. Dit keer liep ze niet zo heel snel, in ieder geval niet zo snel als ze vorige week had gedaan toen hij haar was gevolgd. Het was druk op straat en dat was gunstig.

Op Union Square zag hij zijn kans. Het voetgangerslicht sprong op rood, maar er renden nog steeds mensen de straat over in een poging sneller te zijn dan het aanstormende verkeer. Er kwam

een bus die op weg was naar de bushalte, Fourteenth Street uit denderen. Farrell stond op de stoeprand.
In één seconde was Sammy achter haar en toen de bus nog maar een paar meter weg was, gaf hij haar een flinke duw. Vol ongeloof zag hij haar vanonder de banden vandaan rollen, hoorde hij het gekrijs van de remmen en zag hij de bus slippen in een poging direct tot stilstand te komen. Hij wist dat de oude dame die naast hem stond, had gezien dat hij Farrell een duw gaf en terwijl hij probeerde niet in paniek te raken, trok Sammy zijn hoofd tussen zijn schouders en liep hij snel langs haar heen, richting het zuiden van de stad.
Drie straten verder sloeg hij rechts af, deed zijn handschoenen uit, zette zijn zonnebril af en duwde de capuchon van zijn trui naar achteren. Zogenaamd nonchalant slenterde hij terug naar zijn auto. Maar toen hij zover was dat hij zijn auto moest kunnen zien staan, bleef hij ongelovig stilstaan om wat er aan de hand was: om de wielen zat een klem en de auto werd net op een takelwagen van de politie gehesen.
De parkeermeter! In zijn haast om achter Monica Farrell aan te gaan was hij verdomme vergeten om iets in de parkeermeter te doen! Even had hij de neiging om naar zijn auto te rennen en ruzie te gaan maken met de chauffeur van de takelwagen, maar in plaats daarvan dwong hij zichzelf om te voet naar huis te gaan. Ik weet dat ze de auto's ergens op een plek vlak bij de West Side Highway stallen, dacht hij, terwijl hij zijn best deed om rustig te blijven nadenken. Als dat oude mens tegen de politie praat over het feit dat Farrell werd geduwd en mij beschrijft, kan ik niet in deze kleren die auto gaan terughalen...
Het zweet brak hem plotseling uit. Als dat oude mens écht tegen de politie had gepraat en ze haar geloofden, zou de politie misschien doorhebben dat er op de dokter werd gejaagd en natrekken waarom mijn auto tegenover het ziekenhuis geparkeerd had gestaan. En als ze dan mijn naam in de computer intikken, zien

ze meteen dat ik een strafblad heb. Dan willen ze misschien weten waarom ik daar was en waarom de meter op het moment dat de dokter onder een bus werd geduwd niet gevuld was...

Kalm blijven. Kalm blijven. Sammy liep in zuidelijke richting naar zijn appartement op de Lower East Side, en kleedde zich daar om in een schoon overhemd met zijn ene das, een colbertje, een keurige broek en netjes gepoetste schoenen. Met zijn prepaid mobiele telefoon belde hij de nummerinformatie, en nadat hij eerst een tijdje vreselijk geïrriteerd was door de computerstem die in zijn oor dreunde: 'U wordt doorverbonden met een telefoniste,' kreeg hij eindelijk het nummer dat hij nodig had.

Een verveelde stem deelde hem eerst mee dat hij zijn rijbewijs, zijn verzekeringspapieren, zijn autopapieren en contant geld mee moest nemen om zijn auto op te kunnen halen. Toen Sammy zijn kentekennummer doorgaf en vroeg of de auto er al was, kreeg hij te horen: 'Ja, de auto is net binnengebracht.'

Na twintig frustrerende minuten in een taxi die door de smalle straatjes van downtown Manhattan naar West Thirty-eight Street kroop, liet Sammy zijn rijbewijs aan de man bij het terrein waar zijn auto stond zien. 'Het verzekeringsbewijs en de autopapieren liggen in het handschoenenkastje,' zei hij met zijn meest vriendelijke stem. 'Ik was op bezoek bij een vriend die in het ziekenhuis ligt en ik was helemaal vergeten iets in de meter te stoppen.'

Had hij dat wel moeten zeggen? Keek die man hem nu aan alsof hij wist dat hij stond te liegen? Sammy wist bijna zeker dat de jonge agent die tegenover hem stond hem op een kille manier in zich opnam. Maar misschien is het gewoon omdat ik nerveus ben, dacht hij, in een poging zichzelf gerust te stellen, terwijl hij naar zijn auto liep om zijn verzekerings- en autopapieren te pakken. Uiteindelijk had hij alle formulieren ingevuld, zijn boete betaald en kon hij zijn auto meenemen.

Hij was pas een halve straat verder, toen zijn mobiele telefoon

ging. 'Nou, dat heb je in ieder geval verkloot,' hoorde hij Doug Langdon woedend zeggen. 'De hele stad weet nu dat er een aantrekkelijke jonge dokter voor een bus is geduwd en bijna dood was. En het signalement dat ze van jou hebben is ook redelijk accuraat. En grote vent van middelbare leeftijd in een donkere trui met capuchon. Heb je haar toevallig ook je visitekaartje gegeven, misschien?'
Om de een of andere reden zorgde de paniek in Langdons stem ervoor dat Sammy ijzig kalm werd. Hij wilde niet dat Langdon over de rooie zou gaan. 'En hoeveel grote mannen van middelbare leeftijd lopen er door de straten van Manhattan in een donker jack met capuchon, dacht u?' vroeg hij. 'Ik zal u meteen vertellen wat de politie denkt. Als ze die ouwe kraai geloven, denken ze dat het de een of andere gestoorde is die zijn medicijnen niet heeft ingenomen die haar van de stoep heeft geduwd. Hoeveel van die gekken zijn er niet die op tilt slaan en dan iemand voor de trein duwen? Dus hou op met dat gezeik. Die dokter van je heeft gewoon geluk gehad vanavond, maar dat gebeurt echt geen tweede keer.'

39

Barry Tucker liet zijn collega, Dennis Flynn, achter in het appartement van René Carter om op iemand van de technische dienst te wachten die een hangslot op de deur zou bevestigen. 'Die vrouw was wel heel nonchalant met haar juwelen,' merkte Flynn op. 'Er ligt een hoop spul dat er waardevol uitziet op het ladekastje in haar slaapkamer en verder ligt er ook nog van alles in dozen in haar kledingkast.'
'Zoek jij nou maar naar iets wat meer duidelijkheid geeft over haar familie,' vertelde Tucker hem. 'En maak maar een lijst van iedereen die je tegenkomt in haar agenda. Daarna kun je de mannen daarvan in het telefoonboek gaan opzoeken. Kijk of een van

hen hier in de buurt woont. Ik ga naar die bar waar Carter die vent waarmee ze een afspraak had ontmoette, die misschien de vader van dat kind van haar is.'

Terwijl hij dat zei haalde hij een foto van René uit een lijstje. 'Met een beetje geluk lossen we deze zaak snel op.'

'Dat hoop je nou altijd,' merkte Flynn droog op.

'Dennis, hier is een klein kind bij betrokken, dat straks in een kindertehuis eindigt als we geen familielid vinden die haar wil hebben,' bracht Barry Tucker zijn collega in herinnering.

'Nou, na wat we van de oppas hebben gehoord, vermoed ik dat dat kind beter af is in een kindertehuis dan met die moeder,' zei Flynn zachtjes.

Die opmerking bleef in Barry Tuckers hoofd hangen, terwijl hij de stad doorkruiste op weg naar het restaurant vlak bij Gracie Mansion, waar René Carter was afgezet voor haar afspraak met de mysterieuze man. Hij probeerde zich een van zijn kinderen in het ziekenhuis voor te stellen, helemaal alleen, zonder een familielid of een goede vriend. Nog in geen duizend jaar, dacht hij. Als Trish en mij iets zou overkomen, zouden allebei de oma's, om het nog niet te hebben over Trish' drie zussen, vechten om voor hen te mogen zorgen.

Het restaurant bleek een eetcafé te zijn. Eerst kwam je in een bar en daarachter zag hij een restaurantje met niet meer dan twaalf tafeltjes. Ik wed dat ze veel vaste klanten uit de buurt hebben, dacht hij. Laten we hopen dat Carter er één van was. Voor zover hij kon zien waren alle tafels bezet, net zoals de meeste krukken aan de bar.

Hij liep naar het einde van de bar, wachtte tot de barman kwam om zijn bestelling op te nemen en schoof toen zijn politiebadge plus een foto van René Carter naar hem toe.

'Herkent u deze vrouw?' vroeg hij.

De ogen van de barkeeper werden groot. 'Jazeker. Dat is René Carter.'

‘Wanneer heb je haar voor het laatst gezien?’

‘Eergisteravond, dinsdag, om een uur of halfelf. Misschien tien minuten vroeger of later.’

‘Was ze alleen?’

‘Ze kwam alleen binnen, maar er zat een vent op haar te wachten. Hij trok een barkruk naar achteren zodat ze hier aan de bar kon gaan zitten, maat zij zei dat ze liever een tafeltje had.’

‘Hoe was haar houding tegenover die man?’

‘Kattig.’

‘Weet je wie hij was?’

‘Nee, ik denk niet dat hij hier ooit eerder was geweest.’

‘Hoe zag hij eruit?’

‘Laat in de veertig, misschien vroeg in de vijftig. Donker haar. Een knappe vent, dure kleding, dat zag ik wel.’

‘Hoe deed hij tegen René Carter?’

‘Nerveus, niet blij met de situatie. Voordat ze er was had hij al haastig twee whisky naar binnen geslagen.’

‘Dus ze gingen aan een tafeltje zitten?’

‘Ja. Op dat moment waren de meeste tafels alweer leeg. De keuken gaat om tien uur dicht. Toen ze nog aan de bar stonden, bestelde hij twee whisky en zei iets tegen haar in de trant van: ‘Ik neem aan dat je nog altijd van *single* malt whisky houdt?’

‘En hoe reageerde zij?’

‘Ze zei iets van: “Ik kan me geen single malt whisky meer veroorloven, maar jíj wel, dat is duidelijk.” Ik bedoel, dat klonk nogal vreemd uit de mond van iemand die zo duur en volgens de allerlaatste mode gekleed gaat als René Carter.’

‘Goed. Dus ze gingen aan een tafeltje zitten. Hoe lang zijn ze daar gebleven?’

‘Nog niet eens lang genoeg om hun drankjes op te kunnen drinken. Ik stond een beetje naar hen te kijken omdat het niet druk meer was en ik niets beters te doen had. Ik zag dat hij haar een grote boodschappentas gaf die hij bij zich had. Die rukte ze zowat uit zijn handen, stond toen zo snel op dat haar stoel bijna omviel en ging er met een gezicht als een donderwolk vandoor. Hij gooide vijftig dollar op het tafeltje en rende achter haar aan.'

'Zou u die man herkennen als u hem weer zag?'

'O ja, zeker. Ik vergeet nooit gezichten. Is René iets overkomen, misschien?'

'Ja, ze is vermoord nadat ze hier is vertrokken en die avond niet meer thuisgekomen.'

Het gezicht van de barman verbleekte. 'O, god, wat vreselijk. Is ze beroofd?'

'Dat weten we nog niet. Hoe vaak kwam René Carter hier?'

'Zo'n een à twee keer in de maand. Meestal voor een slaapmutsje en nooit in haar eentje. Altijd met de een of andere vent.'

'Weet u misschien de naam van een van die mannen met wie ze hier was?'

'Jawel, van sommigen wel. Ik maak wel een lijstje.'

De barkeeper pakte een pen en een notitieblokje. 'Eens kijken,' mompelde hij in zichzelf. 'Les...' Beseffend dat verschillende mensen die aan de bar zaten naar hem keken, klapte hij zijn mond dicht. Plotseling keek hij op en liep hij haastig naar het andere einde van de bar, waar een man alleen een biertje zat te drinken.

Barry Tucker liep achter hem aan; hij had het gevoel dat de barman zich plotseling iets had herinnerd. Toen hij naast hem ging staan was hij net op tijd om hem te horen vragen: 'Rudy, jij zat hier dinsdagavond ook en toen je René Carter zo haastig weg zag lopen, zei je iets, herinnerde ik me net. Iets over de vent met wie ze was: dat je verbaasd was dat hij nog een drankje kon betalen. Weet je hoe hij heet?'

Rudy, een man met hoogrode wangen, lachte. 'Ja, zeker. Peter Gannon. Hij is de man die ze de *'loser-producer'* noemen. Jullie hebben vast wel over hem gelezen. Iedere productie die hij op de planken brengt, verdwijnt dezelfde dag nog van het toneel.'

40

Vrijdagochtend werd Monica om kwart voor zes wakker. Eerst bleef ze nog een tijdje rustig in bed liggen, om te voelen waar ze nog pijn had. Haar linkerarm en -been hadden flinke schaafwonden en brandden. En haar onderrug deed pijn – waarschijnlijk gekneusd door de harde klap waarmee ze op de straat was gesmakt. Ze nam zich voor om die week iedere morgen de tijd te nemen om in de jacuzzi te gaan, in plaats van onder de douche te stappen.

Haar gedachten dwaalden af naar de gebeurtenissen van de avond daarvoor. Na het telefoontje van Scott Alterman had ze beseft dat er wel meer vrienden en kennissen het bericht op de radio gehoord zouden hebben, dus sprak ze haar voicemail opnieuw in. 'Hoi, met Monica. Voor het geval je dat bericht over het ongeluk van vandaag hebt gehoord: het gaat goed met me, maar ik wil nu wel even rust nemen, dus zal ik vanavond geen berichten beantwoorden. Maar in ieder geval bedankt voor het bellen.'

Toen zette ze de bel van de telefoon uit. Met een opgelucht gevoel dat ze alle bezorgde telefoontjes die ze zeker zou krijgen op die manier ontweek, was ze naar de badkamer gegaan. Daar had ze haar kapotte kleding uitgetrokken, het geronnen bloed van haar arm en been afgewassen, de wonden ingesmeerd met een desinfecterende zalf en, nog steeds hevig bibberend als reactie op het ongeluk dat haar bijna het leven had gekost, een pyjama met een badjas erover aangetrokken.

Toen Scott was gearriveerd, voelde zijn bezorgdheid om haar zo echt gemeend, dat het haar even afleidde van het pijnlijke besef dat Ryan Jenner een vriendin had. Scott had haar bij de hand gepakt en erop aangedrongen dat ze lekker op de bank ging liggen. 'Monica, je ziet zo wit als een doek en je handen zijn ijskoud,' had hij haar gezegd. Toen had hij een stapel kussens onder haar hoofd gelegd, een plaid over haar heen gedrapeerd en een warme kruik voor haar gemaakt. Daarna had hij, na een blik in de koelkast, een heerlijk gegrild kaas-tomatenbroodje voor haar gemaakt.

Het was goed om hem te zien, moest Monica nu toegeven en ze besloot nog een minuut of tien te blijven liggen voordat ze zou opstaan. Eigenlijk was ze niet van plan geweest om iets over Olivia Morrow te zeggen, maar dat had ze toch, als vanzelf, gedaan. Het hele verhaal van wat er de laatste dagen was gebeurd had ze hem verteld en ook hoe teleurgesteld ze was dat Olivia Morrow was gestorven voordat ze haar iets over haar grootmoeder had kunnen vertellen.

Scott had daar meteen op gereageerd door te zeggen: 'Monica, ik wed dat Olivia Morrow op de een of andere manier banden heeft met de Gannons. Vertrouw op mij, ik zal het voor je uitzoeken. Jouw vader geloofde dat Alexander Gannon zijn vader zou kunnen zijn. En over Alexander zijn genoeg artikelen te vinden, en zeker ook een aantal met biografische details. Toen ik die foto's zag die je vader van hem had verzameld en ze vergeleek met foto's van je vader zelf, steeds op ongeveer dezelfde leeftijd, vond ik de gelijkenis werkelijk verbluffend.' Hij praatte snel, duidelijk opgewonden dat Monica misschien zou toestaan dat hij haar hielp.

Voordat hij was vertrokken had Scott nog gezegd: 'Monica, ik zeg dit nog één keer tegen je en dan zal ik het er nooit meer over hebben: Ik heb er enorm veel spijt van dat ik zo stom ben geweest om je mee uit te vragen, terwijl ik nog met Joy was getrouwd. Als je mij toestaat je af en toe te zien, zal dat als vriend zijn. Ik geef je mijn woord dat ik je op geen enkele manier in verlegenheid zal brengen. Ik stel voor dat ik probeer uit te zoeken wie Olivia Morrow was en dat ik je binnen een week of twee bel om eens uit eten te gaan. En ik zal Joy vragen of ze contact met je opneemt. Vind je dat goed?'

En ik heb hem gezegd dat dat goed was, dacht Monica. En dat zál het ook zijn, als hij eerlijk is over het feit dat hij alleen onze vriendschap weer wil oppakken en verder niets. Scott is een goede vriend voor papa geweest toen hij zo ziek was en ik zal nooit vergeten hoe hij me heeft geholpen na papa's dood.

Nu ze alles nog eens had overdacht, ging Monica rechtop zitten om op te staan. Met een van pijn vertrokken gezicht stapte ze langzaam en voorzichtig uit bed en liep ze de badkamer in, waar ze de jacuzzi aanzette.

Het hete, bubbelende water hielp tegen haar stijfheid en toen ze eenmaal was aangekleed voelde ze zich al een stuk beter. Ze zette een klein potje koffie en liep de slaapkamer in. Ik zie eruit als een spook, dacht ze, terwijl ze wat blusher opdeed en haar haar vastmaakte.

Los haar staat je goed.

De herinnering aan Ryan die dat minder dan twee weken geleden tegen haar had gezegd, toen de kleine Carlos de speld uit haar haar had getrokken, zorgde opeens voor een brok in haar keel en ze voelde tranen achter haar ogen prikken. Maar ze was verdorie niet van plan te gaan huilen. Ik bel Nan en vraag of zij dat dossier van Michael O'Keefe bij Ryan op zijn kantoor afgeeft, besloot ze. Ik wil hem niet meer tegen hoeven te komen en dan is er ook geen enkele reden meer waarom ik hem zou moeten zien. Het ziekenhuis is tenslotte groot genoeg.

Terwijl ze aan de koffie zat, besloot ze dat de mogelijkheid dat ze met opzet onder die bus was geduwd, nauwelijks voorstelbaar was. Zoals ik ook al tegen Scott vertelde, zal die man, als hij me gewoon opzij probeerde te duwen om nog door het rode licht te kunnen rennen, er waarschijnlijk ontzettend van zijn geschrokken dat ik bijna overreden werd. Ik vind het niet gek dat hij zich toen uit de voeten heeft gemaakt. Dat zouden de meeste mensen doen in zo'n situatie.

In de taxi op weg naar het ziekenhuis belde ze Nan en daarna belde ze alvast naar de kinderafdeling om te informeren hoe het met Sally was. Tot haar opluchting had het kindje een rustige nacht achter de rug, maar Monica voelde zich woedend worden toen ze hoorde dat haar moeder nóg niet op bezoek was geweest. Ik licht de kinderbescherming vanochtend nog in, bezwoer ze zichzelf.

Het eerste wat ze deed toen ze in het ziekenhuis was, was een bezoekje aan Sally brengen. Het kind sliep en Monica besloot niet het risico te lopen dat ze wakker werd. De verpleegster die dienst had vertelde Monica dat Sally's temperatuur nog maar één graad hoger was dan normaal en dat de astma-aanval helemaal over was. 'Dokter, toen ze gisteravond nadat u was vertrokken, wakker werd, dacht ik in eerste instantie dat ze om haar moeder huilde. Maar toen ik goed luisterde zei ze geen "mammie", maar "monnie". Ik denk dat ze vorige week heeft gehoord dat de andere kinderen u wel eens "monnie" noemen.'

'Dat zou me niets verbazen,' hoorde ze een bekende stem achter zich. 'Ik heb gehoord dat je patiëntjes meestal dol op je zijn.'

Monica draaide zich met een ruk op. Het was Ryan Jenner. 'Ik betwijfel of Sally mijn naam weet,' zei ze en toen ze de blik zag waarmee de verpleegster van haar naar Ryan keek, zei ze vlug: 'Dokter Jenner, kan ik u even privé spreken?'

'Natuurlijk,' reageerde hij, zijn stem meteen even formeel als die van haar. Ze liep met hem de gang op. 'Ik heb het dossier van Michael O'Keefe naar je kantoor laten brengen,' informeerde ze hem.

'Ja, het is net gearriveerd. Je secretaresse vertelde dat je waarschijnlijk hier te vinden zou zijn. Monica, ik heb net gehoord wat er gisteravond is gebeurd. Is het echt waar dat je geduwd werd? Mijn god, ik kan me niet voorstellen hoe akelig dat voor je moet zijn geweest.'

'Er is niets aan de hand, Ryan, maar ik moet je wel vragen me niet meer hier op de afdeling te komen opzoeken, tenzij het na-

tuurlijk om een patiëntje gaat. Ik heb het gevoel dat er nogal over ons wordt geroddeld.'
Hij keek haar aan. 'En dat vind je vervelend?'
'Ja, inderdaad. En ik neem aan dat jij dat zeker ook niet prettig vindt.'
Zonder zijn reactie af te wachten liep ze de kinderafdeling weer op en begon ze haar ronde langs de andere patiëntjes die aan haar zorg waren toevertrouwd.

41

Na zijn aanvankelijke paniekreactie toen hij besefte dat hij Olivia Morrow werkelijk had vermoord, probeerde dokter Clayton Hadley zichzelf te kalmeren door ieder detail van zijn bezoek aan Olivia steeds opnieuw in zijn hoofd na te gaan.
Dinsdagavond had hij de conciërge beneden verteld dat Ms. Morrow zich erg ziek voelde en dat hij Olivia had gevraagd om de grendel niet voor de deur te schuiven, zodat ze niet uit haar bed zou hoeven opstaan om hem binnen te laten. Als ze de deur wel had afgegrendeld, zou het risico natuurlijk veel groter geweest zijn, want dan had ze wakker moeten worden en hem zelf binnen moeten laten. Maar op deze manier had hij het appartement zonder een geluid te maken binnen kunnen glippen
Toen hij op zijn tenen de slaapkamer in was geslopen sliep ze, maar op het moment dat hij zich over haar heen boog, werd ze meteen wakker. Naast de badkamerdeur zat een nachtlampje in het stopcontact, en in het schijnsel daarvan had hij gezien dat haar uitdrukking van verbazing omsloeg in angst toen ze zag dat híj het was.
Ze sliep in een groot bed met haar hoofd op twee kussens, met twee extra kussens naast haar. Een hele tijd geleden, toen ze een lichte hartaanval had gehad en hij haar thuis had bezocht, had ze

hem uitgelegd dat ze 's ochtends wel eens met een kopje thee en de krant terug in bed kroop en die twee extra kussens dan achter haar rug stopte.

Terwijl hij zijn hand uitstak naar een van haar extra kussens, schoot er een gedachte door zijn hoofd: *Ze weet dat ik haar ga vermoorden.* Hij herinnerde zich dat hij had gemompeld: 'Het spijt me, Olivia', terwijl hij het kussen op haar gezicht drukte.

Hij wist dat ze heel zwak moest zijn en was geschrokken van haar heftige verzet en de kracht waarmee ze het kussen van zich af had proberen te duwen. Het kon niet langer dan een minuut zijn geweest, maar in zijn ogen had het een eeuwigheid geduurd, voordat Olivia's benige handen eindelijk opgaven en slap op de deken neervielen.

Toen hij het kussen weghaalde, ontdekte hij dat ze haar lip had stukgebeten tijdens de strijd. Er zat een druppel bloed op de sloop. Zenuwachtig had hij overwogen om het kussen te verwisselen met het kussen onder haar hoofd, maar hij besefte dat het bloed vragen kon oproepen. Dus was hij naar de linnenkast gelopen en had daar, keurig opgestapeld op de middelste plank, twee volledige sets beddengoed gevonden. Van alle twee waren er vier kussenslopen, plus een onder- en een bovenlaken. De ene set was crèmekleurig en de andere lichtroze. De set op het bed was perzikkleurig.

Hadley besloot dat hij de besmeurde kussensloop zou vervangen door een lichtroze. Zoveel scheelt het niet, stelde hij zichzelf gerust. En anders denken ze vast dat er één perzikkleurige sloop is zoekgeraakt in de was. Hij wist dat Olivia haar lakens iedere week naar de wasserij stuurde, omdat ze ooit eens een grapje had gemaakt dat een van haar luxueuze geneugten haar fijne katoenen lakens waren, die ze iedere week vakkundig liet wassen en strijken. Toen hij het kussensloop eraf haalde, ontdekte hij tot zijn schrik dat het bloed door de sloop was heen gesijpeld er er ook een vlek op het kussen zélf zat. Paniekerig bedacht hij dat het zeker zou worden opgemerkt als hij het kussen gewoon meenam. Dus had hij besloten dat hij er toch maar het beste gewoon een nieuwe sloop omheen kon doen en er dan maar op moest hopen dat niemand er iets van zou merken.

De bevlekte kussensloop had hij opgevouwen en in de zak van zijn overjas gepropt en vervolgens had hij het appartement doorzocht naar de papieren over Catherine. Olivia had hem haar executeur-testamentair gemaakt en hem de combinatie van haar kluis gegeven, zodat haar testament zonder onnodige vertraging kon worden uitgevoerd. Het was een eenvoudig document. Ze liet wat geld na aan diverse trouwe medewerkers van het appartementengebouw en aan haar werkster. De spullen in haar appartement, haar auto en haar sieraden moesten worden verkocht. Het geld dat dat opbracht, plus de opbrengsten van haar bescheiden aandelen- en optiesportefeuille, moesten worden nagelaten aan verschillende katholieke liefdadigheidsinstellingen. Het testament vermeldde verder dat de begrafenis al was geregeld met de Frank E. Campbell Funeral Chapel en ook al was betaald. Er moest geen gelegenheid tot afscheid nemen komen, want ze wilde niet opgebaard worden, maar alleen een begrafenismis in de St. Vincent Ferrer kerk en daarna een crematie. Haar as moest worden bijgezet in het graf van haar moeder op het Calvary kerkhof.

Haar testament lag in de kluis, bij de paar sieraden die ze had – een parelketting, een ring met een kleine diamant en oorbellen, bij elkaar zeker niet veel meer waard dan een paar duizend dollar.

Maar tot zijn teleurstelling lag de envelop met Catherines papieren er niet. Opgejaagd door het feit dat de conciërge zou vinden dat hij wel erg lang bij Olivia bleef, had hij het hele appartement centimeter voor centimeter zonder succes doorzocht. De envelop was nergens te bekennen.

Wat heeft ze ermee gedaan? vroeg Clay zich wanhopig af. Had

ze de papieren misschien vernietigd? Was ze na het telefoontje van Monica Farrell van gedachten veranderd en had ze toch de waarheid willen onthullen? Dat was de enige logische verklaring die hij kon bedenken. Toen hij het gebouw verliet, hield de conciërge hem tegen en vroeg hem ernstig: 'Hoe gaat het met Ms. Morrow, dokter?'

Zijn woorden zorgvuldig afwegend had Clay geantwoord: 'Ms. Morrow is heel, heel erg ziek.' En hij had er met schorre stem aan toegevoegd: 'Ik denk niet dat ze nog meer dan een paar dagen, op z'n hoogst een week, bij ons zal zijn.'

De avond daarop, nadat hij het telefoontje had ontvangen dat Olivia dood was, had hij samen met Monica Farrell in de zitkamer gezeten. Toen de Emergency Medical Services arriveerde, was Monica niet lang gebleven. Ze had hen weinig kunnen vertellen, behalve dat ze daarheen was gekomen omdat ze een afspraak met Olivia Morrow had. Achteraf bekeken vond Clay dat hij het medisch personeel uitstekend had afgehandeld met de uitleg dat hij al sinds jaar en dag Olivia's huisarts was, dat ze een dodelijke ziekte had gehad en dat hij haar de avond daarvoor nog had gesmeekt om naar een hospice te gaan... Toen was de begrafenisondernemer van Campbells gearriveerd, had de EMS een label met haar naam erop om de teen van de overledene gehangen en had hij, Clay, de overlijdensverklaring getekend.

Na een slapeloze nacht en zijn paniekerige telefoontje naar Doug, was Clay de hele verdere donderdag druk geweest met het uitwissen van alle sporen die hem met de dood van Olivia Morrow zouden kunnen verbinden. Hij had de overlijdensadvertentie opgegeven bij de *Times*, het lijstje van vrienden en kennissen in het adresboekje van Olivia gebeld dat ze was overleden, de begrafenismis geregeld en een opkoper die hij ooit eens privé had ontmoet gebeld om een afspraak in het appartement met hem te maken, zodat hij daar de inventaris kon opnemen. Toen had hij het gevoel dat hij alles had gedaan wat maar mogelijk was om het beeld van een toegewijde vriend en executeur testamentair neer te zetten, nam een slaappil en ging naar bed.

Op vrijdagmorgen was het eerste telefoontje dat hij om negen uur in zijn kantoor ontving van een man die hij niet kende: Scott Alterman. 'Hij heeft wat vragen over Olivia Morrow,' informeerde zijn secretaresse hem.

Wie is dat?' vroeg Hadley zich af met een knoop in zijn maag. 'Verbind hem maar door,' zei hij.

Scott stelde zich voor: 'Ik ben een vriend van dokter Monica Farrell, die u afgelopen woensdagavond in het appartement van Olivia Morrow hebt ontmoet.'

'Inderdaad.' Waar gaat dit naartoe? vroeg Hadley zich af.

'Vlak voor haar dood, op de avond daarvoor zelfs, had Ms. Morrow aan dokter Farrell verteld dat ze haar grootmoeder had gekend. Het was duidelijk dat ze daarmee dokter Farrells biologische grootmoeder bedoelde. U hebt dokter Farrell bij uw ontmoeting verteld dat u al heel lang bevriend was met Ms. Morrow, daarbij ook haar arts was en tevens haar executeur-testamentair. Ik neem aan dat u het een en ander weet van de familiegeschiedenis van Ms. Morrow?'

Hadley probeerde zijn stem onder controle te houden. 'Dat klopt, ja. Ik ben de cardioloog van haar moeder geweest en daarna die van Olivia. Olivia was enig kind. Haar moeder is jaren geleden overleden. Ik heb nooit iemand anders ontmoet die familie van haar was.'

'En Ms. Morrow heeft nooit meer over haar achtergrond aan u verteld?'

Dicht bij de waarheid blijven, geen details, waarschuwde Hadley zichzelf. 'Ik weet dat Olivia me ooit heeft verteld dat haar vader vóór haar geboorte is overleden en dat haar moeder op een gegeven moment is hertrouwd. Op het moment dat ik hen leerde kennen, was haar moeder al voor de tweede keer weduwe geworden.'

Toen kwam de vraag die Hadley een droge keel had bezorgd. Scott Alterman vroeg: 'Dokter Hadley, zit u niet al jarenlang in de directie van de Gannon Foundation?'
'Ja, dat klopt. Vanwaar die vraag?'
'Dat weet ik nog niet,' zei Alterman. 'Maar ik weet zeker dat daar wel een antwoord op te vinden is en ik waarschuw u, dat antwoord zal ik vinden ook. Tot ziens, dokter Hadley.'

42

Peter Gannon werd die vrijdagochtend met zo'n enorme kater wakker dat al zijn vorige katers er gewoon bij verbleekten. Zijn hoofd leek op het punt te staan om letterlijk uit elkaar te barsten, hij was straalmisselijk en hij had het akelige gevoel dat de wereld onder zijn voeten in het niets verdween.
Peter wist dat hij zijn faillissement moest aanvragen, want hij kon degenen die zijn musical hadden gefinancierd met geen mogelijkheid terugbetalen. Waarom was ik er toch zo van overtuigd dat het dit keer een hit zou worden? vroeg hij zich af. Dat ik hen de helft méér dan ze hadden geïnvesteerd garandeerde, is ongelofelijk stom van me geweest, maar was aan de andere kant ook de enige manier waarop ik geld kon loskrijgen, dacht hij. Nu zullen ze me natuurlijk helemaal uitkotsen.
Nadat hij een hele tijd onder een hete douche had gestaan, draaide hij de straal met dichtgeknepen ogen op koud. Terwijl hij stond te bibberen onder de ijskoude, geselende lawine van prikkende naalden in zijn arme huid, dwong hij zichzelf het feit onder ogen te zien dat hij Greg zou moeten bekennen dat hij René Carter ooit had verteld dat hij zeker wist dat zijn broer betrokken was bij fraude wegens handel met voorkennis. En dat niet alleen, ik heb haar ook verteld dat behalve de giften die we doen aan cardiologisch onderzoek, vanwege Clay, en aan psychia-

trisch onderzoek, vanwege Doug, de meeste donaties van ons fonds maar klein zijn en louter voor de show. Als René niet was gaan afpersen vanwege de baby, zou ze ongetwijfeld hebben gedreigd de fraude te onthullen. Mijn god, als we ooit een onderzoek over ons heen krijgen! Peter durfde de gedachte daaraan niet af te maken.

Greg zal me gewoon een miljoen dollar moeten geven om René af te kopen en daar zal hij nú mee over de brug moeten komen. Ik heb haar dinsdagavond ontmoet en volgens mij heeft ze al helemaal uitgedokterd hoeveel ze kan krijgen als ze de boel bekendmaakt. Tweeëneenhalf jaar geleden heb ik haar al twee miljoen gegeven om de stad uit te gaan en haar mond verder dicht te houden en daar had het bij moeten blijven. Ze beloofde destijds dat ze het kind zou laten adopteren.

René. Onvast op zijn benen stapte Peter de douche uit en strekte zijn hand uit naar een badhanddoek. Ik heb de hele dinsdagmiddag zitten zuipen, dacht hij. Zo bang was ik om tegen haar te moeten zeggen dat ik maar honderdduizend dollar had, in plaats van een miljoen. En toen ik op haar zat te wachten in die bar, heb ik nog twee whisky genomen. Ik had haar natuurlijk moeten zeggen dat die honderdduizend alles was wat ik haar nú kon geven. Ik had haar aan het lijntje moeten houden...

Hoe is het toen verdergegaan? vroeg hij zich af. Ze was werkelijk razend geweest toen ik haar dat tasje met maar honderdduizend erin gaf en zei dat dat het laatste was wat ze kreeg. Het allerlaatste. Geen betalingen meer. Anders zou ik haar aanklagen wegens afpersing. Toen ze woedend opstond en de bar uit rende, ben ik achter haar aan gehold en heb ik haar hand vastgegrepen. Ze liet de tas vallen en gaf me een klap. Haar nagel kraste over mijn gezicht.

En toen? Wat gebeurde er toen?

Ik weet het niet meer, dacht Peter ongelukkig. Ik weet het gewoon niet meer. O mijn god, dacht hij, terwijl hij zijn badjas aantrok, waar ben ik toen heen gegaan? Wat heb ik gedaan? Ik weet het niet meer, ik weet het gewoon niet meer. Woensdagmiddag ben ik wakker geworden op de bank in mijn kantoortje. Dat was vijftien uur later. Daarna heb ik het in mijn hoofd gehaald dat Sue me misschien het geld wel zou lenen en maakte ik een afspraak met haar in Il Tinello. Toen Sue weigerde, heb ik me weer klem gezopen. René heeft me toch nog niet teruggebeld? Of wel? Ik heb verdomme black-outs. Misschien heb ik de telefoon wel helemaal niet gehoord...

Peter keek in de spiegel boven de wasbak. Een puinhoop, concludeerde hij. Bloeddoorlopen ogen. Ik heb me gisteren niet eens geschoren. Wat zal Sue wel niet gedacht hebben...

Sue. René was de druppel geweest die de emmer van hun huwelijk had doen overlopen. Ik had Sue bezworen dat ik het niet meer met andere vrouwen zou aanleggen en toen las ze in de roddelpers dat ik met René was gesignaleerd. De grootste fout van mijn leven, vier jaar geleden. Ze wilde niet geloven dat ik genoeg had van René en het wilde uitmaken met haar. Idioot hoe een balletje kan rollen. Sue had drie miskramen in de twintig jaar dat we getrouwd waren en René kreeg het voor elkaar zwanger te worden op het moment dat ik op het punt stond met haar te breken. Ze wist dat ik een einde aan onze relatie wilde maken. Ze heeft het expres gedaan, dacht hij woedend. Maar gelukkig heeft Sue nooit iets geweten van de baby. Dat zou het aller- allerergste voor haar zijn geweest... En nu, of ze nou gescheiden waren of niet, hoopte hij nog altijd dat Sue het nooit te weten zou komen.

Waarom had René de baby verdomme niet laten adopteren? Toen ik haar die twee miljoen betaalde, beloofde ze dat ze dat zou doen. En ze was zeker niet dol op kinderen. Ze heeft het alleen gedaan om me in haar macht te kunnen houden. De macht die Sally heet, die ik nog nooit heb gezien en ook nooit wíl zien. Waarom is René teruggekomen naar New York? Ze zal haar klauwen in Las Vegas wel niet in een andere rijke vent hebben kunnen slaan en nu moet ik haar nestje weer financieren.

Had ik maar kunnen bewijzen dat de baby niet van mij was, maar René was slim genoeg om DNA van mij te bewaren en dat te laten matchen met dat van de baby. Het kind is van mij, of ik het nou leuk vind of niet.

Peter Gannon pakte zijn scheerzeep en zijn scheermesje. Terwijl hij zich stond te scheren, raakte het mesje de wond op zijn wang waar Renés nagel was blijven haken en even kromp hij ineen van de pijn. Wat gebeurde er nadat ze mij die klap gaf? vroeg hij zich opnieuw af.

Een halfuur later, toen hij een sportief hemd, een trui en een katoenen broek aan had getrokken en een kop koffie in zijn hand had, dwong hij zichzelf zijn broer Greg te bellen.

Maar voordat hij alle nummers had ingetoetst werd hij onderbroken door het gezoem van de intercom. Het was de conciërge: 'Mr. Gannon, er staan hier een rechercheur Tucker en een rechercheur Flynn voor u. Mag ik ze naar boven laten komen?'

43

Die vrijdagochtend probeerde Monica, nadat ze met Ryan Jenner had gesproken, René Carter te bellen, maar toen die de telefoon weer niet beantwoordde, besloot ze om langs Sandra Weiss te gaan, de maatschappelijk werkster van het ziekenhuis. 'Ik moet met je praten over een van mijn patiëntjes: Sally Carter,' begon ze.

'Ik stond net op het punt om jóú te bellen,' vertelde Weiss haar somber. 'We hebben bericht gehad van de politie. Langs het voetgangerspad bij de East River is gisteren het dode lichaam van een vrouw gevonden en dat is geïdentificeerd als het lijk van René Carter, Sally's moeder.'

Monica staarde haar verbijsterd aan. 'René Carter is dood?' vroeg ze.

'Ja. De politie probeert een familielid van haar te vinden. Tot die tijd hebben wij de verantwoordelijkheid voor Sally. Als je haar uit het ziekenhuis ontslaat en er nog geen familie van haar is gevonden, plaatsen we haar voorlopig in een kindertehuis.'

René Carter dood! Geschokt zag Monica in haar verbeelding de ontevreden vrouw voor zich die geen enkele interesse in haar kindje had getoond. Wie zou die familie blijken te zijn? vroeg ze zich af. Wat gaat er nu met Sally gebeuren?

Hoewel ze wist dat ze naar haar praktijk moest, waar de patiënten al op haar zaten te wachten, ging ze voordat ze het ziekenhuis verliet eerst nog even langs Sally. Het meisje sliep nog en omdat Monica haar niet wilde wekken, bleef ze alleen maar even naar het kind staan kijken. Toen liep ze haastig weg.

Op de praktijk bleek de wachtkamer al aardig vol te raken. Nan liep met Monica mee haar privékantoortje in en ging recht voor haar staan, zodat Monica wel naar haar móést luisteren. 'Ik heb gisteren op de radio gehoord wat er met u is gebeurd, dokter Monica,' zei ze ademloos. 'En ik schrok me dood. Ik heb u meteen proberen te bellen. Godzijdank dat u dat bericht op uw voicemail had gezet om te vertellen dat alles goed met u was. Maar ik ben het meteen aan John Hartman gaan vertellen, de gepensioneerde rechercheur die bij mij in het gebouw woont en hij gaat een van zijn vrienden bij de politie bellen om te vragen of ze de filmpjes van beveiligingscamera's rondom het ziekenhuis willen nakijken. Misschien heeft die vent die u een duw heeft gegeven u wel gevolgd? Wie weet heeft het iets te maken met die foto die voor het ziekenhuis van u is genomen, die ik u heb laten zien, weet u nog? U dacht dat die niets te betekenen had.'

Monica hief haar hand op om Nans woordenstroom te stoppen. 'Nan, je weet dat ik je bezorgdheid erg op prijs stel, maar ik denk niet dat iemand me met opzet een duw heeft gegeven. Volgens mij had die vent gewoon zo ontzettend veel haast om de straat over te steken dat hij me uit de weg duwde. Dus als er iemand hierheen belt om te vragen hoe het met me gaat, stel ze dan alsjeblieft gerust en zeg dat ik absoluut geloof dat het een ongelukkig incident is geweest. Kun je nu aan Alma vragen om te beginnen? Al die arme ouders die hier gisteren al hebben zitten wachten en nu hun kinderen weer mee hebben moeten slepen...'

Nan deed een paar stappen in de richting van de deur en aarzelde toen. 'Dokter, ik heb nog één vraagje. Hoe gaat het met Sally Carter?'

Het voelde heel onwerkelijk om Nan te moeten vertellen dat Sally's moeder niet alleen dood was, maar bovendien het slachtoffer van een moordenaar was geworden. 'Verder weet ik ook niets,' eindigde Monica haastig, terwijl ze haar witte jasje dichtknoopte en naar de onderzoekskamer liep.

In de zeven uur die daarop volgden, gunde Monica zich alleen maar een kleine pauze van vijf minuten voor een kop thee en een broodje. Het laatste patiëntje ging om zes uur weg en Alma volgde al snel. 'Doet u alstublieft rustig aan dit weekend, dokter,' zei ze bij het afscheid.

'Ja, dat ben ik wel van plan, bedankt, Alma.' Monica liep naar haar kleine kantoortje en trok haar witte jas uit. Nan kwam achter haar aan en kon eindelijk de vraag stellen die haar al de hele dag bezighield. 'Dokter Monica, hoe was de ontmoeting met Olivia Morrow woensdag? Heeft ze uw grootmoeder werkelijk gekend?'

Monica keerde zich om, omdat ze tranen achter haar ogen voelde dringen. De vreselijke teleurstelling dat Olivia Morrow dood was, haar eigen bijna-dodelijke ongeluk, het haast zeker weten dat Sally naar een kindertehuis moest en het besef dat ze veel meer om Ryan Jenner gaf dan ze zich had gerealiseerd, vlogen haar plotseling naar de keel.

Ze moest even slikken voordat ze iets kon zeggen. Hoewel er aan haar stem niets te horen was, kon ze de meelevende uitdrukking op Nans aardige gezicht niet aanzien en durfde ze haar niet aan te kijken, terwijl ze verslag deed van haar aankomst bij het appartement van Olivia Morrow en de ontdekking dat de vrouw die nacht was gestorven. 'Dus als er inderdaad iets klopte van haar verhaal, zal ik het wel nooit te weten komen,' concludeerde ze.

'Hoe zit het met de begrafenis?' vroeg Nan.

'Toen ik dokter Hadley sprak terwijl we zaten te wachten op de komst van de EMS, vertelde hij dat hij alles zou regelen.'

'Ik heb de *Times* bij me,' zei Nan. 'Misschien staat er een overlijdensbericht in.' Ze rende naar haar bureau en kwam even later terug met de op de juiste pagina opengeslagen krant. 'Ja, er staat hier inderdaad een advertentie in over Ms. Morrow. Morgenochtend wordt er een begrafenismis voor haar gehouden in de St. Vincent Ferrerkerk, om tien uur. Als ik u was zou ik erheen gaan. Hier staat dat ze geen directe familie had, maar ze zal toch zeker wel vrienden en vriendinnen hebben gehad. Ik ga graag met u mee. Misschien lukt het ons samen wel om met wat mensen die de mis bijwonen te praten en erachter te komen of ze het ooit met iemand over u heeft gehad. Wie weet wat u op die manier te weten komt? En u hebt tenslotte niets te verliezen.'

'Dat is geen slecht idee,' zei Monica langzaam. 'Je zei tien uur, morgen? In de St. Vincent Ferrerkerk?'

'Ja. Die ligt bij Sixty-sixth en Lexington.'

'Zullen we daar om kwart voor tien afspreken, dan?' Monica pakte haar jas uit de kast. 'Iedere dag heeft tenslotte zijn kruis,' citeerde ze een beetje moedeloos.

Toen ze op weg naar de buitendeur langs Nans bureau liepen, ging de telefoon. Nan rende erheen om te zien wie er belde. 'Het is dokter Jenner,' zei ze verheugd.

'Laat maar bellen,' zei Monica vastberaden. 'Kom, we gaan.'

44

Vrijdagochtend jogde Scott Alterman eerst in alle vroegte een rondje door Central Park. Toen hij daarvan terug was in zijn gehuurde appartement nam hij een douche, schoor zich en trok vervolgens sportieve kleding aan. Om acht uur belde hij zijn secretaresse en liet, zich enigszins schuldig voelend, een boodschap achter dat hij dringende privézaken moest afhandelen en pas later op de dag op zijn werk kon zijn.

Daarna zette hij koffie, roosterde wat boterhammen en maakte roereieren. Ondertussen probeerde hij zijn schuldgevoel kwijt te raken door het maken van een doelgericht plan. Natuurlijk was het niet verstandig om al vrij te nemen, terwijl hij pas net in zijn nieuwe functie was begonnen. Bovendien had hij een flinke som geld geaccepteerd om er partner te worden. Maar de kans om Monica bij te kunnen staan na haar ongeluk, maakte zijn behoefte nog sterker om haar meer dan wat dan ook in de wereld te bewijzen dat hij er voor haar was.

Ze wist hoe vreselijk graag haar vader had willen weten waar zijn wortels lagen, dacht Scott, en ik denk dat ze, veel meer dan ze zelf beseft, dezelfde behoefte heeft. Gisteravond toen ze me vertelde dat Olivia Morrow, de vrouw die haar grootouders waarschijnlijk had gekend, was overleden, was ze echt van streek. Om op het spoor van Monica's afkomst te komen, moet ik in ieder geval alles te weten komen over die vrouw. Bovendien zou dat spoor nu ze dood is wel eens heel snel verdwenen kunnen zijn. Maar als zou blijken dat Olivia Morrow op de een of andere manier een connectie had met de Gannons, hebben we echt iets substantieels om op verder te gaan.

Scott wist dat hij nogal geobsedeerd werd door zijn intuïtieve gevoel dat de vader van Monica de 'afstammeling' was waar Alexander Gannon in zijn testament aan refereerde, en dat Monica daardoor de wettelijke erfgename kon zijn van al het geld

dat het resultaat was van de geniale uitvindingen van Alexander Gannon.
Hoe vaak zou het voorkomen, peinsde hij, dat geadopteerde kinderen dezelfde talenten hebben als hun biologische familie? Monica's vader, Edward Farrell, was medisch onderzoeker geweest en had gewerkt aan de vraag waarom sommige patiënten bepaalde implantaten, met name kunstheupen, -knieën en -enkels afstootten. Die producten die voor bedrijven als Gannon Medical Supplies de grootste bron van inkomsten vormden.
Het hoofdkantoor van Gannon Medical Supplies lag in Manhattan, maar het onderzoekslab was in Cambridge gevestigd. Toen Edward Farrell in de zestig was, had het bedrijf hem gevraagd zitting te nemen in de directie. Op dat moment was Alex Gannon al dood, maar Edward Farrells uitzonderlijke gelijkenis met hem was een onderwerp dat regelmatig door zijn medewerkers werd gesignaleerd. Het zou werkelijk een bijzondere speling van het lot zijn als Monica's vader inderdaad had gewerkt voor het bedrijf dat door zijn biologische vader was opgericht.
De constante opmerkingen over zijn uiterlijke gelijkenis met Alexander Gannon was voor Edward Farrell de aanleiding geweest om het verzamelen van artikelen over Alexander Gannon tot zijn hobby te maken en hun beider foto's, genomen op verschillende momenten in hun levens, met elkaar te vergelijken.
Monica had niet echt begrepen hoezeer haar vader gefixeerd was geweest op dat onderwerp, dacht Scott, terwijl hij een blocnote opensloeg en een lijstje begon te maken van dingen waarmee hij zijn onderzoek kon beginnen. Hoeveel had Olivia geweten over Monica's grootouders? Was er nog iemand die op de hoogte was van haar eventuele verbintenis met de familie Gannon?
Monica had hem verteld dat Olivia Morrows arts, die haar al jaren en jaren kende, meteen naar het appartement was gekomen nadat de conciërge en zij het lijk van de oude dame hadden ge-

vonden. Clayton Hadley, heette hij, wist Scott. Die naam noteerde hij in zijn blocnote.

Morrows appartement was in Schwab House. Monica had de indruk gehad dat Ms. Morrow daar al heel lang woonde. Ik zal eens met het personeel daar gaan praten, nam Scott zich voor. Misschien kennen zij wel mensen die haar regelmatig bezochten. En Morrow had zeer waarschijnlijk ook een werkster gehad. Dus daar kon hij ook achteraan.

Wie zou de executeur van haar testament zijn, en wat zou daarin staan? Dat kon zijn secretaresse wel voor hem uitzoeken.

Scott dronk zijn koffie op, zette het kopje in de gootsteen en ruimde de keuken op. Grappig, dacht hij. Dat was nog iets wat niet werkte tussen Joy en mij. Ik ben wel geen pietje-precies, maar een opgeruimd huis vind ik prettig. Joy gooide echter, zodra ze binnenkwam haar jas en tas ergens neer en ruimde die ook nooit meer op. Ik weet nog wel dat ik me wel eens afvroeg of die jas van haar ooit een kapstok had gezien.

Maar in Monica's appartement had ook alles ordelijk op zijn plaats gestaan of gelegen, herinnerde hij zich.

Scott liep het kleine kamertje in dat hij als kantoortje gebruikte, zette zijn computer aan en tikte dokter Clayton Hadley in. Toen hij de hele rits aan referenties doorlas, stuitte hij op een gegeven moment op iets wat hem een geluidloos fluitje ontlokte. Hadley zat in de directie van de Gannon Foundation!

Monica had gezegd dat dokter Hadley haar had verteld dat hij naar het appartement van Olivia Morrow was gegaan om te checken of alles goed met haar was en dat dat op de avond was geweest vlak nadat Monica naar Olivia had gebeld. Was dat toevallig? Waarschijnlijk wel, dacht Scott. Monica had gezegd dat ze aan Olivia's stem had gehoord dat ze erg zwak was. Maar ondanks het feit dat Scott nog geen echte verdenkingen tegen hem koesterde, besloot hij toch om dokter Hadley meteen te bellen. Als hij al jarenlang Olivia's arts was, zou hij toch wel het een en ander van haar achtergrond weten, dacht hij, terwijl hij zijn hand naar de telefoon uitstrekte.

Toen hij werd doorverbonden met Hadley merkte hij onmiddellijk dat de dokter zijn vragen probeerde te ontwijken en dat zijn bewering dat hij nauwelijks iets wist van Olivia Morrows achtergrond, een regelrechte leugen was. Scott was tenslotte niet voor niets een ervaren strafrechtjurist...

Maar ik had hem natuurlijk niet moeten waarschuwen dat ik wel een connectie tussen Olivia Morrow en de Gannon Foundation zou weten te vinden, berispte Scott zichzelf terwijl hij de verbinding verbrak. Misschien zal ik ooit nog eens leren om rustig het goede moment af te wachten. Dat telefoontje was precies dezelfde soort impulsieve stommiteit die ik beging toen ik opeens naar het gebouw waar Monica woont ben gegaan en haar de stuipen op het lijf heb gejaagd door zo plotseling vóór haar te staan...

Rustig aan, hield hij zichzelf voor, rustig aan.

Ontevreden over zichzelf, besloot hij te voet naar Schwab House te gaan om een gesprekje te hebben met het personeel daar, vooral mensen die daar al sinds jaar en dag werkten.

Toen hij daar arriveerde wachtte hij even totdat er een pauze viel in het komen en gaan van de bewoners en de bezoekers en begon toen een praatje met de portier. De man vertelde hem het weinige wat hij wist maar al te graag. Ms. Morrow was een lieve, rustige oude dame, die je altijd uitgebreid bedankte als je de deur voor haar openhield en heel gul was met Kerstmis. Hij zou haar missen.

'Ging ze vaak op pad?' vroeg Scott.

'De laatste paar maanden alleen nog naar de kapper, de dokter, of op zondag naar de kerk. Dat weet ik omdat ik haar altijd in de taxi hielp en we er dan samen grapjes over maakten.'

Daar heb ik weinig aan, dacht Scott, terwijl hij naar binnen ging en zich bij de conciërge meldde. Hij vertelde dat hij jurist was en zorgde ervoor dat de conciërge de indruk had dat Ms. Morrow een van zijn cliënten was geweest. 'Ik weet dat ze hier jarenlang heeft gewoond en ik wil er zeker van zijn dat iedereen die haar na stond bericht krijgt van haar overlijden,' legde hij uit.

'Ze was niet iemand die veel bezoek kreeg,' zei de conciërge. 'Er was een dame op de achttiende verdieping met wie ze altijd naar het theater ging, maar die vrouw is al enige jaren geleden overleden. Wij wisten hier allemaal dat Ms. Morrows gezondheid heel slecht was. Ze ging er weinig meer uit de laatste tijd.'

Terwijl Scott zich omdraaide om te gaan, schoot er nog een vraag door zijn hoofd: 'Had Ms. Morrow ook een auto hier in de garage staan?'

'Ja, inderdaad. Van wat ik ervan weet, was ze pas sinds kort opgehouden om nog zelf te rijden. Als ze geen taxi nam naar iets wat in de buurt was, gebruikte ze een chauffeursservice, waarbij ze in haar eigen auto ergens heen werd gereden. Dinsdag is ze nog een paar uur weg geweest op die manier.'

'Afgelopen dinsdag? De dag voor haar dood?' riep Scott uit. 'Was ze lang weg?'

'Het grootste gedeelte van de middag.'

'Weet u waar ze heen was?'

'Nee, maar ik heb hier wel het nummer van de chauffeursservice voor u. Er wordt door vrij veel van de bewoners hier gebruik van gemaakt.' De conciërge maakte een laatje open, pakte er een stapel visitekaartjes uit en keek die door. 'Hier heb ik het,' zei hij en overhandigde Scott een kaartje. 'U kunt het wel houden als u wilt, ik heb er meer van.'

Het adres van de chauffeursservice was maar een paar straten verderop. Scott besloot er meteen heen te lopen. Hij had al lang geleden geleerd dat je beter persoonlijk naar iemand toe kon gaan om informatie te krijgen dan dat over de telefoon te proberen.

De wolken die zich begonnen te verzamelen toen hij op weg was naar Schwab House, waren nu zwaarder en donkerder. Scott haastte zich om niet in een bui terecht te komen. Waarom gaat een doodzieke vrouw nou nog urenlang van huis weg? vroeg hij zich af. Een week eerder had Olivia Morrow de chauffeur van wie het zoontje een patiëntje van Monica was, verteld dat ze Monica's grootmoeder had gekend. Waarom had ze dat pas toen Monica zelf belde tegen haar verteld en had ze zelfs gezegd dat ze wist wie allebei Monica's grootouders waren? Waarom had ze dat niet eerder gedaan, terwijl ze had geweten dat ze niet lang meer te leven had? Had Olivia Morrow misschien op de laatste dag van haar leven iemand anders bezocht die de waarheid kende?

Al die vragen spookten door Scotts hoofd. Maar geen enkele van die vragen gaf hem een signaal dat hij, door zijn telefoontje naar Clayton Hadley, zijn eigen doodvonnis had getekend – en dat de machinerie om hem onschadelijk te maken al in werking was gezet...

45

Zijn hart klopte in zijn keel toen Peter Gannon rechercheur Barry Tucker en rechercheur Dennis Flynn uitnodigde in de zitkamer van zijn appartement. Waarom zijn die hier? vroeg hij zich af. Heb ik iets strafbaars gedaan toen ik die black-out had? Ik geloof niet dat ik met de auto ben weggegaan. Mijn god, als ik maar niemand heb aangereden!

Zelfs de beslissing waar hij moest gaan zitten bleek al zenuwslopend. Niet op de bank, schoot het door zijn hoofd, die was lager dan de stoelen. Dan zou hij zich nog onzekerder voelen. Hij koos de fauteuil, waardoor de rechercheurs gedwongen waren om naast elkaar op de bank plaats te nemen.

De ernstige uitdrukking op hun gezichten vertelde Peter al dat ze vanwege een heel serieuze zaak waren gekomen. Ze leken te wachten totdat hij als eerste iets zou zeggen. Peter was eigenlijk niet van plan geweest om hen koffie aan te bieden, maar hij besefte dat hij nog steeds de kop koffie in zijn hand had waaruit hij, op het moment dat de conciërge via de intercom naar boven had gebeld, net een slokje had genomen. En nu hoorde hij zichzelf dus vragen: 'Ik heb net koffiegezet. Wilt u misschien...'

Maar voordat hij zijn zin af had kunnen maken, schudden ze al allebei hun hoofd. Toen begon rechercheur Tucker te praten. 'Mr. Gannon, hebt u René Carter afgelopen dinsdagavond ontmoet?'

René, dacht Peter ontmoedigd. Dus ze is naar de politie gegaan en heeft hen verteld dat Greg handelt met voorkennis! Voorzichtig, waarschuwde hij zichzelf. Dat weet je nog niet. Meewerken.

'Ja, ik heb haar dinsdagavond gezien,' zei hij terwijl hij zijn best deed kalm te klinken.

'Waar hebt u haar ontmoet?' vroeg Tucker.

'In een eetcafé in de buurt van Gracie Mansion.' Ik weet me niet eens meer te herinneren hoe het daar heette, dacht hij. Ik moet zorgen dat ik helder blijf.

'Waarom hebt u haar daar ontmoet?'

'Het was haar voorstel.'

'Hebt u toen ruzie met haar gehad?'

Dat weten ze dus al, dacht Peter. Er zijn waarschijnlijk mensen in dat café geweest die ons hebben gezien en dus hebben verteld dat ze haar stem verhief en het café uit stormde. 'We hadden onenigheid,' antwoordde hij. 'Waar gaat dit allemaal over?'

'Waar dit allemaal over gaat, Mr. Carter, is dat René Carter die dinsdagavond niet meer thuis is gekomen. Gisteren is haar dode lichaam gevonden. Het was in een vuilniszak gepropt en lag naast het voetpad langs East River, vlak bij Gracie Mansion.'

Verbouwereerd staarde Peter de twee rechercheurs aan. 'René is dood? Dat kan toch niet,' protesteerde hij.

‘Bent u de vader van haar kind?’ vuurde Barry Tucker de volgende vraag op hem af.

René is dood. Ze weten dat we ruzie hebben gehad. Misschien denken ze wel dat ik haar heb vermoord. Peter ging met zijn tong langs zijn lippen. ‘Ja, ik ben de vader van het kind van René Carter,’ zei hij.

‘En hebt u bijgedragen aan de kosten voor het kind?’ vroeg rechercheur Flynn kalm.

‘Bijgedragen in de kosten? Het antwoord daarop is “ja” en “nee”.’ Ik klink als een idioot, dacht Peter. ‘Ik zal u uitleggen wat ik daarmee bedoel,’ voegde hij er gauw aan toe. ‘Ik ontmoette René meer dan vier jaar geleden op de première van een toneelstuk dat ik had geproduceerd. Mijn ex-vrouw is advocaat en sloeg dat soort gebeurtenissen laat op de avond altijd over. Uiteindelijk bracht ik René na het premièrefeest naar huis en kreeg ik een verhouding met haar, die een krappe twee jaar duurde.’

‘Bedoelt u dat u al twee jaar geen verhouding meer met haar hebt?’ vroeg Tucker.

‘René wist dat ik genoeg van haar had en dat ik er spijt van had dat ik ooit een verhouding met haar was begonnen. En toen was ze opeens zwanger. Ze eiste twee miljoen dollar van mij, zodat ze geld had om de zwangerschap door te komen. En als de baby eenmaal geboren was, wilde ze het kind laten adopteren.’

‘En u ging daarmee akkoord?’

‘Ja. Dat was vóór al die spectaculaire flops van mij op Broadway. Ik dacht dat ik op die manier René uit mijn leven zou kunnen bannen. Ze vertelde me dat ze een stel heel aardige, betrouwbare mensen wist, die er alles voor overhadden een baby te krijgen en ontzettend gelukkig zouden zijn als ze het kindje zouden kunnen adopteren.’

‘En zelf had u geen interesse in het kind?’

‘Ik ben er niet trots op, maar om eerlijk te zijn: nee. René heeft me mijn huwelijk gekost. Mijn ex kwam erachter dat ik een verhouding met haar had en vroeg de scheiding aan. Toen ik weer een beetje bij zinnen was, besefte ik dat ik iets heel kostbaars kwijt was en dat ik daar de rest van mijn leven spijt van zou houden. Het laatste wat ik wilde was dat mijn ex er ook nog achterkwam dat René zwanger was van mij. En René had genoeg van New York en vertelde me dat ze voorgoed naar Las Vegas wilde verhuizen. Ik zou haar nooit meer zien als ik haar die twee miljoen dollar gaf.'

'Wist u zeker dat het kind van u was, Mr. Gannon?'

'Dat geloofde ik natuurlijk absoluut, anders had ik haar die twee miljoen niet betaald. Ik wist hoe René dacht. Ze vond het de moeite waard om zwanger te raken, zodat ze dat geld van mij kon eisen. En toen, anderhalf jaar geleden, stuurde ze me een kaartje om me te feliciteren, met daarbij ingesloten een kopie van een DNA-onderzoek van haar, mij en de baby. Ze was zo slim geweest voordat ze vertrok DNA van mij te verzamelen, voor het geval ik twijfels zou hebben. Ik heb het laten checken. En ik ben inderdaad de vader van het kind.'

'Wanneer hoorde u daarna weer iets van René Carter?'

'Ongeveer drie maanden geleden vertelde ze me dat ze terug was in New York en dat ze had besloten de baby te houden en hulp nodig had om het kind groot te brengen.'

'Bedoelt u kinderalimentatie?' vroeg Tucker.

'Ze eiste nog een keer één miljoen dollar. Ik zei dat ik dat gewoon niet had, en ik herinnerde haar aan de afspraak dat ik mijn verplichting om voor haar en de baby te zorgen had afgekocht met die twee miljoen.'

'Hebt u uw kind ooit gezien, Mr. Gannon?'

'Nee.'

'En u weet niet dat ze in het ziekenhuis ligt en een ernstige longontsteking heeft gehad?'

Peter voelde zijn gezicht rood worden door de minachting in

Tuckers stem. 'Nee, dat wist ik niet. U zei dat het ernstig was. Hoe ziek is ze nu?'
'Ziek genoeg. En trouwens, ze heet Sally,' vertelde Flynn hem. 'Wist u dat?'
'Ja, dat wist ik,' reageerde Peter geïrriteerd.
'Toen u Ms. Carter vertelde dat u niet zoveel geld bij elkaar kon krijgen, hoe reageerde ze toen?' vroeg Flynn.
'Ze eiste dat ik een manier vond om toch een miljoen bij elkaar te krijgen. Ik raakte in paniek en zei dat ze me tijd moest gunnen. Om eerlijk te zijn heb ik haar aan het lijntje gehouden. Toen ik haar dinsdagavond ontmoette, had ik honderdduizend dollar in contanten bij me en vertelde ik haar dat dat alles was wat ze kreeg.'
'Maar zelfs al had u haar een miljoen dollar gegeven, hoe kon u er dan zeker van zijn dat ze niet naar de rechter zou stappen om kinderalimentatie te krijgen?' Tucker leunde naar voren en zijn ogen boorden zich in die van Peter.
Voorzichtig, waarschuwde Peter zichzelf nogmaals. Je kunt hun niet vertellen dat zij je chanteerde. Dat zou Greg ten val brengen.
'Dinsdagavond heb ik René gewaarschuwd dat we een overeenkomst hadden en dat ik, als ze lastig werd, naar de politie zou stappen om haar aan te klagen wegens afpersing. Ik denk dat ze me geloofde.'
'Oké,' reageerde Tucker. 'U ontmoette haar en probeerde haar af te schrikken. U gaf haar honderdduizend dollar in contanten en geen cheque voor één miljoen. Hoe reageerde ze daarop?'
'Ze was woedend. Ik denk dat ik de indruk had gewekt dat ik aan haar eisen zou voldoen en haar een miljoen zou geven. Ze rukte het papieren tasje met het geld uit mijn handen en ging er op hoge poten vandoor.'
'Denkt u dat iemand heeft gezien dat ze het tasje uit uw handen rukte?'
'Dat zou me niets verbazen. Bijna alle barkrukken waren bezet

en er zaten nog wat mensen na te tafelen. René verhief haar stem nogal.'

'Wat gebeurde er toen u haar achternaliep, het restaurant uit?'

'Ik haalde haar op straat in, pakte haar arm beet en zei iets in de trant van: "René, wees nou alsjeblieft redelijk. Je hebt in de kranten kunnen lezen dat ik een fortuin heb verloren aan die musical. Ik héb het gewoon niet".'

'En wat gebeurde er toen?'

'Ze gaf me een klap in mijn gezicht en ging ervandoor. Ze liet het tasje vallen.' Vertel hun dat je te veel had gedronken, zei Peter tegen zichzelf. Dit is het goede moment. Zeg het.

'En wie heeft dat tasje weer opgeraapt?' vroeg Tucker.

'Zíj. Zíj moet het weer hebben opgeraapt. U denkt toch niet dat René Carter zomaar honderdduizend dollar op straat had laten liggen, toch? Om eerlijk te zijn was ik zo diep in de put doordat de musical een mislukking was en ik de zich almaar opstapelende rekeningen niet kon betalen plus die avond ook René nog zou moeten ontmoeten, dat ik de hele dag had zitten drinken in mijn kantoor. Ik was als eerste in dat café en sloeg nog twee dubbele whisky's naar binnen voordat René arriveerde. Op het moment dat ik achter haar aan ging, was ik bijna zover dat ik er bewusteloos bij neer zou vallen. Ik herinner me dat ik iets gemeens tegen haar heb gezegd en toen ben weggelopen. En dat is alles wat ik nog weet. De volgende middag werd ik wakker in mijn kantoor.'

'Dus u hebt haar gewoon op straat laten staan?'

'Ja, nu ik erover nadenk, weet ik dat zeker. Ze bukte zich om dat tasje op te pakken. Ik dacht dat ik moest overgeven en dus maakte ik me haastig uit de voeten.'

'O, nu herinnert u zich opeens dat ze zich bukte om dat tasje te pakken. Dat is heel behulpzaam, Mr. Gannon,' merkte Tucker sarcastisch op. 'Ik zie dat u een kras op uw wang heeft. Hoe komt u daaraan?'

'Renés nagel schraapte langs mijn gezicht toen ze me een klap gaf.'
'En dat herinnert u zich?'
'Ja.'
Tucker stond op. 'Bent u bereid ons uw DNA te verstrekken? Daarvoor is alleen wat slijm nodig dat we met een wattenstaafje uit de binnenkant van uw wang kunnen halen. We hebben de benodigdheden bij ons. Ik moet zeggen dat we u niet kunnen verplichten die test te laten doen, maar als u weigert, zorgen we voor een gerechtelijk bevel en zult u toch uw medewerking moeten verlenen.'
Mijn god, ze denken dat ík haar heb vermoord, schoot het door Peter heen. Plotseling bevangen door paniek, deed hij zijn best om zijn stem kalm te laten klinken. 'Natuurlijk ben ik bereid die test te laten doen. Ik zie geen enkele reden te weigeren. Ik had onenigheid met René, maar ik heb haar absoluut niet vermoord.'
Tucker leek niet onder de indruk. 'Mr. Gannon, waar zijn de kleren die u dinsdagavond aanhad?'
'In mijn privébadkamertje op kantoor. Daar heb ik altijd een extra stel kleren liggen. Toen ik gisteren op de bank wakker werd, heb ik me daar gedoucht en verkleed. Het donkerblauwe jasje en de beige broek hangen in de kast. Mijn ondergoed en sokken liggen in de wasmand en mijn donkerbruine loafers zijn hier thuis.'
'U hebt het over uw kantoor op West Forty-seventh Street?'
'Ja. Ik heb maar één kantoor.'
'Goed, Mr. Gannon, u wordt verzocht om dit appartement onmiddellijk te verlaten. Er zal een politieagent voor de deur worden geposteerd, totdat we een huiszoekingsbevel voor deze woning en uw kantoor hebben. Bent u in het bezit van een auto?'
'Ja. Een zwarte BMW. Hij staat in de garage van dit gebouw.'
'Wanneer hebt u die het laatst gebruikt?'
'Ik denk afgelopen maandag.'
'U dénkt afgelopen maandag?'

‘Ik weet helaas niet of ik die auto nog heb gebruikt nadat ik dinsdagavond van René wegging. Om eerlijk te zijn dacht ik dat ik er blijkbaar in had gereden en u hier was vanwege een overtreding.’

‘Dan zullen we ook voor een bevel zorgen om uw auto te doorzoeken,’ vertelde Tucker hem kortaf. ‘Zou u bereid zijn om mee te gaan naar het hoofdbureau en een officiële verklaring af te leggen over de dingen die u ons net hebt verteld? Dit betekent niet dat u bent gearresteerd, maar we beschouwen u wel als een verdachte inzake de dood van René Carter.’

Peter Gannon besefte dat hij verwikkeld was geraakt in een strijd om zijn leven. Alles wat hij eerder had meegemaakt, de geldproblemen en zijn mislukkingen op Broadway, vielen hierbij in het niet. Ik was woedend op haar. Boos en gefrustreerd. Heb ik haar vermoord? Mijn god, heb ik haar vermoord?

Hij keek Tucker recht aan. ‘U mag mijn DNA afnemen. Maar ik zal verder niet meewerken. Ik zal geen vragen meer beantwoorden of verklaringen tekenen, voordat ik overleg heb kunnen plegen met een advocaat.’

‘In orde. Zoals ik al zei: u staat niet onder arrest. U hoort spoedig van ons.’

‘In welk ziekenhuis ligt mijn dochtertje?’

‘In het Greenwich Village Hospital, maar u wordt niet toegelaten bij haar, dus u kunt haar maar beter niet proberen te bezoeken.’

Tien minuten later, nadat zijn DNA was afgenomen, liep Peter Gannon het gebouw waar zijn appartement was gevestigd uit. Het dreigde te gaan regenen. Hij voelde zich wanhopig en zijn hoofd tolde van alle gebeurtenissen. Help me, alsjeblieft God, help me, bad hij, ik weet niet wat ik moet doen.

Doelloos en volkomen van streek liep hij zomaar een kant op. ‘Waar moet ik heen?’ mompelde hij verloren. ‘Wat moet ik doen?’

46

Ryan Jenner vond het moeilijk om toe te geven aan zichzelf dat hij ontzettend teleurgesteld was door het feit dat het Monica duidelijk irriteerde dat er in het ziekenhuis over hen werd geroddeld. En bovendien had haar receptioniste het dossier van Michael O'Keefe, zonder zelfs ook maar een persoonlijk briefje van haar erbij, bij hem afgegeven: ook een duidelijke boodschap dat ze geen contact met hem wilde.

Ik weet nu waarom ze laatst niet in haar kantoor was om me dat dossier van Michael O'Keefe te geven, omdat ze tot laat op de intensive care bij de Carter-baby was gebleven, dacht hij die vrijdagmiddag na de laatste operatie van die dag, terwijl hij naar de kantine in het ziekenhuis liep voor een kop thee. En toen was ze op weg naar huis bijna door een bus overreden...

De gedachte dat Monica wel dood had kunnen zijn, bezorgde hem kippenvel. Een van de operatieverpleegkundigen had hem verteld dat ze een oude vrouw op de radio had gehoord die getuige was geweest van het ongeluk. 'Ze zweert dat dokter Farrell werd geduwd,' had de verpleegster gezegd. 'Je nekharen gaan er gewoon van overeind staan als je die vrouw hoort beschrijven hoe ze dacht te zien dat de bus over dokter Farrell heen reed.'

Ja, daar gaan mijn nekharen inderdaad van overeind staan, dacht Ryan. Monica moet zó verschrikkelijk bang zijn geweest. Hoe zou het zijn om op de grond te liggen en die bus op je af te zien komen?

De verpleegster had hem ook verteld dat Monica die ochtend had gezegd dat ze zeker wist dat het per ongeluk was geweest, dat ze geduwd was. Waarmee ze bedoelt: laat maar gaan, dacht Ryan, maar toen heb ik haar ernaar gevraagd en ook nog in het bijzijn van een verpleegster een persoonlijke opmerking gemaakt over dat ik haar zo goed met kinderen vind. En daarmee

ben ik buiten mijn boekje gegaan. Misschien moet ik haar een excuusbriefje schrijven? Zou ze het dan begrijpen?
Wat begrijpen? vroeg hij zich af. Ik ben echt in haar geïnteresseerd. Toen ze vorige week in mijn appartement was, zag ze er zo schattig uit. Als ze haar haar los heeft, kan ze makkelijk doorgaan voor iemand van eenentwintig. En ze verontschuldigde zich zo lief omdat ze zo laat was. Daarom is het zo vreemd dat er, toen ze me vanmorgen het O'Keefe-dossier liet bezorgen, geen briefje bij zat om te vertellen dat ze de avond daarvoor te lang in het ziekenhuis had moeten blijven. Dat past helemaal niet bij haar, vond hij.
Hij kon nog steeds de sensatie voelen van hun armen die elkaar raakten, toen ze naast hem in het Thaise restaurant had gezeten. Ze had van de avond genoten, dat wist hij zeker. Dat kon echt geen toneelspel zijn geweest.
Is er misschien een man die belangrijk is in haar leven? Is haar gedrag alleen maar aardig bedoeld om me te laten merken dat ik beter afstand kan houden? Maar zo gemakkelijk geef ik het niet op. Ik bel haar gewoon. Gisteravond had ik haar, als ze er was geweest, eigenlijk mee uit eten willen vragen. En eerder deze week, toen ik in haar kantoortje het O'Keefe-dossier bekeek, had ik haar ook al mee uit willen vragen, maar toen had Alice me gestrikt voor het theater.
Ryan nam zijn laatste slok thee en stond op. Er was bijna niemand meer in de kantine. De dagdienst stond op het punt weg te gaan en het was nog te vroeg voor de avonddienst om al etenspauze te hebben. Ik zou het liefste naar huis gaan nu, dacht hij, maar daar hangt Alice waarschijnlijk nog rond. Ze zei dat ze vanavond iets te doen had, maar wat houdt dat exact in? Ik heb geen zin om nog een glas wijn met haar te moeten drinken voordat ze de deur uit gaat. En morgen ga ik na het opstaan zo snel mogelijk weg uit het appartement; ik weet tenslotte niet hoe laat haar vliegtuig vertrekt. Ik verzin wel een smoes, maar ik ga zeker

niet tegenover haar aan de ontbijttafel zitten, terwijl zij nog in die 'enige' badjas van haar is. Het lijkt wel of ze vadertje en moedertje met me aan het spelen is.

Maar als Monica aan de andere kant van de ontbijttafel had gezeten, was het een heel ander verhaal...

Ongeduldig en slechtgehumeurd liep Ryan Jenner de kantine uit, om terug te gaan naar zijn kantoortje in het ziekenhuis. Iedereen was weg en de schoonmaakster stond de prullenbakken te legen. Haar stofzuiger stond midden in de receptie.

Dit is belachelijk, schoot het door zijn hoofd. Ik kan niet naar huis, omdat ik een niet-betalende gast in het appartement van mijn tante ben en het me irriteert dat ze iemand anders daar laat logeren. Een onbevooroordeelde buitenstaander zou vinden dat ik veel te veel noten op mijn zang heb. Maar ik denk dat ik morgen maar eens op jacht ga naar een éígen appartement.

Dat besluit vrolijkte hem wat op. Ik blijf nog een tijdje hier en neem dat O'Keefe-dossier nog eens door, besloot hij. Misschien heb ik iets gemist, toen ik het de eerste keer doorlas. Een hersentumor verdwijnt niet zomaar vanzelf. Is het een verkeerde diagnose geweest? Het gewone publiek heeft er geen notie van hoe vaak ernstig zieke mensen naar huis worden gestuurd met de boodschap dat alles in orde is en hoe anderen worden behandeld voor ziektes die ze helemaal niet hebben. Als we daar meer open over zouden zijn, zou het vertrouwen van het publiek in de medische wetenschap ernstig geschokt worden. Daarom vragen verstandige mensen ook een tweede en eventueel een derde opinie, voordat ze een ingrijpende behandeling ondergaan, of als ze te horen krijgen dat er niets met hen aan de hand is, terwijl hun lichaam signalen geeft dat er wél iets mis is.

'Ik kan later wel stofzuigen, dokter,' zei de schoonmaakster.

'Dat zou fantastisch zijn,' zei Ryan. 'Ik blijf niet zo lang.'

Met een opgelucht gevoel liep hij zijn kantoortje binnen en deed de deur achter zich dicht. Toen hij achter zijn bureau zat, trok hij de la open en pakte daar het dossier van Michael O'Keefe uit. Maar er zeurde een heel andere vraag door zijn hoofd: was het mogelijk dat Monica werd gestalkt door de een of andere gek?

Ryan leunde naar achteren in zijn stoel. Ja, dat kan natuurlijk best, besloot hij. Er lopen hier in het ziekenhuis natuurlijk allerlei mensen rond. Een van hen, misschien zelfs iemand die maar even op bezoek bij een patiënt kwam, kan Monica hebben gezien en geobsedeerd door haar zijn geraakt. Ik weet nog dat mijn moeder jaren geleden vertelde toen zijzelf nog als verpleegster in New Jersey werkte, dat er een jong meisje dat daar ook werkte was gedood. Een of andere vent die al eerder geweld had gebruikt, was haar naar huis gevolgd en had haar daar vermoord. Zulke dingen gebeuren.

Monica is de laatste die allerlei sensationele publiciteit om zich heen zou willen, maar begaat ze geen vergissing door geen waarde aan de verklaring van die oudere dame te hechten? Ik bel haar, besloot Ryan. Ik móét haar gewoon spreken. Het is pas net zes uur. Ze is misschien nog op de praktijk.

Hij toetste het nummer in en hoopte tegen beter weten in dat ze zelf de telefoon op zou nemen, of dat haar receptioniste er nog zou zijn en hem door zou schakelen. Maar toen hij de voicemail hoorde, legde hij langzaam de hoorn weer neer. Ik heb het nummer van haar mobiele telefoon, dacht hij, maar stel dat ze nu uit is met een andere vent. Ik wacht wel, dan bel ik haar maandag op haar werk. Teleurgesteld dat hij haar niet even had gesproken, opende hij het O'Keefe-dossier.

Twee uur later zat hij nog steeds aan zijn bureau, heen en weer bladerend tussen Monica's rapportage over de eerste symptomen van duizelig- en misselijkheid die Michael had gehad toen hij vier jaar oud was, de onderzoeken die ze had gedaan, de MRI's van het Cincinnati-ziekenhuis, die Monica's diagnose dat Michael een vergevorderde tumor in zijn hersenen had, duidelijk bevestigden. Michaels moeder was daarna niet meer bij Monica geweest om Michaels symptomen te bestrijden en had pas maanden later weer een afspraak met haar gemaakt, waarop Michaels kanker op de MRI helemaal verdwenen bleek te zijn. Het was verbijsterend. Een wonder?

Er is geen medische verklaring voor, bevestigde Ryan in gedachten. *Michael O'Keefe had overleden moeten zijn. Maar dat is hij niet: volgens deze rapporten is hij nu een gezond kind dat zelfs de leider van zijn voetbalteam is.*

Hij nam een besluit. Maandagochtend zou hij het kantoor van de bisschop in Metuchen, New Jersey, bellen en aanbieden te getuigen dat er voor Michaels herstel geen medische verklaring bestond.

Nadat hij dat had besloten, bleef hij nog een tijdje peinzend voor zich uit zitten staren. Zijn gedachten gingen naar de dag dat hij, vijftien jaar oud, naast het bed van zijn kleine zusje had gezeten dat stervende was aan een hersentumor. *Dat was de dag dat ik wist dat ik mijn leven wilde wijden aan het genezen van mensen met hersenziekten. Maar er zullen altijd mensen blijven die niet meer te helpen zijn. En Michael O'Keefe leek dat lot ook beschoren te zijn.*

Het minste wat ik kan doen is getuigen dat ik geloof dat het een wonder is dat hij is genezen. Hadden wíj destijds maar van het bestaan van zuster Catherine geweten, misschien had zij dan onze gebeden ook wel verhoord. Misschien zou Liza dan nog in leven zijn. Dan was ze nu drieëntwintig geweest...

Met het hartbrekende beeld in zijn hoofd van dat kleine witte kistje, overdekt met bloemen, waarin zijn zusje was begraven, verliet Ryan zijn kantoortje, nam de lift naar de centrale hal en liep de straat op. Op de hoek moest hij even wachten tot het voetgangerslicht op groen sprong. Er denderde een bus langs hem heen. De gedachte aan Monica, liggend op straat, voor de wielen van die bus, deed een plotselinge huivering van angst door hem heen gaan.

En toen zag hij Monica opeens weer voor zich op het moment dat ze hem had verteld dat ze ooit de rol van Emily in *Our Town* had gespeeld. Daarop vertelde ik haar dat ik nog altijd nog een brok in mijn keel krijg bij die laatste scène, als George, Emily's echtgenoot, zich wanhopig op haar graf werpt.
Waarom denk ik nu plotseling aan Monica alsof ze Emily is? vroeg Ryan zich af. Waarom heb ik nou plotseling zo'n akelig voorgevoel over haar? Waarom heb ik opeens zo sterk het idee dat Monica hetzelfde lot zal ondergaan als Emily in het toneelstuk?
Dit is precies hetzelfde als toen ik naast Liza's bedje zat en het tot me doordrong dat haar tijd op was en ik alleen maar hulpeloos toe kon kijken...

47

Zaterdagochtend pikte Nan Monica om kwart over negen met een taxi op en reden ze naar de St. Vincent Ferrerkerk op Lexington Avenue. De begrafenismis voor Olivia Morrow stond gepland voor tien uur. Onderweg telefoneerde Nan naar de pastorie en vroeg ze de priester te spreken die de mis op zou dragen. Zijn naam was pastoor Joseph Dunlap, hoorde ze. Toen ze hem aan de lijn had, legde ze hem uit waarom Monica en zij naar de mis kwamen.
'We hopen dat u dokter Farrell kunt helpen bij het vinden van iemand die een vertrouwelinge van Ms. Morrow kan zijn geweest,' vertelde ze. 'Dokter Farrell had afgelopen woensdag een afspraak met haar, omdat Ms. Morrow op dinsdag aan haar onthulde dat ze de identiteit van de biologische grootouders van de dokter kende. Dokter Farrells vader was geadopteerd en ze is nooit iets te weten gekomen over haar afkomst. Helaas is Ms. Morrow in de nacht van dinsdag op woensdag overleden. Dok-

ter Farrell hoopt nu dat er iemand op de begrafenis is die misschien over de informatie beschikt die Ms. Morrow haar had willen geven.'

'Ik heb veel begrip voor mensen die op zoek zijn naar hun wortels,' reageerde pastoor Dunlap. 'Die situatie ben ik regelmatig tegengekomen in mijn jaren als geestelijke. Na het evangelie wil ik een kort verhaaltje over Olivia Morrow houden. Misschien kan ik de vraag van dokter Farrell in de afsluiting noemen en zeggen dat ze in de hal wacht op iemand die haar eventueel meer kan vertellen?'

Nan bedankte hem hartelijk en verbrak toen de verbinding. Toen Monica en zij eenmaal in de kerk waren, gingen ze in een van de achterste banken zitten, zodat ze de mensen die de mis bijwoonden goed konden zien. Om vijf minuten voor tien begon het orgel te spelen. Op dat moment zaten er niet meer dan twintig mensen in de banken.

'Wees niet bang, ik zal u voorgaan...' Terwijl Monica zat te luisteren naar de prachtige sopraan van de soliste, dacht ze: *wees niet bang – maar ik ben wél bang, bang dat ik misschien de enige mogelijkheid om iets over de afkomst van mijn vader te weten te komen, ben verloren.*

Om exact tien uur ging de deur open en liep pastoor Dunlap door het middenpad de kist tegemoet. Tot Monica's ontsteltenis was de enige persoon die achter de kist liep, dokter Clay Hadley. Terwijl de kist naar het altaar werd gedragen, zag Monica dat dokter Hadley schrok toen hij haar in het oog kreeg. Hij ging op de eerste rij zitten. Alleen.

'Misschien is die man wel familie van haar en kan hij ons helpen,' fluisterde Nan tegen Monica.

'Dat is haar dokter. Ik heb hem woensdagavond ontmoet en hij zal ons niets wijzer kunnen maken,' fluisterde Monica terug.

'Dan ben ik bang dat we niet veel verder zullen komen,' merkte Nan op, terwijl haar van nature dragende stem heel zachtjes

klonk. 'Er zijn zo weinig mensen hier en die dokter is de enige die in de banken zit die normaliter voor de familie zijn gereserveerd.'
Monica dacht terug aan de begrafenis van haar vader in Boston, vijf jaar geleden. De kerk was toen gevuld geweest met vrienden en collega's. Joy en Scott Alterman hadden op de eerste rij naast haar gezeten. Vlak daarna was Scotts obsessie voor haar begonnen. Monica staarde naar de kist en dacht: wat familie betreft sta ik er hetzelfde voor als Olivia Morrow. Zij heeft, net als ik, geen enkel familielid dat haar overlijden kan betreuren en dat was voor mij precies hetzelfde geweest als ik gedood was door die bus. God geve dat dat op een dag zal veranderen.
Tegen haar wil in kwam het gezicht van Ryan Jenner in haar hoofd op. Hij had zo verbaasd gekeken toen ze hem had gezegd dat ze niet wilde dat er over hen tweeën werd geroddeld. Dat is op een bepaalde manier net zo teleurstellend als het feit dat hij een verhouding heeft met iemand anders. Is hij zo nonchalant in zijn relaties dat het hem niet uitmaakt dat hij een serieuze vriendin heeft en het geen punt vindt om door de roddels in het ziekenhuis aan míj gekoppeld te worden?
Van die vraag had ze de halve nacht wakker gelegen.
De mis was begonnen. Ze besefte dat ze volkomen automatisch de antwoorden op het openingsgebed had gegeven.
Het epistel werd door Clay Hadley voorgelezen: 'Als God met ons is, wie zal er dan tegen ons zijn...' Zijn stem klonk sterk en eerbiedig, terwijl hij de brief van Paulus aan de Romeinen voorlas.
Pastoor Dunlap deed de tussengebeden. 'Laat ons bidden voor de zielenrust van Olivia Morrow. Mogen de engelen haar naar een plaats begeleiden waar ze rust, vrede en licht zal vinden.'
'Heer, verhoor ons gebed,' antwoordde de congregatie.
Het evangelie was van Johannes en hetzelfde als Monica had uitgekozen voor de begrafenis van haar vader. 'Komt allen tot mij...'

Toen het evangelie ten einde was en iedereen weer ging zitten, fluisterde Nan haar toe: 'Nu gaat hij zijn verhaal over haar houden.'

'Olivia Morrow heeft de afgelopen vijftig jaar bij deze parochie gehoord,' begon de priester. Monica hoorde hem Olivia beschrijven als een zorgzame en genereuze vrouw, die na haar pensioen als lekenhelpster de Heilige Communie was gaan geven aan patiënten in ziekenhuizen, totdat haar gezondheid daar te slecht voor was geworden. 'Olivia wilde daar nooit erkentelijkheid voor,' vertelde pastoor Dunlap. 'Hoewel ze zich had opgewerkt tot directielid van een van de vooraanstaande warenhuizen hier, bleef ze privé altijd een bescheiden mens. Als enig kind had ze geen familie die hier vandaag kan zijn. Helaas heeft ze zelf ook nooit een gezin kunnen stichten, maar Olivia verkeert nu in de nabijheid van God, de God die ze tijdens haar leven zo trouw heeft gediend. Maar er is een reden om te wensen dat ze nog één dag langer had geleefd. Laat me u vertellen wat Olivia slechts een paar uur voor haar dood aan een jonge vrouw die hier aanwezig is heeft gezegd...'

Alstublieft, laat iemand me iets kunnen vertellen wat me verder helpt, bad Monica. Eindelijk begrijp ik nu waarom papa zo graag wilde weten wie zijn echte ouders waren. Ik wil het óók zo graag weten. Laat iemand hier me kunnen helpen.

Het laatste gebed werd gebeden. Pastoor Dunlap zegende de kist, waarna de medewerkers van de begrafenisonderneming de kist de kerk uit droegen, terwijl de soliste zong: 'Wees niet bang, ik ga u voor.' De kist met de stoffelijke resten van Olivia Morrow werd in de gereedstaande lijkwagen gezet. Vanuit de vestibule van de kerk zagen Monica en Nan dokter Clayton Hadley haastig in de auto erachter stappen.

'Haar dokter neemt niet eens de moeite om even iets tegen u te zeggen,' merkte Nan kritiserend op. 'U zei toch dat u hem woensdagavond had ontmoet?'

‘Ja, dat klopt,’ zei Monica. ‘Maar hij zei toen al dat hij geen idee had wat Olivia Morrow me had willen vertellen.’

Terwijl de congregatie de kerk uit begon te komen, kwamen er een paar mensen naar Monica toe om te zeggen dat ze in het Schwab House werkten, maar niets wisten over de persoonlijke informatie die Ms. Morrow aan Monica had willen vertellen. Anderen kwamen zeggen dat ze Olivia van na de mis kenden en dan soms een praatje met haar hadden gemaakt, maar dat ze het nooit had gehad over iets met betrekking tot Monica.

De laatste die de kerk uit kwam was een vrouw van ergens in de zestig, die duidelijk had gehuild. Ze had grijzend blond haar, brede jukbeenderen en was stevig gebouwd. Ze kwam naar Monica en Nan toe lopen en zei met trillende stem: ‘Ik ben Sophie Rutkowski. Ik heb meer dan dertig jaar bij Ms. Morrow schoongemaakt. Ik weet niets over wat ze u had willen vertellen, maar ik wou dat u haar had kunnen ontmoeten. Het was zo’n lief mens.’

Dertig jaar, dacht Monica. Dan weet ze misschien meer over Olivia’s achtergrond dan ze beseft.

Nan had blijkbaar hetzelfde gedacht. ‘Ms. Rutkowski, dokter Farrell en ik gaan een kop koffie drinken. Wilt u met ons mee?’

De vrouw aarzelde. ‘O, ik denk niet...’

‘Sophie,’ zei Nan kordaat. ‘Ik ben Nan Rhodes, de receptioniste van de dokter. Dit is een verdrietige tijd voor u en ik denk dat u zich beter zult voelen als u ons bij een kopje koffie over Ms. Morrow kunt vertellen...’

Een straat verderop stuitten ze op een koffiehuisje, en toen ze daar eenmaal aan een tafeltje zaten, bewonderde Monica de manier waarop Nan de andere vrouw op haar gemak stelde door te vertellen dat ze heel goed kon begrijpen hoe verdrietig Sophie moest zijn. ‘Ik werk nu bijna vier jaar voor dokter Farrell,’ zei ze, ‘en toen ik hoorde dat ze haast een dodelijk ongeluk had gehad, was ik helemaal van de kaart.’

‘Ik wist dat haar einde in zicht was,’ zei Sophie. ‘Ms. Morrows gezondheid werd het laatste jaar steeds slechter. Ze had een zwak hart, maar wilde niet nog eens geopereerd worden. Ze had al twee keer een nieuwe bypass gehad. Ze zei...'

Sophie Rutkowski's ogen vulden zich met tranen. 'Ze zei dat iedereen op een gegeven moment moet sterven en dat haar tijd nabij was.'

'Had ze helemaal geen familie die u kent?' vroeg Nan.

'Alleen haar moeder, maar die is tien jaar geleden gestorven. Ze is heel oud geworden, in de negentig.'

'Woonde ze bij Ms. Morrow in?'

'Nee, ze heeft altijd haar eigen appartement in Queens gehad, maar ze zagen elkaar veel. Ze waren erg op elkaar gesteld.'

'Kreeg Ms. Morrow veel bezoek, voor zover u weet?' vroeg Monica.

'Dat weet ik niet echt. Ik was er alleen op dinsdagmiddag maar en dan nog voor een paar uurtjes. Meer was niet nodig. Ze was heel netjes op alles.'

Dinsdag, dacht Monica. En ze is ergens tussen dinsdagavond en woensdagochtend gestorven. 'Hoe vond u haar toen u afgelopen dinsdag bij haar was?'

'Het spijt me ontzettend dat ze er niet was. Ze was weg.' Sophie schudde haar hoofd. 'Het verbaasde me dat ze niet thuis was. Ze was zo zwak. Ik heb gestofzuigd, stof afgenomen en de lakens verschoond. En het kleine wasje dat er lag gedraaid. Niet de lakens, want die deed ze altijd naar de wasserij. Ze waren van een heel mooie kwaliteit katoen gemaakt en ze vond het prettig om ze naar een speciale wasserij te sturen. Ik zei altijd dat ik het geen punt vond om ze te strijken, maar ze vond het op deze manier goed geregeld. Afgelopen dinsdag ben ik maar een uurtje daar geweest, maar ze was altijd zo gul, ze betaalde me altijd voor drie uur, zelfs als ik zei dat ik niets meer kon vinden om schoon te maken of te poetsen.'

Olivia had blijkbaar altijd alles goed geregeld willen hebben. Keurig in orde, daar hield ze van, dat is duidelijk, dacht Monica.

Hoe zit het dan met die kussensloop die niet bij de rest van de lakens paste, zeurde het in haar hoofd. 'Sophie, het viel me op dat het bed was opgemaakt met prachtige perzikkleurige lakens, maar dat een van de kussenslopen een andere kleur had: lichtroze.'

'Nee, dokter, u moet zich vergissen,' reageerde Sophie meteen. 'Dat zou ik nooit doen. Afgelopen dinsdag heb ik de perzikkleurige set op het bed gelegd. Ze had meer sets natuurlijk, maar ze had het liefste de pastels. De ene week de perzikkleurige en de andere weer de lichtroze.'

'Wat ik wil zeggen, Sophie,' hield Monica aan, 'is dat toen ik Ms. Morrow woensdagavond dood aantrof, ik kon zien dat ze op haar onderlip had gebeten. Ik dacht dat ze misschien haar kussensloop met bloed had besmeurd en die had verwisseld voor de roze.'

'Als ze op haar lip had gebeten en er bloed op haar kussensloop zat, had ze dat kussen opzijgelegd en er een ander voor gepakt,' zei Sophie vol overtuiging. 'Het waren dikke kussens en ze zou niet de kracht hebben gehad om zelf de kussensloop te verwisselen, en dat ook zeker niet hebben geprobeerd. Geen sprake van.' Sophie nam een slokje koffie. 'Ik werk voor meer mensen in Schwab House. Een van de onderhoudsmensen daar vertelde me dat dokter Hadley die dinsdagavond nog bij Ms. Morrow is langs geweest. Misschien heeft ze hém gevraagd de kussensloop te verwisselen, als er bloed op zat. Zoiets zou ze wél doen.'

'Ja, dat kan natuurlijk,' moest Monica toegeven. 'Sophie, ik moet nu haast maken om nog langs een patiëntje van me te gaan in het ziekenhuis. Heel erg bedankt dat u met ons mee bent gegaan en als u ooit nog iets te binnen schiet over iemand die zou kunnen weten wat Ms. Morrow me had willen vertellen, wilt u dan alsjeblieft bellen? Nan zal u het telefoonnummer waar we allebei te bereiken zijn wel geven.'

Bijna een halfuur later stapte ze uit de lift op de kinderafdeling van het ziekenhuis. Toen ze het kantoortje voor de verpleegsters binnenliep, trof ze daar een slanke vrouw met asblond haar aan, die met Rita Greenberg in gesprek was. Rita leek opgelucht dat Monica er was.

'U kunt dat het beste met Sally's dokter bespreken,' zei ze tegen de vrouw. 'Dokter Farrell, dit is Susan Gannon.'

Susan keek Monica aan. 'Dokter, mijn ex-man, Peter Gannon, is de vader van Sally Carter. Ik weet dat hij niet bij haar op bezoek mag, maar dat geldt niet voor mij. Wilt u mij alstublieft meenemen naar haar toe?'

48

Zaterdagmorgen om tien uur zat rechercheur Carl Forrest in zijn auto die recht tegenover het Greenwich Village Hospital stond geparkeerd. Voordat John Hartman met pensioen was gegaan, had hij met hem samengewerkt. Forrest was degene die de vingerafdrukken op de foto die anoniem naar Monica Farrells kantoor was gestuurd had nagecheckt.

En nadat Monica ternauwernood aan de dood was ontsnapt, had Forrest, op aandringen van Hartman, de banden van de beveiligingscamera's van het ziekenhuis bekeken vanaf het moment dat Monica de donderdag ervoor het ziekenhuis had verlaten en daarna bijna onder een bus was gekomen.

Naast hem zat zijn partner, Jim Whelan. Ze bekeken de foto's die ze net hadden gemaakt van een jonge politieagente die op de trappen voor het ziekenhuis stond. Ze hadden haar gevraagd op exact dezelfde plaats te gaan staan als waar Monica was gefotografeerd, zodat ze de plek van waaruit de foto was genomen konden bepalen.

Forrest had zijn computer op zijn schoot staan en printte de foto's nu uit, waarna hij ze met een tevreden grijns aan Whelan overhandigde. 'Vergelijk ze maar, Jim,' zei hij, terwijl hij het fotootje dat naar Monica's kantoor was gestuurd omhooghield. 'Degene die deze foto van dokter Monica met dat kindje in haar armen heeft gemaakt, zat waarschijnlijk exact op deze plek in een auto. De hoek is precies dezelfde. Ik dacht in eerste instantie dat John Hartman spoken zag en onze tijd verdeed, maar dat denk ik nu absoluut niet meer. Laten we het allemaal nog eens een keer doornemen.'

'Op donderdagavond zien we dokter Farrell op de banden van de beveiligingscamera's van de trap voor het ziekenhuis af komen. Daarna zien we iemand uit een auto stappen die op deze plek geparkeerd stond en achter haar aan lopen. Degene die haar volgt is gekleed in een donkere trui met capuchon, heeft handschoenen aan en draagt een zonnebril, precies hetzelfde als die oude dame zei over de man die Monica heeft geduwd. Het geluk van de eeuw is dat de beveiligingscamera een kwartiertje later laat zien dat de auto die hier geparkeerd stond wordt weggesleept, omdat de meter was verlopen. Ondertussen hebben we achterhaald dat de auto is opgehaald door ene Sammy Barber, een lage crimineel die ooit is vrijgesproken van de verdenking als huurmoordenaar te werken.'

'Vrijgesproken omdat een van zijn slijmerige vriendjes de jury of heeft bedreigd, of heeft betaald,' herinnerde Whelan zich. 'Hij was er gloeiend bij. Ik heb een hoop werk gehad aan die zaak van hem en ik zou het heerlijk vinden om hem alsnog te pakken te kunnen nemen.'

De vrouwelijke agente die had geposeerd voor de foto kwam nu naar de auto toe lopen. Ze was eigenlijk verkeersagente, maar had een paar minuten van haar pauze opgeofferd om hen te helpen. 'En? Hebben jullie wat jullie wilden?'

'Reken maar,' zei Forrest tegen haar. 'Bedankt.'

'Graag gedaan. Ik had mezelf nooit zo gezien als model. En dat geldt trouwens voor iedereen, behalve jullie twee! Bedankt!' Met een zwaai liep ze van hen vandaan.

Toen ze weg was, startte Forrest de motor. 'Zelfs als we Sammy naar het bureau halen om te zien of de oude vrouw hem herkent, weet je al van tevoren wat er, mocht dat zo zijn, gebeurt. Als het al tot een proces zou komen, wat ik sterk betwijfel, schiet iedere advocaat haar identificatie aan flarden. Het was donker. Hij droeg een zonnebril, had een capuchon over zijn hoofd en daarbij was het ook nog heel druk op die hoek. De bus kwam eraan en de mensen die er waren hadden hun aandacht daarop gericht. Die oude dame is de enige die denkt dat de dokter is geduwd en de dokter zelf houdt vol dat het een ongelukje was. Weg veroordeling!'

'Maar als Barber haar volgde, is het omdat iemand hem daarvoor betaalt. Heeft de dokter enig idee wie dat zou kunnen zijn?' vroeg Whelan.

John Hartman had het over ene Scott Alterman en ik heb hem nagetrokken. Hij blijkt een succesvolle advocaat te zijn die net naar New York is verhuisd, maar die dokter Farrell blijkbaar vijf jaar geleden, toen ze nog in Boston woonde, heeft gestalkt. Hij is de enige waarvan John weet dat hij een reden zou kunnen hebben om die foto van de dokter te nemen.'

'Of iemand zoals Sammy de foto voor hem te laten maken,' suggereerde Whelan.

'Misschien. Maar waar brengt ons dat?' vroeg Forrest. 'Als het Alterman is, zal hij niet de eerste zijn die een huurmoordenaar opdracht geeft de vrouw die hem afwijst te doden. We moeten hem in de gaten houden en tegelijkertijd proberen iets te vinden wat Sammy op z'n kerfstok heeft, bijvoorbeeld in die bar waar hij als uitsmijter werkt, zodat we hem kunnen arresteren.'

49

Zaterdagochtend volgde Scott Alterman de route die Olivia Morrow op de dag van haar dood had genomen. Nadat hij die vrijdag weg was gegaan uit het Schwab House, had hij de chauffeursservice gebeld die Olivia had gebruikt en gevraagd om de chauffeur die haar die dinsdag had gereden aan de lijn te krijgen. Hij kreeg te horen dat de man Rob Garrigan heette en dat hij op dat moment onderweg was, maar dat ze zouden vragen of hij contact met hem wilde opnemen. Scott was naar zijn kantoor gegaan en laat die middag had Garrigan hem teruggebeld. 'Zoals ons kantoor u waarschijnlijk al heeft verteld, was het een ritje van vier uur, heen en weer naar Southampton,' vertelde hij. 'Ze is niet bij iemand op bezoek geweest, maar ze wilde dat ik met haar naar een van de huizen langs de oceaan reed, en daarna naar een kerkhof.'

Ontmoedigd had Scott gezegd: 'En ze heeft niemand bezocht?'

'Nee. Ik moest stoppen voor een kast van een huis. Nou staan daar allemaal kasten, trouwens. Ze vertelde dat ze daar als kind had gewoond. Niet in dat huis, maar in een huisje erachter. Toen wilde ze dat ik naar het kerkhof reed en voor een mausoleum stilhield. Dat is het woord toch? Mausoleum. Raar woord, vindt u niet? In ieder geval bleef ze er in de auto een tijdje naar zitten staren. Ik kon zien dat ze verdrietig was.'

'Als u terug zou gaan, zou u het huis dan nog kunnen vinden en me het mausoleum willen aanwijzen?'

'Natuurlijk! Ik heb toch ogen in m'n kop!'

'Heeft ze nog meer verteld, behalve over het feit dat ze als kind in dat huisje op het terrein van dat grote huis heeft gewoond? Ik bedoel over haar familie?'

'Nauwelijks. Het leek haar moeite te kosten om te praten. Ik bedoel, sommige mensen willen liever niet praten en dat probeer ik altijd te respecteren. Andere mensen houden er juist van om te kletsen en dat vind ik ook prima. Mijn vrouw zegt altijd dat ik de oren van haar kop lul en dat ze liever heeft dat ik al mijn spraakwater al op mijn werk heb verbruikt.'

Nu hij op weg was naar Southampton, besefte Scott dat Ron Cardigan, die hem waarschijnlijk alle informatie die hij had al had verstrekt, waarschijnlijk de hele rit zijn mond niet zou houden.

'U komt uit Boston, is het niet? Dat hoor ik aan uw accent.'

'Ik wist niet dat dat zo goed te horen was. Moet ik "New York" voortaan maar beter uitspreken als "Noe Jak"?' vroeg Scott.

'Zo zeggen de mensen uit New Jersey het, niet de New Yorkers zélf.'

Scott wist niet of hij nou geïrriteerd moest zijn of geamuseerd. Er hadden acht generaties Altermans in Bernardsville, New Jersey gewoond. Ik zou daar ook zijn opgegroeid als pa die baan in Boston niet had aangenomen nadat hij was afgestudeerd. Toen ontmoette hij ma en dat was dat. Toen ik klein was vond ik het altijd heerlijk om naar het grote huis waar mijn grootouders woonden te gaan.

Nadat zijn grootouders waren overleden, was het huis verkocht en later was er een golfbaan op het terrein gekomen.

Grootouders! Die van mij zijn zo belangrijk voor me geweest in mijn jeugd, peinsde Scott.

Olivia Morrow had Monica expliciet verteld dat ze haar biologische grootouders had gekend. En ik wed dat er op de een of andere manier een verband met de Gannons is, dacht Scott. Wat zou ik dat graag ontdekken voor Monica.

'Vindt u het goed dat ik de radio zachtjes aanzet?' vroeg Garrigan.

'Dat vind ik geen enkel probleem,' reageerde Scott dankbaar.

Bijna een uur later reden ze Southampton binnen. 'Het huis waar ze me liet stoppen lag langs de oceaan,' zei Garrigan. 'Maar dat heb ik u geloof ik al verteld. Het is niet ver meer.' Hij reed nog een paar minuten door en minderde toen vaart. Even later zette hij de auto stil.

'Hier is het,' kondigde Garrigan aan. 'Het is echt een enorme kast, vindt u niet?'

Maar Scott keek niet naar het huis, hij keek naar de brievenbus met in mooie reliëfletters de naam GANNON erop. Ik wíst het! Ik wíst het! Ze was van plan Monica iets over de Gannons te vertellen.

Er stond een Ferrari sportauto geparkeerd op de oprit voor het huis.

'Er is iemand thuis,' merkte Garrigan op. 'Gaat u naar binnen?'

'Straks. Ik wil graag dat u me eerst het mausoleum laat zien waar Ms. Morrow heen wilde.'

'Komt voor elkaar. Weet u trouwens het grootste voordeel van het wonen naast een kerkhof?'

'Nee, ik geloof van niet.'

'Je hebt rustige buren.'

Té rustig, dacht Scott, toen hij even later de auto uitstapte en voor het mausoleum ging staan waar in een steen boven de ingang de naam GANNON was uitgehakt. Kon ik nu maar met Alexander Gannon praten, schoot het door hem heen.

Als jong kind had Olivia Morrow dus op het Gannonlandgoed gewoond, peinsde hij. Toen ze afgelopen woensdag stierf, was ze tweeëntachtig. Alexander Gannon zou nu ruim honderd zijn geweest. Monica's vader was al in de zeventig toen hij stierf. Als hij Alexanders zoon was, is hij geboren toen Alexander midden in de twintig was. Olivia was in die tijd nog een klein kind, dus kan ze zeker de moeder niet zijn geweest.

Maar Olivia's moeder dan misschien? vroeg Scott zich af. Hoe oud was zíj toen ze hier woonde? Ze kan gemakkelijk ergens in de twintig zijn geweest. Had ze een verhouding met Alex en is ze zwanger geraakt? Heeft ze het kind toen voor adoptie afgestaan? En als dat waar is, hebben de Gannons haar dan een som geld

gegeven om haar mond te houden? Waarom had Alexander die voorwaarde in zijn testament, dat hij zijn bezit na zou laten aan zijn nazaat als hij er een had? Misschien had hij het nooit zeker geweten, maar vermoedde hij dat er iemand zwanger van hem kon zijn geraakt. Misschien hadden zijn ouders wel een eind gemaakt aan die relatie en het meisje laten zweren dat ze alles geheim zou houden? In die tijd werd een meisje meestal een tijdje weggestuurd als ze in verwachting was, om pas nadat de baby was geboren en die ter adoptie was aangeboden, weer terug te keren. En werd ze betaald om alles stil te houden.
Met een laatste blik op het mausoleum, stapte Scott weer in de auto.
'Waar gaan we nu heen?' vroeg Garrigan opgewekt.
'Terug naar het huis waar we net waren. Eens kijken of de eigenaar van die snelle sportwagen daar woont en als dat zo is, of hij zin heeft in een praatje met een onverwachte bezoeker.'

50

Op vrijdagmiddag, nadat hij door de politie was gedwongen om zijn appartement te verlaten, liep Peter Gannon als vanzelf naar de hoek van Fifth Avenue en Seventieth Street en bleef daar stilstaan voor het appartementengebouw waar hij meer dan twintig jaar met Susan had gewoond. Vier jaar geleden had hij haar bij de scheiding het appartement gegeven en nu ontging hem de ongemakkelijke, maar vriendelijke manier waarop de portier hem begroette niet.
'Mr. Gannon, prettig u te zien.'
'Fijn jou ook te zien, Ramon.' Peter begreep de reden voor de ongemakkelijkheid van de man uitstekend. De conciërge kon hem het gebouw niet laten betreden zonder dat Susan haar toestemming daarvoor gaf. 'Kun je misschien bellen om te kijken of

mijn vrouw thuis is?' vroeg Peter – en wilde toen meteen zijn tong wel afbijten. 'Ik bedoel: kun je even bellen om te kijken of Mrs. Gannon thuis is?'
'Natuurlijk, meneer.' Peter bleef nerveus staan wachten, terwijl de conciërge het nummer van Susans appartement intoetste. Ze zit waarschijnlijk op haar werk, dacht hij. Vrijdags om deze tijd is ze vast niet thuis. Wat is er aan de hand met me? Of beter gezegd, wat is er nog méér aan de hand met me? Ik kan gewoon niet helder nadenken. Wat zei Ramon nu?
'Mrs. Gannon zei dat u naar boven kunt, meneer.'
Peter kon de nieuwsgierigheid in de ogen van de man zien. Ik weet dat ik er vreselijk uitzie, dacht hij. Hij ging de entree in en liep over het overbekende tapijt naar de lift. De deur was open en de liftbediende, die er al heel lang werkte, verwelkomde hem hartelijk en drukte, zonder dat Peter erom vroeg, de knop naar de zestiende verdieping in.
Terwijl hij in de lift omhoogging, bedacht Peter dat hij er geen idee van had wat hij van Susan kon verwachten. Toen hij aan een krantenstalletje voorbij was gelopen, had hij het nieuws van Renés dood, plus een foto van haar, op zowel de voorpagina van *The Post* als van *The News* zien staan. Susan moest de ochtendkranten ook hebben gezien en René onmiddellijk hebben herkend. Dan had ze natuurlijk ook geraden dat René de reden was waarom hij haar had gesmeekt om hem een miljoen dollar te lenen.
De lift stopte. Toen hij even aarzelde, ving hij de vragende blik van de liftbediende op. Hij stapte uit en toen de liftdeuren achter hem dichtgingen, bleef hij nog meer dan een minuut bewegingloos staan. Hun appartement lag op de hoek. Peter had het ijskoud en met zijn handen in de zakken van zijn leren jack, keerde hij zich om en liep erheen.
De deur stond op een kier en voordat hij kon kloppen, stond Susan al in de deuropening. Zonder iets te zeggen keken ze el-

kaar een eindeloos durend ogenblik aan. Peter zag dat ze schrok van zijn uiterlijk. Douchen en scheren waren kennelijk niet voldoende om de effecten van een dronken black-out uit te wissen, besefte hij.

Ze droeg een grijze wollen jurk met een riem eromheen die haar slanke taille accentueerde. En ze had een kleurige shawl om haar hals geknoopt. De enige juwelen die ze droeg waren zilveren oorbellen. Ze stonden goed bij haar asblonde haar, dat vakkundig was geknipt en haar gezicht omlijstte. Ze ziet er precies uit zoals ze is, dacht Peter: een bijzonder attractieve, beschaafde, intelligente vrouw met klasse – en in de twintig jaar dat ze mijn vrouw was, ben ik altijd te stom geweest om te beseffen hoeveel geluk ik had dat ze met míj was getrouwd.

'Kom binnen, Peter,' zei ze. Ze deed een stap opzij toen hij langs haar liep. Hij wist zeker dat ze iedere poging van hem om haar een zoen te geven probeerde te voorkomen. Maak je geen zorgen, Susan. Ik zou het niet eens durven.

Zonder iets te zeggen liep hij door de vestibule naar de woonkamer. De ramen keken uit op Central Park en hij liep erheen. 'Het uitzicht hier verandert niet,' merkte hij op en draaide zich toen om naar haar. 'Sue, ik zit zwaar in de problemen en ik heb het recht niet om je daarmee lastig te vallen, maar ik weet niet tot wie ik me anders moet richten voor advies.'

'Ga zitten, Peter. Je ziet eruit alsof je ieder moment kunt instorten. Ik heb de kranten van vanmorgen gezien. Is René Carter, de vrouw met wie je een verhouding hebt of had, dezelfde René Carter als de vrouw die is vermoord? Ik denk van wel, is het niet?'

Peter liet zich op de bank neerzakken – opeens had hij het gevoel dat hij niet langer op zijn benen kon staan. 'Ja, dat is ze, Sue. Ik zweer dat ik in geen twee jaar iets van haar had gehoord of gezien. Nadat ze was verhuisd naar Las Vegas. Ik was echt ziek van haar en ik besefte dat ik een afschuwelijke vergissing met haar had begaan. Een vergissing waar ik enorm veel spijt van had en die ik mijn hele leven zou berouwen.'

'Peter, volgens de kranten had René een kindje van negentien maanden. Is dat van jou?'

Het was de vraag die Peter Gannon had gehoopt nooit te hoeven beantwoorden. 'Ja,' fluisterde hij. 'Ja. Ik heb nooit gewild dat je iets van de baby zou weten. Ik weet hoe je werd verscheurd door die miskramen.'

'Wat attent van je! Weet je zeker dat het meisje van jou is?'

Met een treurige blik keek Peter in de verwijtende ogen van zijn ex-vrouw. 'Ja, ik weet zeker dat het kind van mij is. René was slim genoeg om de DNA-testen naar me op te sturen als bewijs. Ik heb het kind nooit gezien en hoef het ook nooit van mijn leven te zien.'

'Wat ben je dan een klootzak!' Susan spuugde de woorden gewoon uit. 'Ze is jouw eigen vlees en bloed. Volgens de kranten ligt ze doodziek met een longontsteking in het ziekenhuis en dat interesseert je geen klap? Wat voor monster ben jij eigenlijk?'

'Sue, ik ben geen monster,' reageerde Peter smekend. 'René had me verteld dat ze vrienden had die wanhopig naar een baby verlangden en dat het betrouwbare en aardige mensen waren. Ik dacht dat dat de beste manier was om het te regelen. Twee jaar geleden heb ik René twee miljoen dollar gegeven, zodat ze de baby geboren kon laten worden en voorgoed uit mijn leven zou verdwijnen. Maar drie maanden geleden belde ze me opeens op en eiste ze nog een miljoen. Daarom vroeg ik je om die lening. Ik kon het geld nergens anders vandaan halen.'

Hij zag de uitdrukking op Susans gezicht veranderen van verwijtend in gealarmeerd. 'Peter, wanneer heb je René Carter voor het laatst gezien?'

'Dinsdagavond.' Zeg het, dacht hij. Probeer het niet anders te laten klinken dan het is. 'Sue, ik had geen miljoen dollar en ik kon er niet aankomen ook. Dus had ik een tasje met honderdduizend dollar erin bij me om dat aan haar te geven. In het café waar ik met haar had afgesproken zei ik dat dat alles was. Toen greep ze het tasje en rende ze het café uit. Ik ging haar achterna, pakte haar arm vast en zei iets in de trant van: "Ik kan niet meer bij elkaar krijgen." Ze gaf me een klap en liet het tasje uit haar handen vallen. Terwijl ze dat weer oppakte, voelde ik dat ik moest overgeven. Ik had de hele dag whisky zitten zuipen. Dus liet ik haar daar op straat achter.'

'En wat heb je toen gedaan?'

'Ik heb een black-out gehad, ik weet het gewoon niet meer. Pas vanaf de volgende middag, toen ik wakker werd op de bank op kantoor, herinner ik me weer iets.'

'Je kantóór? Ben je daar dan niet door iemand gewekt die woensdagochtend?'

'Nee, daar komt niemand meer. Ik heb iedereen ontslagen, omdat ik de salarissen niet meer kon betalen. Sue, de politie is vandaag bij me thuis geweest. Ik heb ze mijn DNA laten afnemen. En ze zijn bezig een huiszoekingsbevel te regelen voor het appartement en het kantoor. En de auto. Ze hebben me het huis uit gestuurd.'

'Peter, probeer je me nou te vertellen dat je René Carter gewoon op York Avenue hebt laten staan, nadat jullie ruzie hadden gemaakt, ze je zelfs een klap in je gezicht had gegeven en ze dat papieren tasje met honderdduizend dollar waarvan ze zei dat het lang niet genoeg was, opraapte? En dat je niet meer weet wat er daarna is gebeurd, totdat je weer wakker werd op de bank in je kantoor? En dat het lichaam niet ver van de plek is gevonden waar jij haar liet staan? Mijn god, heb je enig idee hoe diep je in de problemen zit? Je bent niet alleen iemand die ze verdenken, je bent de hoofdverdachte!'

'Susan, ik zweer dat ik niets weet van wat haar is overkomen.'

'Peter, het enige wat je kunt zeggen is dat je niets meer weet. Punt. Heb je de politie verteld dat René Carter je chanteerde

vanwege het geld van de Foundation en je vermoedens over Gregs voorkennis?'
'Nee, nee, natuurlijk niet. Ik moet Greg hierbuiten zien te houden. Ik heb de politie gezegd dat ze gewoon nog meer geld wilde, na de twee miljoen die ik haar twee jaar geleden al heb gegeven.'
Peter voelde dat hij op het punt stond om in tranen uit te barsten. Niet van plan om voor de ogen van Susan in te storten, stond hij op. 'Sorry dat ik jou met dit alles belast, Sue,' zei hij, terwijl hij zijn best deed om kalm te klinken. 'Ik moest het gewoon even aan iemand kwijt en jij staat boven aan mijn lijstje.' Hij probeerde te glimlachen. 'Eigenlijk bén je mijn hele lijstje.'
'Dat pleit niet voor je, Peter. En jij gaat nergens heen, voordat je eerst een kop koffie en een broodje hebt gehad. Wanneer heb je voor het laatst iets gegeten?'
'Ik weet niet. Toen ik woensdagmiddag wakker werd in mijn kantoor, ben ik naar huis gegaan en meteen in mijn bed gekropen. En gisteren ben ik de hele dag thuis gebleven, tot mijn afspraak met jou. Toen je de aftocht had geblazen, heb ik me weer bezat.'
'Peter, ik begrijp iets niet. Dinsdagavond had je René al gezegd dat je haar niet méér geld kon geven. Waarom vroeg je dan woensdagavond aan míj om een miljoen te lenen?'
'Omdat ik wist dat ik nog niet van haar af was en dat wij, de Gannons, in grote problemen zouden komen als ze de politie op het spoor van Greg zou zetten.'
'En de politie gaat nu je appartement doorzoeken, zodra ze een huiszoekingsbevel hebben? Zullen ze iets in je huis of op je kantoor vinden wat belastend voor je is?'
'Nee, Susan, absoluut niet.'
'Herinner je je nog of je een handgemeen met haar had? Heb je haar teruggeslagen toen ze jou een klap gaf?'
'Ik zweer dat ik zoiets nooit zou doen. Ik wilde alleen maar weg.'
'Je hebt de politie dus verteld dat ze probeerde nog meer geld van

je los te krijgen. Luister. Je hebt een advocaat nodig. Ik doe geen strafzaken, maar iedere eerstejaarsstudent schiet dat verhaal van die black-out van je aan flarden. Dat is iets wat je nu toevallig wel heel goed uitkomt. Gelukkig kunnen ze mij niet als getuige oproepen, omdat ik zelf juriste ben en ik vertel hun wel dat je alleen hierheen bent gekomen om me om juridisch advies te vragen. Maar zeg hier verder geen woord meer over tegen iemand anders en beantwoord ook geen vragen meer van de politie. Ik denk dat ze nu wel klaar zijn met het doorzoeken van je appartement, dus als je hier iets hebt gegeten, moet je naar huis gaan en rust nemen. Dat heb je hard nodig. En blijf thuis totdat je iets van mij hoort. Ik ga wat mensen bellen en de beste advocaat voor je regelen die je maar kunt krijgen.'

Toen hij een uur later wegging uit Susans appartement, na nog een laatste blik op de smaakvol ingerichte woonkamer met haar diepe, comfortabele banken, antieke pers en de vleugel die hij Sue ooit op hun zoveelste trouwdag cadeau had gedaan. Kon hij maar gewoon op een van die banken gaan liggen luisteren naar haar pianospel. Ze speelde heel goed, veel beter dan een 'redelijk goede amateur' zoals ze zichzelf altijd betitelde.

En dit alles heb ik opgegeven voor René Carter, dacht hij wrang. Misschien gaat René me zelfs de rest van mijn leven kosten. Maar ook dat zou ze nog niet genoeg hebben gevonden, dacht hij bitter.

Toen hij terugkwam in zijn appartement, trof hij daar een enorme chaos aan. Op de vloer lag de inhoud van alle kasten: de laden waren er gewoon uit getrokken en omgekieperd. Alles wat in de ijskast had gelegen, lag nu over het aanrecht uitgespreid. De kussens van de stoelen en de bank waren op de grond gegooid. De meubels waren naar het midden van de zitkamer geschoven. Er hing geen schilderij meer aan de muur. Alle kunst die hij had, lag op een stapel op de grond. En ten slotte was er een kopie van het huiszoekingsbevel op de eettafel achtergelaten.

Peter begon automatisch op te ruimen. De lichamelijke inspanning deed zijn rug goed, die helemaal vastzat. Susan denkt dat ik word gearresteerd, dacht hij. Dat vooruitzicht kwam hem als onmogelijk voor. Ik heb het gevoel dat ik in een slechte film zit. Ik heb nooit iemand ook maar iets aangedaan. Zelfs toen ik jong was, heb ik nog niet eens met andere jongens gevochten. En bovendien ben ik, toen ik besefte dat René geen genoegen nam met die honderdduizend dollar, nog naar Susan gegaan om te proberen het van haar te lenen.

Dat zou ik toch nooit gedaan hebben als ik haar al had vermoord. Ik kán haar ook niet vermoord hebben. Waarom kan ik me verdomme niet meer herinneren wat ik heb gedaan nadat ik René op York Avenue achterliet?

Terwijl hij de spullen weer in de lades legde, de meubels op hun plaats zette en de schilderijen ophing, bleven al deze onbeantwoorde vragen door zijn hoofd malen. Waar ben ik heen gegaan nadat ik wegging bij René? Heb ik nog met iemand gepraat of beeld ik me dat in? Heb ik misschien iemand aan de overkant van de straat gezien die er bekend uitzag? Ik weet het niet. Ik weet het gewoon niet.

Kort na middernacht belde de conciërge naar boven. 'Mr. Gannon, rechercheur Tucker en Flynn zijn hier voor u.'

'Stuur ze maar naar boven.' Bijna letterlijk verlamd van angst, wachtte Peter bij de deur totdat er werd aangebeld. Hij deed meteen open en de twee rechercheurs stapten, zakelijk en met ernstige gezichten, het appartement binnen.

'Mr. Gannon,' zei Barry Tucker, 'Ik arresteer u voor de moord op René Carter. Omdraaien, Mr. Gannon.' Terwijl hij Peter de handboeien omdeed, wees de rechercheur hem op zijn rechten: 'U hebt het recht te zwijgen. Alles wat u zegt kan tegen u gebruikt worden...'

Ieder woord kwam aan als een vuistslag.

'U hebt het recht op een advocaat...'

Terwijl hij probeerde zijn tranen weg te knipperen, dacht Peter terug aan het moment waarop René, op dat feestje na de première van zijn toneelstuk, haar arm door de zijne had gestoken en hem had gevraagd of hij zich alleen voelde.

51

Zaterdagochtend maakte Ryan een begin met het uitvoeren van zijn plannen: hij stond om zeven uur op, ging onder de douche en schoor zich, terwijl hij bedacht dat het maar goed was dat het appartement ooit zodanig was verbouwd dat er een eigen badkamer aan zijn slaapkamer grensde, zodat hij, voordat hij helemaal was aangekleed, niet het risico liep Alice in de gang tegen het lijf te lopen. Misschien slaapt ze nog, dacht hij hoopvol.
Maar toen hij de keuken in liep, zat ze daar al, pontificaal in haar satijnen ochtendjas, licht opgemaakt en met haar haar glanzend geborsteld. Best een knappe verschijning, dacht Ryan, terwijl hij een glimlach forceerde, maar gewoon helemaal niet mijn type.
'Slaap je zelfs op zaterdag niet even een uurtje uit?' vroeg ze op plagende toon, terwijl ze koffie voor hem inschonk. Op tafel stonden al een kan vers geperst sinaasappelsap en een schaal fruitsalade.
'Nee, ik heb een hoop te doen vandaag, dus ik wilde al vroeg op pad, Alice.'
'Maar als dokter weet je natuurlijk wel dat een goed ontbijt de beste manier is om de dag te beginnen? Ik heb gezien hoe je door de week 's morgens wegsnelt, maar wat dacht je nu van een gepocheerd ei met toast?'
Ryan was eigenlijk van plan geweest om haar aanbod af te slaan, maar het idee klonk toch wel aantrekkelijk. En bovendien kon hij niet weigeren iets te eten zonder dat dat heel onbeschoft zou

zijn. 'Klinkt goed,' zei hij, niet op zijn gemak. Hij ging aan tafel zitten, nam een slok koffie en dacht: ik wil hier weg. Maar als Monica nu hier binnenkwam, of als ik met haar zo aan het ontbijt zat, zou ik iets heel anders denken.

'Ik hoop dat ik je niet wakker heb gemaakt toen ik gisteravond thuiskwam,' zei ze, terwijl ze eieren brak boven een pan kokend water.

'Ik ging om een uur of elf naar bed en heb je niet meer horen binnenkomen,' antwoordde Ryan, terwijl hij dacht aan de manier waarop hij de avond daarvoor had doorgebracht. Ik ben naar de film gegaan, een vreselijke film, alleen maar om jou te ontlopen. Maar ik had dus blijkbaar net zo goed eerder thuis kunnen zijn – je was hier toch niet. *Thuis*, we hebben net allebei het woord 'thuis' gebruikt. Idioot. Alsof we hier samenwonen.

'Je hebt het me wel niet gevraagd, maar ik ga je toch vertellen wat ik gisteravond heb gedaan en waarom het zo belangrijk was,' zei Alice, terwijl ze brood in de broodrooster deed.

'Ik vraag het nu,' zei Ryan, terwijl hij probeerde geïnteresseerd te klinken.

'Nou, ik was bij een diner dat door de uitgever van het tijdschrift *Everyone* voor de beautyredactrice van de sterrenrubriek werd gegeven omdat die met pensioen gaat. En toen vroeg de uitgever míj of ik interesse had om haar op te volgen. Dat betekent dat ik de beroemdheden die ik interessant vind mag uitkiezen en hun kleding, make-up en kapsel mag beoordelen. Het soort baan waar ik al op hoop sinds ik mode en beauty doe.'

'Wat fijn voor je, Alice,' zei Ryan gemeend. 'Ik heb vrienden in de tijdschriftenwereld en ik weet dat het heel moeilijk is om ertussen te komen. Hoewel ik *Everyone* niet zo goed ken, weet ik wel dat het een van de grootste tijdschriften is. Ik zie het overal liggen.'

'Zoals je weet ga ik vandaag terug naar Atlanta,' ging Alice verder. 'Ik moet gaan regelen dat ik mijn appartement verhuur, mijn meubels ergens op kan slaan, mijn kleding inpak en al de rest die erbij komt kijken als je verhuist. *Everyone* wil dat ik over twee weken al begin. Dus... zou je het heel erg vinden als je stiefzusje hier dan weer komt wonen, totdat ze een plek voor zichzelf heeft gevonden? Dit is tenslotte een ruim appartement en ik beloof je dat ik je niet in de weg zal lopen.'

Stiefzusje? O, ja, ze heeft tegen de conciërge gezegd dat ik haar stiefbroer ben, herinnerde Ryan zich. 'Alice, hier in New York delen mensen heel vaak appartementen met elkaar en dat is volgens mij in alle grote steden zo. Maar ik ben al lang toe aan iets wat echt van mezelf is en daar ga ik vandaag ook naar op zoek. Dus als je terugkomt ben ik hier vast al verdwenen.'

En daar zal ik voor zorgen ook! dacht hij. Al moet ik in een hotel.

'Nou, dan hoop ik maar dat je wel nog af en toe een borrel komt drinken hier, of komt eten. Ik ben er trots op dat ik een uitstekende gastvrouw ben en ik heb hier in New York een aantal heel interessante vrienden.' Alice zette het bord met gepocheerde eieren voor Ryan neer en schonk zijn koffiekop nog eens vol.

Ryan gaf het enige antwoord dat mogelijk was. 'Natuurlijk kom ik hier als je me uitnodigt.' Alice is aardig, aantrekkelijk en vast heel slim, dacht hij. Als Monica er niet was geweest, was het misschien anders gegaan, maar nu zit er verder niets in met Alice. Als ik Monica aanstaande maandag dat dossier ga terugbrengen, heb ik meteen een excuus om een gesprek met haar te beginnen en mijn excuses aan te bieden dat ik haar ten opzichte van de verpleegsters in verlegenheid heb gebracht. Toen ze die vrijdagavond hier was, had ze het naar haar zin, dat weet ik zeker.

'Nou, hoe vind je mijn eieren?' vroeg Alice. 'Ze zijn perfect, vind je niet?'

'Absoluut,' beaamde Ryan haastig. 'Heel erg bedankt, Alice. En nu moet ik gaan. Ik moet eerst nog even naar het ziekenhuis.' Ik wil toch nog een keer langs mijn kantoortje, dacht hij, om dat dossier van Michael O'Keefe in te kijken. En het adres en telefoonnummer van de O'Keefes staan erin. Ik ga op jacht naar een appartement vandaag, maar ook de O'Keefes bellen en vragen of ik een bezoekje aan Michael mag brengen. Ik wil hem eerst zien, voordat ik mezelf als getuige-deskundige aanbied in het proces om zuster Catherine heilig te verklaren.

Na een laatste afscheid van Alice en een ongewilde kus op zijn mond, nam Ryan de lift naar beneden. Onderweg schoot hem opeens een stuk van de droom die hij die nacht had gehad te binnen. Op de een of andere manier was Monica erin voorgekomen. Ja, dat is niet zo gek, dacht hij. Sinds ze bijna is overreden door die bus, ben ik ziek van bezorgdheid om haar.

Maar ze kwam er niet alleen in vóór, hij had haar in zijn droom ook met de een of andere non zien praten.

Mijn god, dacht hij, nou droom ik al over die zuster Catherine.

52

Om drie uur hadden dokter Douglas Langdon en dokter Clayton Hadley een afspraak voor een late lunch in het St. Regis Hotel. Ze besloten dat ze iets lichts wilden eten en gingen daarom naar de King Cole Bar, waar ze een tafeltje kozen waar hun gesprek niet door vreemde oren kon worden opgevangen.

'Dokter, genees uzelf,' zei Langdon droogjes. 'Mijn god, Clay, alles is al erg genoeg zonder dat jij ook nog eens instort. Je ziet er afgrijselijk uit.'

'Makkelijk gezegd,' reageerde Hadley meteen. 'Jíj was niet bij de begrafenis. Jíj had geen Monica Farrell die naar je zat te staren. Jíj hebt die urn niet opgepakt en jíj bent er niet mee naar het kerkhof gegaan.'

'Je hebt keurig je respect betoond,' zei Langdon. 'En dat is belangrijk op dit moment.'

‘Ik zei toch dat we Peter het geld om die Carter af te kopen hadden moeten geven,’ beklaagde Hadley zich.
‘Je weet heel goed dat het fonds niet zo veel op kon hoesten en buiten dat had ze over een maand weer meer geëist. Peter heeft ons een dienst bewezen door haar te vermoorden.’
‘Heb je Greg nog gesproken vandaag?’ vroeg Hadley. ‘Ik durfde hem niet te bellen.’
‘Natuurlijk heb ik hem gesproken. We hebben samen een verklaring voor de pers opgesteld – het geijkte bericht: ‘Peter Gannon is onschuldig en wij staan pal achter hem. De aantijgingen tegen hem zijn belachelijk. We zijn ervan overtuigd dat hij volledig zal worden gerehabiliteerd.’
‘Volledig gerehabiliteerd! Vrijgesproken? Ze hebben die honderdduizend dollar, die hij zegt aan dat Cartermens te hebben gegeven, in zijn kantoor gevonden! Dat stond in de krant!’
‘Clay, wat had je dan verwacht dat we de pers zouden vertellen? Dat we wisten hoe wanhopig Peter was, toen hij probeerde geld uit het fonds los te peuteren? Greg heeft hem ervan proberen te overtuigen dat het geen ramp was als het uitkwam dat die René Carter een kind van hem had. Wat is daar nou zo erg aan? Zoiets lees je iedere dag in de krant. Maar Peter zag het anders en is uiteindelijk doorgeslagen, helaas. Dat soort dingen gebeurt nou eenmaal.’
Allebei de mannen hielden hun mond, omdat de ober naar hun tafeltje toe kwam lopen. ‘Nog een keer hetzelfde?’ vroeg hij.
‘Ja,’ zei Hadley, terwijl hij zijn laatste slok wodka achteroversloeg.
‘Voor mij nog een koffie, graag,’ zei Langdon. ‘En we willen ook graag iets te eten bestellen. Wat wil jij, Clay?’
‘De hamburgertjes.’
‘En ik neem de tonijnsalade.’ Toen de ober weg was, merkte Langdon op: ‘Clay, je wordt dikker. Mag ik je erop wijzen dat die drie kleine hamburgertjes met kaas misschien niet veel lijken,

maar heel veel calorieën bevatten? Als psychiater moet ik je waarschuwen dat je op stressvolle situaties reageert door te veel te gaan eten.'

Hadley staarde hem verbouwereerd aan. 'Doug, soms geloof ik mijn oren gewoon niet. We zitten in een heel ernstige situatie: alles zou in elkaar kunnen storten en dan komen we allebei in de gevangenis terecht. Maar jij hebt het over caloríeën? Ik dacht dat je wel iets belangrijkers aan je hoofd zou hebben.'

'Dat heb ik ook. Zoals we allebei weten is ons eerste probleem, Olivia Morrow, afgehandeld voordat ze ons kon beschadigen. Monica Farrell, ons tweede probleem, zal niet veel langer meer bij ons zijn. Binnenkort zullen we bekendmaken dat de Gannon Foundation, dankzij een aantal onverstandige investeringen, zal worden opgeheven. Greg kan al het papierwerk daarvoor afhandelen. En ik ben dan van plan met pensioen te gaan en de rest van mijn leven te gaan genieten aan bijvoorbeeld de Franse zuidkust, met mijn hartelijke dank aan de Gannon Foundation. Ik stel voor dat jij iets in dezelfde trant bedenkt.'

Langdon stak zijn hand in zijn zak omdat hij zijn mobiele telefoon voelde trillen. Hij wierp een blik op het schermpje om het nummer te zien en nam gauw op. 'Hallo, ik zit aan de lunch met Clay.'

Terwijl Langdon luisterde naar wat de beller te vertellen had, zag Hadley zijn gezicht betrekken.

'Je hebt gelijk, het is een probleem. Ik bel je terug.' Langdon klapte de telefoon dicht. Hij keek Hadley aan. 'Misschien heb je wel gelijk dat je je zo'n zorgen maakt. We zijn nog niet uit de gevarenzone. Die Alterman, die gisteren in Schwab House aan het rondneuzen is geweest, is vandaag in Southampton geweest. Hij heeft de link tussen Morrow en de Gannons gelegd. Als hij blijft graven, zijn we erbij.'

Nog iemand die dood zal moeten. Clay Hadley dacht terug aan de angstige uitdrukking op het gezicht van Olivia Morrow, vlak voordat hij het kussen erop drukte. 'Wat moeten we nu doen?'

'Wíj hoeven niets te doen,' reageerde Langdon koud. 'Er wordt al voor gezorgd.'

53

Nadat ze, na de begrafenismis voor Olivia Morrow, samen met Monica en Nan koffie had gedronken, ging Sophie Rutkowski weer naar haar appartement dat daar vlak in de buurt lag. De herinneringen aan Olivia beheersten haar gedachten.

Ik wou dat ik bij haar was geweest toen ze stierf, dacht Sophie, terwijl ze zich verkleedde en haar katoenen broek en sweatshirt – haar werkkleren – weer aantrok. Het is zo zielig dat ze alleen was toen. Als ík ga, weet ik zeker dat mijn kinderen rondom mijn bed zullen zitten om afscheid te nemen. Als ze tenminste van tevoren gewaarschuwd zijn dat ik ga sterven. Dan kan niets op deze aarde ze weghouden...

Die dokter Farrell, wat een leuke meid om te zien. Je zou haast niet geloven dat ze al dokter is en nog een zeer gerespecteerde ook. Dat heb ik in ieder geval in de krant gelezen, toen ze bijna was doodgereden door die bus. Voor Ms. Morrow was er niet één familielid op de begrafenis. Daar had de priester het zelfs nog even over in zijn preek. Het was een mooi verhaal dat hij over Ms. Morrow hield. En dokter Farrell was zo teleurgesteld toen ik haar niet kon vertellen wat Ms. Morrow kon hebben bedoeld toen ze had gezegd dat ze de grootouders van de dokter had gekend. Dokter Farrell heeft ook al geen familie. Ach, god, mensen hebben al zoveel problemen en als je dan ook nog in je eentje bent...

Sophie pakte haar breiwerkje op. Ze was bezig aan een truitje voor haar jongste kleinkind en had nog een halfuurtje voordat ze naar het enige werkadres moest waar ze een hekel aan had. Het

was een appartement dat ook in Schwab House lag, drie etages lager dan de woning van Olivia en ze moest er altijd op zaterdagmiddag om één uur beginnen.
De man en vrouw die er woonden waren allebei schrijver en werkten veel thuis. Iedere zaterdag om een uur of twaalf vertrokken ze naar hun buitenhuis in Washington, Connecticut en daarom wilden ze graag dat hun appartement op zaterdagmiddag werd schoongemaakt.
Sophie bleef maar om één reden voor hen werken: ze werd dubbel betaald omdat het zaterdag was en met vijftien kleinkinderen maakte dat het Sophie mogelijk om hen alle extraatjes te geven die hun ouders zich niet konden veroorloven.
Maar ondanks dat vind ik het steeds moeilijker worden om hier schoon te maken, dacht Sophie, toen ze om precies één uur de sleutel in de deur van het appartement stak. Deze twee lijken in niets op Ms. Morrow, schoot het, niet voor het eerst, door haar heen. Een paar minuten later begon ze met het leegmaken van de overvolle prullenbakken, het oprapen van de natte handdoeken die op een hoop op de badkamervloer lagen en het weggooien van de restanten van een Chinese afhaalmaaltijd uit de koelkast. Wat maken ze er toch een puinhoop van hier, zuchtte ze in zichzelf.
Om zes uur, toen ze wegging, was het appartement brandschoon. De vaatwasser was uitgeruimd, de was lag gevouwen in de kast, de rolgordijntjes waren in alle vijf de kamers precies tot op de helft neergelaten. Ze zeggen wel altijd hoe heerlijk ze het vinden om op maandag in zo'n opgeruimd appartement terug te komen, maar waarom proberen ze het dan niet zo te houden?
Tja, Ms. Morrows appartement, dacht ze, daar komen binnenkort natuurlijk allerlei mensen kijken. Het is zo'n mooie woning, er zullen vast veel mensen zijn die het willen kopen. Ms. Morrow had haar verteld dat dokter Hadley alles zou regelen.
Terwijl Sophie de knop voor de lift indrukte, bedacht ze opeens

iets. Als Ms. Morrow een bloedvlek op de kussensloop had gemaakt omdat ze op haar lip had gebeten, moest die vuile sloop nog in de wasmand liggen. En het bed, hoe zat het daarmee? Toen het lichaam van die arme Ms. Morrow werd weggehaald, heeft er vast niemand aan gedacht om het bed weer keurig op te maken. Ik wil niet dat allerlei vreemden een onopgemaakt bed en vuile was in de wasmand aantreffen.

Toen de lift kwam, drukte ze op de knop voor de veertiende verdieping. Ik heb de sleutel van haar appartement, dacht ze, en ik ga het laatste doen wat ik ooit voor het arme mens kán doen: de boel keurig maken. Ik neem die vuile kussensloop mee naar huis om te wassen, maak haar bed op en leg de sprei eroverheen, zodat het er net zo netjes uitziet als het altijd was toen Ms. Morrow nog leefde.

Tevreden met het idee dat ze nog een laatste dienst kon bewijzen aan de vrouw die altijd zo vriendelijk voor haar was geweest, stapte Sophie op de veertiende verdieping uit de lift, pakte haar sleutel en draaide de deur van Olivia Morrows appartement van het slot.

54

Met gemengde gevoelens maar er wel van overtuigd dat Susan Gannon oprecht bezorgd was om Sally, nam Monica de vrouw mee naar het bedje van het zieke kind. Sally had haar ogen open en een bijna volle fles water in haar handjes. Het zuurstofmasker was vervangen door twee buisjes in haar neus. Zodra ze Monica zag, krabbelde ze op en strekte ze haar armpjes naar haar uit. 'Monny, Monny.' Maar toen Monica haar oppakte, begon ze boos met haar vuistjes op haar borst te trommelen.

'O kom op, Sally,' zei Monica zachtjes. 'Ik weet wel dat je boos op me bent, maar ik kon er niets aan doen dat ik je pijn deed met die naalden. Ik moest je beter maken.'

De intensivecareverpleegster hield Sally's kaart voor Monica omhoog. 'Zoals ik al zei toen u belde, dokter, heeft Sally een redelijk goede nacht gehad. Ze protesteert natuurlijk tegen dat infuusje en bleef zich ertegen verzetten totdat ze in slaap viel. Maar vanmorgen heeft ze haar flesje helemaal leeggedronken en ook alweer wat fruit gegeten.'

Susan had zich op de achtergrond gehouden en vroeg nu zachtjes: 'Heeft ze nog steeds longontsteking?'

'Er zit nog altijd wat vocht in haar longen,' zei Monica. 'Maar godzijdank is het niet kritiek meer. Toen de oppas haar donderdagochtend binnenbracht, was ik even bang dat we dit kleine meisje niet zouden kunnen redden. Maar dat konden we niet laten gebeuren, hè Sally?'

Sally's vuistjes stopten met hun boze protesten en het kind legde haar hoofdje tegen Monica's schouder.

'Ze lijkt sprekend op haar vader,' zei Susan zacht. 'Hoe lang moet ze nog in het ziekenhuis blijven?'

'Minstens een week,' zei Monica.

'En dan?' vroeg Susan.

'Als er geen familie is die haar wil opnemen, wordt ze in een kindertehuis geplaatst – in ieder geval tijdelijk.'

'O, dank u dokter.' Susan draaide zich abrupt om en liep snel het kamertje uit naar de gang. Het was duidelijk dat ze werd overmand door emoties en zo snel mogelijk weg wilde.

Nadat Monica Sally had onderzocht en haar, onder jammerende protestkreten, terug in haar bedje had gelegd, maakte ze het infuus weer vast en vervolgde ze haar ronde. Haar volgende patiëntje was een zesjarig jongetje dat een flinke streptokokkeninfectie had. Hij werd omringd door zijn ouders, grotere broers en zijn grootmoeder. De vensterbank lag vol boeken en spelletjes. 'Nou Bobby, ik denk dat we je nog maar een paar dagen hier moeten houden, zodat je al die boeken kunt uitlezen,' zei ze tegen hem, terwijl ze haar handtekening onder de

papieren voor zijn ontslag uit het ziekenhuis zette.
Op zijn geschrokken blik reageerde ze met: 'Grapje, Bobby, grapje. Je mag naar huis.'
De vierjarige Rachel, die was opgenomen met een bronchitis, was haar andere patiëntje hier. Ook zij was voldoende hersteld om naar huis te mogen. 'En jullie tweetjes kunnen maar beter wat rust nemen,' raadde Monica de vermoeid uitziende ouders aan. Ze wist dat ze allebei niet van het bedje waren geweken sinds Rachel vier dagen geleden in het ziekenhuis was opgenomen. Bobby en Rachel hadden allebei niet in levensgevaar verkeerd en ze waren louter uit voorzorg opgenomen, dacht ze. Maar Sally had het bijna niet gehaald. Die andere twee kinderen hebben familie die hen nog geen seconde alleen heeft gelaten en het enige bezoek dat Sally heeft gehad was van een oppas die haar nog maar één week kende, en van de ex-vrouw van haar vader, die ervan wordt verdacht haar moeder te hebben vermoord.
Beneden in de ontvangsthal van het ziekenhuis kocht Monica *The Post* en *The News*, en in de taxi op weg naar huis las ze de artikelen die bij de krantenkoppen over Peter Hadley hoorden. De papieren tas die Gannon beweerde aan René Carter te hebben gegeven, was in elkaar gefrommeld in de prullenmand op zijn kantoor aangetroffen en de honderdduizend dollar was in briefjes van honderd in een geheime la in zijn bureau gevonden.
Hij is er gloeiend bij, dacht Monica. Niemand in die familie zal ooit René Carters baby willen opnemen. Volgens dit bericht heeft Peter Gannon Sally zelfs nog nooit gezien. O, mijn god, met alle mensen die verlangen naar een kind, waarom moest Sally nou juist uit zulke ouders geboren worden?
Maar Sally zou Sally natuurlijk niet zijn als ze niet het kind van Peter Gannon en René Carter was. Wat voor soort mensen het ook zijn, of waren, Sally is een schattig klein meisje.
'We zijn er,' hoorde ze de taxichauffeur zeggen.

Monica keek geschrokken op. 'O, ja natuurlijk.' Ze betaalde de rit, gaf de man een gulle fooi en liep met haar sleutel in haar hand de trap naar de buitendeur op. Toen ze die open had en eenmaal in de vestibule stond, draaide ze de binnendeur naar de centrale hal van het slot en liep daarna de gang door naar haar appartement. Pas toen ze daar binnen was en haar tas en de kranten op een stoel had laten vallen, voelde ze zich plotseling overspoeld door een verlammend besef van alles wat er de laatste dagen was gebeurd.

Ze staarde naar de versleten tas die ze in gebruik had, nu haar andere tas was vernield onder de wielen van een bus en even werd ze opnieuw bevangen door de paniek die door haar heen was gegaan op het moment dat de bus op haar af was komen denderen. Toen dacht ze terug aan haar enorme teleurstelling vanwege de ontdekking dat Olivia Morrow slechts een paar uur vóór haar komst was overleden, aan haar tevergeefse poging op Olivia's begrafenismis een vertrouwelinge van haar te vinden en uiteindelijk aan de pijn die het haar deed dat Ryan een relatie had met een andere vrouw. Monica was opeens helemaal in mineur.

Bijna in tranen liep ze naar de keuken, zette daar een ketel water op het vuur en keek daarna in de koelkast om te zien of ze nog genoeg in huis had om straks een salade te maken. Ik ben veel meer van streek dan ik besefte en mijn rug en schouders doen echt pijn.

En er zit me nog iets dwars, zei ze tegen zichzelf. Maar wat? Het heeft iets met Sally te maken. Iets wat ik vanmorgen heb gezegd. Wat is dat geweest?

Niet over piekeren, hield ze zichzelf voor. Als het belangrijk is, komt het vanzelf wel weer terug.

En er komt iets anders aan dat heel belangrijk is, peinsde ze, terwijl ze een blikje krab opendraaide. Aanstaande dinsdag zou de bespreking met de Gannon Foundation plaatsvinden. Ik vraag me af of ze die nu zullen afzeggen, met alles wat er aan de hand is. Maar we hebben die vijftien miljoen dollar nodig, die ze ons hebben beloofd voor de aanbouw aan het ziekenhuis. We kunnen niet zonder die kinderafdeling in de nieuwe vleugel. En is het geen ongelofelijk toeval dat een van die Gannons Sally's vader blijkt te zijn?

Na de salade en twee koppen thee voelde Monica zich wat beter. Ze wist dat de voicemail van haar vaste lijn vol stond met boodschappen van vrienden en vriendinnen die over haar busongeluk hadden gehoord. Met een notitieblokje in haar hand, luisterde ze ze allemaal af. Alle berichten waren ongeveer in dezelfde trant: dat de beller zo bezorgd en geschrokken was van het feit dat ze op het nippertje aan die bus was ontsnapt en was het verhaal van die oudere dame dat ze was geduwd echt waar? Drie van de bellers wilden dat ze in haar appartement bleef, voor het geval ze werd gestalkt.

Monica begon iedereen terug te bellen. Ze wist zes van haar vrienden en vriendinnen te bereiken en sprak bij de anderen een boodschap in. Tijdens de gesprekjes sloeg ze een paar uitnodigingen om te komen eten af, hoewel ze geen plannen had voor die avond. Toen ze klaar was ging ze naar de badkamer, kleedde zich uit en stapte in de jacuzzi. Daar bleef ze drie kwartier lang in het kalmerende warme water liggen en langzaam voelde ze de stress uit haar pijnlijke lichaam wegebben.

Eigenlijk was ze van plan geweest om een gemakkelijke trui en broek aan te trekken en een lange wandeling te gaan maken, maar ze voelde dat haar bijna slapeloze nacht zijn tol begon te eisen. Dus ging ze op haar bed liggen, trok het dekbed over zich heen en deed haar ogen dicht.

Toen ze wakker werd zag ze aan de lange schaduwen dat het al laat in de middag moest zijn. Ze bleef nog even onder het warme dekbed liggen en kwam toen langzaam weer terug op de wereld. Ik ben blij dat ik geen plannen heb. Ik zoek zo een goede film uit en ga dan naar de vroege voorstelling. En op de terugweg ga ik iets eten. Ik heb geen zin meer om een wandeling te gaan maken nu, maar ik kan wel wat frisse lucht gebruiken...

Ze stak haar voeten in een paar slippers, liep van de slaapkamer naar de keuken, maakte de deur naar het plaatsje erachter open en stapte naar buiten. Het was koud en de badjas die daarnet nog lekker warm was geweest, bleek veel te dun voor de temperatuur buiten.

Een paar keer diep inademen en dan gauw weer naar binnen, dacht ze. Toen ze om zich heen keek viel haar oog op de decoratieve gieter die altijd links van de deur stond.

Die stond niet op z'n gewone plek.

Dat wist ze zeker.

Ze zette hem altijd boven op die lelijke scheur in die ene tegel. En de gieter was zo zwaar dat zelfs een harde windstoot hem niet van zijn plaats zou kunnen krijgen. Maar nu stond hij halverwege de volgende tegel.

Gisteren had hij daar nog niet gestaan.

Voordat ik naar de begrafenismis ging, ben ik nog even het plaatsje hier opgestapt. Ik had zo slecht geslapen dat ik me helemaal onvast op mijn benen voelde en frisse lucht wilde. Ik weet zeker dat ik toen nog naar die gieter heb gekeken en dacht dat ik die tegel eronder nou eens moest vervangen. Of misschien heeft Lucy die gieter verzet? Zou ze gisteren, toen ze hier heeft schoongemaakt, het plaatsje hebben geveegd?

Monica huiverde en ging snel de keuken weer binnen, trok de deur achter zich dicht, draaide die op slot en schoof de grendel ervoor.

Die deur moet natuurlijk altijd vergrendeld zijn, dacht ze nerveus, maar daarnet was dat niet het geval. Soms vergeet ik dat ding ervoor te schuiven en dat is gisteren blijkbaar ook gebeurd. Toen ik gisternacht eindelijk in slaap was gevallen, ben ik een tijdje later weer wakker geschrokken. Zou ik toen iets hebben

gehoord, waardoor ik uit mijn slaap werd gehaald? Als ik toen minder licht had geslapen en niet meteen het licht had aangeknipt, zou er dan iemand zijn binnengedrongen? Was er toen iemand daar op het plaatsje?
Plotseling schoot er een heel andere gedachte door haar hoofd: de reden dat ze zo slecht had geslapen was Ryan Jenner.

55

Sammy Barber werkte van negen uur tot sluitingstijd als uitsmijter bij de Ruff-Stuff Bar. Deze 'nachtclub' was eigenlijk meer een striptent en het was Sammy's werk om ervoor te zorgen dat mensen die te veel hadden gedronken zich fatsoenlijk bleven gedragen. Daarbij moest hij klootzakken die te dicht bij de derderangs beroemdheden die regelmatig tot de gasten hoorden kwamen, uit hun buurt houden.
Het was een slecht betaald baantje, maar het zorgde er wel voor dat hij een onopvallende, oppassende burger leek. En daarbij kon hij nog iedere dag uitslapen ook, behalve als hij was ingehuurd om iemand om te leggen en hij die persoon moest volgen totdat hij de kans kreeg hem of haar voorgoed te laten verdwijnen.
Die zaterdagavond was Sammy in een rothumeur. Die mislukte poging om Farrell te vermoorden had hem voor het eerst in jaren onzeker gemaakt. En het feit dat die ouwe heks had gezien dat hij Farrell een duw had gegeven en zijn signalement keurig had verstrekt, was onrustbarend. In de laatste paar jaar had hij twee mensen voor een trein geduwd en niemand had vermoed dat ze niet per ongeluk op de rails waren terechtgekomen. Gistermiddag had hij in het steegje achter Farrells huis met een langeafstandslens een foto van haar achterdeur gemaakt. Toen hij de foto thuis op de computer bekeek, zag hij dat de bovenste helft

van de deur uit kleine ruitjes bestond die waren afgedekt met een metalen hekwerk. Dat hekwerk was een lachertje. Het zou een makkie zijn om het ruitje naast het slot eruit te snijden en zijn hand naar binnen te steken om de sleutel om te draaien en de deurklink naar beneden te duwen. En als ze een grendel voor de deur had, zou hij er gewoon nog een ander ruitje uit moeten halen om daar ook bij te kunnen. Geen enkel probleem.

Om drie uur 's nachts was Sammy het steegje in gelopen, had hij zich over het zielige schuttinkje achter haar appartement gehesen en zijn glassnijder uit zijn zak gehaald. In principe had hij daarna binnen één minuut bij haar binnen moeten staan, maar in het donker was zijn voet tegen iets aan gestoten. Het was iets zwaars en het viel niet om. Waarschijnlijk zo'n stom tuinbeeld, maar hij ging er wel bijna door op z'n bek. Het ding was met een schrapend geluid een stukje over de tegels verschoven.

Farrell moest goede oren hebben als ze dat had gehoord, had Sammy gedacht, maar die bleek ze dus te hebben, want het licht binnen was meteen aangefloept. Dus dat was plan twee dat was mislukt.

Rusteloos begon Sammy nieuwe manieren om die Farrell uit de weg te ruimen te bedenken, maar toen vernauwden zijn ogen zich. De zaak begon vol te lopen met de bekende minkukels, maar er werden nu ook twee mannen die keurig in het pak waren naar een tafeltje geleid. Politie, dacht Sammy. Ze hadden net zo goed hun badges kunnen laten zien.

Het was duidelijk dat de ober die hen naar hun tafeltje bracht hetzelfde dacht, want hij wierp Sammy een veelbetekenende blik toe. Sammy knikte dat hij hen had gezien.

Op dat moment stond er een of andere hufter op, die hem al aardig om had gehad toen hij binnenkwam. Sammy wist dat hij naar de derderangsrapper toe wilde, die met zijn groupies in de beroemdhedenafdeling zat. De zatlap was al een halfuur bezig om de aandacht van die vent te trekken. Sammy kwam meteen overeind, en met een paar vlugge passen, verrassend snel gezien zijn enorme gestalte, stond hij naast de dronkaard. 'Meneer, wilt u alstublieft hier blijven.' Terwijl hij het zei, omklemde hij de arm van de man hard genoeg om hem duidelijk te maken dat hij maar beter kon luisteren.

'Maar k'wil um alleen maar zeggeh...' De man keek op naar Sammy's gezicht en zijn domme gezichtsuitdrukking kreeg opeens iets angstigs.

'Oké. Oké, man. K'wil geen moellukhedeh...' Hij zeeg weer op zijn stoel neer.

Toen Sammy terug naar zijn tafeltje wilde lopen, zag hij dat een van de twee mannen in pak hem wenkte.

'Neem een stoel, Sammy,' nodigde rechercheur Forrest hem uit, terwijl hij en rechercheur Whelan hun badges over de tafel in zijn richting schoven.

Sammy keek er even naar en wierp toen een snelle blik op Whelan, in het besef dat híj degene was geweest die de leiding over het onderzoek naar hem had gehad en op de rechtszitting tegen hem had getuigd. Hij kon zich de walgende blik op Whelans gezicht op het moment dat hij werd vrijgesproken nog zó voor de geest halen. 'Leuk je weer eens te zien,' zei hij tegen hem.

'Fijn dat je me nog kent, Sammy,' reageerde Whelan. 'Maar je was natuurlijk altijd al goed in bedreigingen – ik bedoel begroetingen.'

'Dit is een keurige tent hier. Dus verknoei je tijd nou niet met het zoeken van spijkers op laag water,' snauwde Sammy.

'Sammy, wij weten dat deze rotzaak zelfs als crèche door de beugel zou kunnen,' vertelde Forrest hem. 'We zijn alleen in jóú geïnteresseerd. We vroegen ons af waarom je de moeite hebt genomen om je trui met capuchon te verwisselen voor jouw versie van een net pak, toen je je weggesleepte auto op ging halen? Je weet het toch nog wel? Dat was donderdag, toen je zo'n haast had om achter dokter Farrell aan te gaan toen die uit het ziekenhuis kwam, dat je niet eens de tijd had om wat in de meter te stoppen?'

Sammy was vaak genoeg ondervraagd door de politie om er zo ervaren in te zijn geworden dat hij er nooit nerveus meer van werd. Maar dit keer voelde hij plotseling een knoop in zijn maag.

'Ik heb geen idee waar je het over hebt,' mompelde hij.

'We weten alle drie waar ik het over heb, Sammy,' vervolgde Forrest. 'We hopen dat Monica Farrell niets zal overkomen, want mocht dat zo zijn, Sammy, dan zul jij het gevoel hebben dat je midden in een tsunami terecht bent gekomen. Aan de andere kant zijn we natuurlijk reuze geïnteresseerd wie jou heeft ingehuurd.'

'Sammy,' deed Whelan nu een duit in het zakje. 'Waarom stond je voor het ziekenhuis geparkeerd? Voor het geval je het vergeten was: via de beveiligingscamera's was te zien hoe je auto weggesleept werd.'

'Dat ik geen geld in die meter had gestopt kost me een hele hoop poen, maar ik heb nooit gehoord dat dat een misdaad is. En als je het goed beschouwt, bewijs ik de stad er nog een dienst mee ook. Al die extra dollars, snap je?' Sammy begon zijn zelfverzekerdheid weer terug te krijgen. Ze proberen me bang te maken, dacht hij vol minachting. Ze hopen dat ik iets stoms zal zeggen. Als ze iets konden bewijzen, zouden ze hier niet zo zitten te lullen.

'Kén je dokter Monica Farrell toevallig?' vroeg rechercheur Forrest.

'Dokter wíé?'

'Dat is de vrouw die kortgeleden voor de wielen van een bus is gevallen... of is geduwd. Het heeft in alle kranten gestaan.'

'Ik lees de kranten niet vaak,' zei Sammy.

'Dat zou je toch moeten doen. Dan blijf je een beetje op de hoogte.' Forrest en Wheelan stonden op. 'Altijd leuk om weer eens met je te praten, Sammy.'

Sammy keek de twee rechercheurs na, terwijl ze hun weg zochten door de intussen druk geworden zaak. Nu kan ik die Farrell natuurlijk niet meer zelf uit de weg ruimen, dacht hij. Ik zal die zaak aan iemand anders over moeten geven en gelukkig weet ik er precies de juiste persoon voor: Larry. Die bied ik gewoon honderdduizend, dan hapt hij wel. Maar ik zal er wel voor zorgen dat het gebeurt terwijl ik hier aan het werk ben, zodat ik een waterdicht alibi heb. Dan hijgen die rechercheurs niet langer in mijn nek en kom ik er nog goed van af ook, want ik krijg een miljoen voor die klus en Larry doet het vast voor een tiende ervan!

Glimlachend bij die gedachte, maar tegelijkertijd met een gevoel van mislukking, moest Sammy zichzelf bekennen dat hij voor het eerst in zijn carrière als huurmoordenaar tot twee keer toe de boel had verpest bij het elimineren van een probleem. Misschien is het wel tijd om ermee op te houden. Maar niet voordat ik dit contract ben nagekomen.

Net zoals die ouwe Dougie, houd ík me ook altijd aan mijn woord.

56

Zaterdagmiddag gingen Tony, Rosalie en de kleine Carlos Garcia een ritje maken, om op bezoek te gaan bij Rosalies zusje Marie en haar man, Ted Simmons, in Bay Shore op Long Island.

Tony had twee weken lang bijna onophoudelijk gewerkt. Zowel in zijn baantje als chauffeur, als in zijn gewone werk als ober in het Waldorf, waar oktober altijd de maand van chique liefdadigheidsdiners was. ‘Soms hoor ik de mensen die ik chauffeer achter me praten over al de liefdadigheidsfeesten waar ze die week naartoe zijn geweest,’ vertelde Tony aan Rosalie. ‘En die zijn absoluut niet goedkoop!’

Maar deze zaterdag had hij vrij en het was een mooie dag om naar Bay Shore te rijden. Tony mocht de familie van zijn vrouw graag. Marie en Ted hadden drie kleine kinderen, allemaal ouder dan Carlos, en Teds moeder en broer zouden ook komen. Ted had een gereedschapswinkel in Bay Shore en deed het heel goed. Ted en Marie woonden in een oud koloniaal huis met een omheinde tuin, waar Carlos en de kinderen naar hartenlust konden spelen zonder gevaar te lopen onder een auto terecht te komen.

'Ik verheug me op vandaag, Tony,' zei Rosalie gelukkig, terwijl ze uit de duisternis van de Midtown Tunnel de snelweg op reden. 'Ik was zo bang toen Carlos van de week zo verkouden was, maar hij heeft al in geen vier dagen meer geniest!' Ze wierp een blik over haar schouder. 'Hè, schatje?' vroeg ze Carlos, die vastgesnoerd zat in zijn kinderzitje.

'Nee, nee, nee,' antwoordde Carlos opgewekt.

'Mijn hemel, dat is echt zijn nieuwste woordje,' zei Rosalie lachend.

'Zijn enige woordje tegenwoordig,' reageerde Tony, terwijl hem iets te binnen schoot dat hij zijn vrouw nog had willen vertellen. 'Rosie, ik heb je toch verteld over die aardige oude dame die ik twee weken geleden naar het kerkhof in Rhinebeck heb gereden? De vrouw die zei dat ze de grootouders van dokter Monica kende? Gisteren zag ik in de krant dat ze is gestorven. Ze wordt vandaag begraven.'

'Ach, wat jammer, Tony.'

'Ja, het was een heel aardig mens. O, mijn god!' Tony trapte met zijn voet het gaspedaal in, maar de motor was uitgevallen. Midden in het drukke verkeer. Hij draaide het sleuteltje om in het contact en probeerde de auto weer te starten, maar er gebeurde niets. Het dreigende gepiep van de remmen van de vrachtwagen achter hen, voorspelde dat de auto binnen enkele seconden op hen in zou rijden. 'Nee!' schreeuwde hij uit.

Rosalie draaide zich om en keek naar Carlos. 'O, mijn god!' jammerde ze.

Terwijl Rosalie het uitgilde, voelden ze een opdonder waardoor ze heen en weer in hun stoelen werden geslingerd, maar gelukkig lukte het de chauffeur van de vrachtwagen op tijd te remmen en flink wat vaart te minderen, voordat hij hen vol raakte.

Ze stonden stil. Bevend van opluchting keken ze om naar hun tweejarige zoontje. Carlos probeerde, volkomen relaxed, uit zijn autostoeltje te klimmen.

'Hij denkt dat we er zijn,' zei Tony met bibberende stem, terwijl zijn handen het stuur nog altijd omklemden. Even later opende hij het portier en stapte hij ontdaan uit om de vrachtwagenchauffeur te bedanken dat hij zo snel had weten te reageren zodat hun levens gespaard waren gebleven.

Drie uur later zaten ze thuis bij Ted en Marie aan de eettafel. Het had veertig minuten geduurd voordat de sleepwagen was gearriveerd en het ongeluk had een vreselijke opstopping op de snelweg veroorzaakt. Ted was hen komen ophalen bij het benzinestation waar ze terecht waren gekomen.

Het besef dat ze dood waren geweest als de vrachtwagenchauffeur te dicht op hen had gereden of niet op tijd had kunnen stoppen, drukte zwaar op iedereen: Rosalie en Tony, Marie en Ted, Teds moeder en zijn broer. Iedereen was ontzettend dankbaar dat het zo was afgelopen. 'Het had heel anders kunnen gaan,' zei Rosalie met een blik uit het raam. Een van de grotere kinderen duwde een vrolijke Carlos op de schommel.

'En het kan nog steeds heel anders gaan, als jij die ouwe roestbak van je niet wegdoet, Tony,' zei Ted, een zwaargebouwde, besluitvaardige man, nogal bot. 'Je koestert dat ding al veel te lang. Ik snap dat je het uitstelt om een nieuwe auto te kopen, want al die doktersrekeningen voor Carlos zullen wel zwaar op je drukken. Maar dat joch heeft die leukemie niet overwonnen om vervolgens om te komen bij een auto-ongeluk. Dus ga op zoek naar een fatsoenlijke auto. Ik leen je het geld wel.'

Tony keek zijn zwager dankbaar aan. Hij wist dat Ted wel zéí dat

hij hem het geld zou lenen, maar hij wist ook dat hij nooit zou toestaan dat hij het hem terugbetaalde. 'Je hebt gelijk, Ted,' stemde hij met zijn zwager in. 'Ik zet mijn gezin nooit meer in die hoop schroot. Ik zat er al voor dat ding het begaf over te denken die auto te vervangen en ik heb al iets op het oog ook. Het is een Cadillac van tien jaar oud en hij kan niet duur meer zijn. Ik heb er een paar weken geleden een flinke rit in gemaakt met de oude dame van wie die auto is en ik denk dat hij in prima staat is. Je weet dat ik daar wel verstand van heb. Misschien verbruikt hij wat meer benzine dan de nieuwe Cadillacs, maar ik wed dat ik die auto voor de dagwaarde kan krijgen en dat kan niet echt veel meer zijn.'
'Bedoel je die dame over wie je het op weg hierheen had, Tony?' vroeg Rosalie. 'Die dame die vandaag wordt begraven?'
'Ja. Ms. Morrow. Haar auto komt waarschijnlijk te koop.'
'Ik zou er maar achteraan gaan, Tony,' zei Ted. 'Zo snel mogelijk. Maar er is weinig markt voor een tien jaar oude Caddy, dus ik denk wel dat je hem kunt kopen.'
'Ik ga morgen meteen naar het gebouw waar ze heeft gewoond. Misschien weet iemand daar wel wie ik voor die auto moet bellen,' beloofde Tony. 'Ik vond Ms. Morrow werkelijk een aardige dame en ik had het gevoel dat ze mij ook wel mocht.'
En ik heb gek genoeg het idee dat ze zou hebben gewild dat ik haar auto krijg, dacht hij.

57

Peter Gannon onderging het schokkende ritueel van vingerafdrukken afnemen, een politiefoto maken, zich uitkleden plus van top tot teen worden gefouilleerd en uiteindelijk naar een cel in de Tombs gebracht worden – de overvolle en lawaaierige gevangenis waar in Manhattan de gevangenen worden ingesloten die op hun proces wachten.

Met heel zijn wezen wilde hij protesteren dat hij onschuldig was en naar iedereen binnen gehoorsafstand schreeuwen dat hij René nooit kwaad zou hebben kunnen doen, hoe erg hij haar ook had gehaat. Zaterdagochtend las hij in de krant van zijn celmaat dat het papieren tasje en het geld in zijn kantoor waren gevonden. Te lamgeslagen om goed na te kunnen denken, zat hij tot laat die middag in zijn cel voor zich uit te staren, totdat de advocaat die Susan voor hem had geregeld hem kwam opzoeken.

De advocaat stelde zich voor als Harvey Roth en overhandigde Peter zijn kaartje.

Peter staarde hem aan met het gevoel alsof hij in een nachtmerrie zat. Roth was een compact gebouwde man met staalgrijs haar, een mager gezicht en een montuurloze bril op zijn neus. Hij was gekleed in een donkerblauw pak met een blauw overhemd en een blauwe das.

'Bent u duur?' vroeg Peter. 'Want dan moet ik u meteen vertellen dat ik blut ben.'

'Ja, ik ben duur,' antwoordde Roth vriendelijk. 'Uw ex-vrouw, Susan, heeft mijn honorarium voor dit bezoek betaald en staat garant voor alle kosten voor uw verdediging.'

Ja, zo is Susan, dacht Peter. Weer een pijnlijke herinnering aan wat een goed mens ze is. En aan het feit dat ik zo stom ben geweest haar in te ruilen voor een feeks als René Carter.

'Mr. Gannon, ik neem aan dat u op de hoogte bent van het feit dat het geld dat u beweerde aan René Carter te hebben overhandigd, in een geheime la in uw bureau is gevonden?' vroeg Roth.

'Een geheime la? Ik wist niet eens dat er zo'n la in mijn bureau zít,' zei Peter verslagen. Bij het zien van de uitdrukking vol ongeloof op Harvey Roth' gezicht, kreeg Peter het gevoel dat hij in drijfzand vast was komen te zitten en er nu almaar dieper in wegzakte. 'Vier jaar geleden, toen de Gannon Foundation en Gregs beleggingsmaatschappij verhuisden naar het Time Warner Center, is er een binnenhuisarchitect ingehuurd om de kantoren helemaal opnieuw in te richten. Ik heb toen degene die die taak op zich nam verzocht om dat ook voor het nieuwe kantoor van mijn theaterproductiekantoor te doen. Op dat moment deed ik het vrij goed en had ik een kantoor op West Fifty-first Street. Twee jaar geleden, toen ik moest bezuinigen, heb ik veel van de meubels weggedaan, maar het bureau gehouden. Niemand heeft me ooit iets verteld over een geheime la.'

'En hoe heette de binnenhuisarchitect?' vroeg Roth.

'Ik weet haar naam niet.'

'Hebt u geen besprekingen met haar gehad? Heeft ze u geen tekeningen of voorbeelden laten zien?'

'Ik ben geen man van details,' zei Peter moedeloos. 'Ik vond dat ze de kantoren in Time Warner goed deed, dus...'

'Hebt u dan niet met haar overlegd hoeveel het allemaal zou kosten?' vroeg Roth.

'Het fonds betaalde, omdat ze mijn theaterprojecten sponsorden. Ik bedoel, de Foundation heeft een gift goedgekeurd die de kosten van de inrichting van mijn kantoor ook dekten.'

'Ik begrijp het, Mr. Gannon. Dus u houdt vol dat u nooit hebt geweten dat er een geheime la in uw bureau zit?'

'Ik zweer het, ik zweer dat ik dat nooit heb geweten.' Peter verborg zijn gezicht in zijn handen in de hoop zich af te kunnen sluiten voor de aanhoudende vragen van Harvey Roth.

'En u kent de naam van de architect die dat bureau voor uw kantoor heeft gekocht ook niet?'

'Nee, echt niet,' herhaalde Peter toonloos. 'Ik herhaal dat ik haar naam echt niet ken. Ik heb destijds aan Gregs secretaresse gevraagd of zij ervoor wilde zorgen dat mijn nieuwe productiekantoor werd ingericht door die architect. Volgens mij heb ik de binnenhuisarchitect niet eens ontmoet. Alles is toen ingericht in een periode dat ik zelf op reis was met René.'

Waar zijn we toen ook weer geweest? vroeg hij zich af. O ja, ik weet het alweer. Paradise Island. Met moeite kon hij een hysterische schaterlach onderdrukken.

'Hoe kom ik erachter hoe die architect heette?' hield Roth vol.

'Dat weet de secretaresse op het kantoor van mijn broer wel. Zij heeft toen alles geregeld.'

'En haar naam?'

'Esther Chambers.'

'Ik zal het aan haar vragen.'

Peter wierp een blik op Roth. Hij denkt dat ik lieg. Hij denkt dat ik René heb vermoord. Peter wist dat hij de vraag moest stellen die de hele slapeloze nacht in zijn cel door zijn hoofd had gespookt: 'Als ik iemand zou vertellen dat ik dacht – nee, laat ik het duidelijker zeggen –, dat ik wíst dat mijn broer handel met voorkennis bedrijft, zou die persoon dan de verplichting hebben om dat aan de SEC te melden?'

'Lees maar na hoe het feitelijk is gegaan met Bernie Madoff, de meesteroplichter, Mr. Gannon,' zei Roth zakelijk. 'Toen zijn zoons ontdekten waar hij mee bezig was, hebben ze dat onmiddellijk gemeld. Natuurlijk werkten ze in het bedrijf, dus dat verandert de zaak. Het hangt ervan af aan wíé u die informatie hebt gegeven.'

Ik kan haar hier niet bij betrekken, dacht Peter.

'Mr. Gannon, waarom beweert u dat u zeker weet dat uw broer betrokken is bij handel met voorkennis?'

'Een paar jaar geleden, tijdens een borrel voor de jongens van Wall Street, hoorde ik toevallig dat Greg door een vent van Ankofski Oil werd bedankt voor het geld. De man vertelde mijn broer dat hij zijn kinderen daarvan mee op vakantie naar Europa had kunnen nemen. Dat was ongeveer een maand nadat Ankofski was overgenomen door Elmo Oil & Gas en de aandelen drie keer zoveel waard waren geworden.'

'En hoe reageerde uw broer?'

'Hij werd woedend en zei iets in de trant van: "Hou je kop, idioot. En verdwijn hier!"'

'Wist uw broer dat u dat gesprek had opgevangen?'

'Nee, want ik stond pal achter hem. Ik wilde ook niet dat hij wist dat ik het had gehoord. Maar ik weet wel dat hij een fortuin heeft verdiend aan die overname. Het is al erg genoeg zoals het nu is, maar zou er ook een aanklacht tegen míj kunnen worden ingediend als Greg ooit wordt gepakt en bekend wordt dat ik wist waar hij mee bezig was?'

Hij las de verachting in Harvey Roth' ogen. 'Mr. Gannon. Ik stel voor dat u zich richt op mijn hulp bij het voorbereiden van uw verdediging wat betreft de beschuldiging van moord. Ik zal alles doen wat in mijn macht ligt om uw verdediging op de best mogelijke manier te voeren, maar het zou natuurlijk wel helpen als u zich weet te herinneren wat er is voorgevallen in die vijftien uur tussen het moment dat u René Carter verliet en het moment dat u wakker werd op de bank in uw kantoor. Bijvoorbeeld wat betreft het papieren tasje waarvan u zegt dat daar het geld in zat dat u aan René Carter hebt gegeven. Het tasje voldoet exact aan de beschrijving die u ervan aan de politie hebt verstrekt en het is door de politie in de prullenmand onder uw bureau gevonden.'

'Waarom zou ik het geld verbergen en het tasje in de prullenmand onder mijn bureau laten liggen?' vroeg Peter met een sprankje woede in zijn stem.

Roth knikte. 'Dat was ook al in mijn hoofd opgekomen. Maar aan de andere kant hebt u zelf gezegd dat u dronken was. Ik doe u een voorstel hoe we verder moeten: Ons onderzoeksteam gaat naar de bar waar u met Ms. Carter bent geweest en zal iedereen die daar is geweest ondervragen. Verder bezoekt het ook andere cafés in die buurt, in de hoop daar iemand te vinden die u in uw eentje heeft gezien, nadat u Ms. Carter had achtergelaten.'

'Als ik Ms. Carter heb achtergelaten, bedoelt u,' zei Peter. 'Dat is eigenlijk wat u nu zegt, is het niet?'

Zonder een antwoord te geven stond Roth op om te vertrekken.
'We proberen uw borgsom te verlagen van vijf naar twee miljoen.'
'Ik denk dat mijn broer die borgsom wel betaalt voor me,' merkte Peter op.
'Dat hoop ik. Zo niet, is er dan nog een andere bron die dat zou kunnen?'
'Susan?' vroeg Peter.
'Ja. Tegen de stroom in, gelooft ze heilig in uw onschuld. U hebt veel geluk, Mr. Gannon, met een vrouw als zij aan uw kant.'
Peter keek Roth na, terwijl hij van hem vandaan liep en voelde toen een tik op zijn schouder. 'Meekomen,' beval de bewaker hem bruusk.

58

Zaterdagavond voordat ze naar bed ging, deed Monica de deur naar het plaatsje op slot, schoof de grendel ervoor en klemde een stoel onder de deurklink. Ze had een paar vriendinnen gesproken en bij hen geïnformeerd naar hun alarminstallaties en daarna een boodschap ingesproken bij een bedrijf dat ze de onmiddellijke installatie van een alarmsysteem wilde regelen, inclusief beveiligingscamera's op het plaatsje.
Toen ze dat eenmaal had gedaan, had ze gehoopt zich wat veiliger te voelen, maar haar dromen waren onrustig geweest en vol herinneringen aan haar vader. Hoewel ze zich er nog maar fragmenten van kon herinneren, wist ze nog wel dat ze samen met hem in St. Patrick's Cathedral had gelopen. Ze was wakker geworden met het gevoel dat hij haar hand vasthield.
Heb ik hem wel genoeg gewaardeerd? vroeg ze zich af, terwijl ze opstond en koffie maakte. Nu ik erop terugkijk, begin ik iets van zijn liefde voor mama te begrijpen. Na haar dood heeft hij nooit

ook maar één blik op een andere vrouw geworpen, en hij was zo'n knappe man om te zien.

Ik was pas tien, dat jaar dat ze zo ziek was. Ik wilde nergens heen of niets gaan doen, maar meteen na school wilde ik weer naar haar toe. Nadat ze was overleden, spoorde papa me aan om mee te doen aan allerlei buitenschoolse activiteiten. En in de eerste paar maanden gingen we heel vaak een weekend naar New York. Naar toneel, concerten en musea en we maakten ook allerlei toeristische uitstapjes. Maar we waren allebei zo ontzettend verdrietig om mama...

En papa was een geweldige verteller, bedacht Monica met een glimlach, terwijl ze besloot een ei te koken en een bruine boterham te nemen, in plaats van een croissantje. Toen we rond Kerstmis een keer bij Rockefeller Center waren, vertelde hij een heel verhaal over de eerste kerstboom die daar ooit had gestaan. Het was maar een kleintje, omdat het in de tijd van de Depressie was en de werkmannen hadden hem neergezet uit dankbaarheid dat ze werk hadden. Haar vader had van alle plekken waar ze kwamen de achterliggende geschiedenis gekend...

Behalve die van hemzelf, die kende hij niet... Doordat ik nu zélf zo dicht bij informatie daarover ben geweest, begrijp ik opeens hoe belangrijk het voor hem moet zijn geweest. Ik maakte er vroeger grapjes over: 'Pap, misschien ben je wel de bastaardzoon van de hertog van Windsor. Wat zou koningin Elizabeth daarvan vinden?' Ik dacht dat dat leuk was.

Had Olivia Morrow nou maar één dagje langer geleefd. Één dagje maar...

Terwijl het ei stond te koken, belde Monica het ziekenhuis. Sally had goed geslapen en haar temperatuur was nog maar iets hoger dan normaal. Ze hoestte nauwelijks meer. 'Iedere dag is ze weer een heel stuk beter, dokter,' zei de verpleegster blij. 'Maar ik moet helaas wel vertellen dat er hier een paar journalisten zijn geweest die een foto van haar probeerden te schieten. De beveiliging heeft ze eruit gezet.'

'Gelukkig maar,' reageerde Monica heftig. 'Je hebt mijn mobiele nummer, dus bel me maar als er iets verandert in Sally's toestand. En mocht het toch een journalist lukken om boven te belanden, dan mag hij absoluut niet in de buurt van Sally komen.'

Hoofdschuddend schepte ze het ei uit het hete water, deed het in een eierdopje en zette dat op een bord, naast een beboterd stuk geroosterd brood. Haar gedachten circuleerden nog altijd om haar vader. Het is zondag vandaag. Dan gingen papa en ik als we hier waren voor het weekend, altijd naar de mis van kwart over tien in St. Patricks. Daarna gingen we ergens brunchen en wat we 's middags gingen doen was altijd een verrassing. Het feit dat we niet thuis waren en andere dingen deden dan gewoonlijk, hielp wel een beetje.

Misschien ga ik straks wel naar de mis van kwart over tien, peinsde ze. Dan voel ik me vast dichter bij papa. Dat heb ik nu even nodig.

Wat zouden Ryan en zijn vriendin vandaag gaan doen?

Ophouden, vermaande Monica zichzelf. Maak plannen voor vanmiddag. Die film gisteren was een grote teleurstelling. Een vreselijke film, ik snap niet wat de critici zien in films die nergens op slaan? Misschien bel ik straks wat mensen om te horen of ze plannen hebben en zo niet, dan nodig ik ze uit om te komen eten. Ik heb al zeker drie weken niet meer voor iemand gekookt. Daar geniet ik altijd van, maar de laatste tijd is zo hectisch geweest...

Op de een of andere manier had ze daar toch ook geen zin in.

Een kwartiertje later besloot ze, terwijl ze aan haar tweede kopje koffie zat en de zondagskranten die in de bus waren gestopt door zat te lezen, dat ze in ieder geval om kwart over tien naar de kerk zou gaan.

En zo zat ze dus een tijdje later geknield in een kerkbank aan de linkerkant van het altaar, in hetzelfde gedeelte waar ze vroeger altijd met haar vader zat. Gisteren om deze tijd zat ik in St. Vincent's te luisteren naar het verhaal van pastoor Dunlap over Olivia Morrow en daarna even over mij. Maar niemand kon me helpen en ik denk dat dat wel altijd zo zal blijven. Ik weet weer wat ik me probeerde te herinneren, dacht ze opeens, het had met Sally te maken: dat ik Susan Gannon heb verteld dat Sally het bijna niet had gered.

Sally is niet blijven leven door een wonder, of door de kracht van het gebed, maar doordat haar oppas zo verstandig was om op tijd met haar naar het ziekenhuis te komen. En omdat we de juiste medicijnen hadden om haar leven te redden.

Het koor zong: 'Ik heb u horen roepen in de duisternis.' Ik denk dat ik genoeg geroep in de duisternis heb beantwoord, dacht Monica wrang. Ik heb meegewerkt aan dat onderzoek naar de heiligverklaring en een getuigenis afgelegd dat er een of andere medische reden moest zijn waarom Michael O'Keefe nog in leven was. Toen Ryan het dossier had gelezen, zei hij ook dat het gewoon niet kón dat Michael niet aan zijn hersentumor was overleden. En Ryan is neurochirurg. Ik niet, maar ik ben een goede kinderarts. Ik weet heel goed dat er geen medische feiten bestaan die Michaels herstel kunnen verklaren. Zuster Catherine heeft haar leven gewijd aan het helpen van gehandicapte kinderen en er zeven ziekenhuizen voor opgericht. Ik ben trots op mezelf dat ik Sally heb gered en dat ik Carlos heb geholpen in zijn strijd tegen de leukemie.

Ik heb een eed afgelegd waarin ik heb gezworen dat ik naar eer en geweten zou getuigen. Ben ik misschien te koppig? Zie ik het misschien te eigenwijs van één kant? Ik moet op bezoek bij Michael. Het is intussen alweer drie jaar geleden en ik wil hem graag zien.

Monica probeerde haar gedachten bij de mis te houden, maar dat lukte niet erg. De O'Keefes waren vanuit hun appartement in Manhattan naar Mamaroneck verhuisd, vlak nadat er een hersentumor bij Michael was ontdekt. Pas toen hij volledig was genezen, hebben de O'Keefes weer een afspraak met mij gemaakt om hem triomfantelijk aan me te laten zien...

'Gaat u allen heen in vrede,' eindigde de aartsbisschop de mis.

Het koor zong: 'Heer, heer, wij aanbidden u...' terwijl Monica de kerk uit liep. Buiten pakte ze haar mobiele telefoon en toetste ze nummerinformatie in. De O'Keefes bleken geen geheim nummer te hebben en toen ze belde werd er al na één keer overgaan opgenomen. 'U spreekt met dokter Monica Farrell,' begon ze. 'Spreek ik met Mrs. O'Keefe?'

'Ja, daar spreekt u mee,' antwoordde een warme stem. 'Fijn van u te horen, dokter.'

'Dank u wel, Mrs. O'Keefe. Ik bel u omdat ik Michael graag nog eens zou zien. Zou ik misschien naar u toe mogen komen voor een bezoekje? Ik blijf maar heel even.'

'Dat is prima, dokter. We zijn de hele dag thuis. Wilde u vanmiddag komen?'

'Ja, heel graag.'

'Heeft het iets te maken met de heiligverklaring van zuster Catherine?'

'Ja, inderdaad, daar gaat het om,' zei Monica zacht.

'U bent welkom, hoor. Komt u met de auto?'

'Ja.'

'We verheugen ons op uw komst, dokter. Is het niet toevallig dat er hier gistermiddag een dokter Ryan Jenner is geweest, een neurochirurg? Hij wilde Michael ook graag zien, voordat hij getuigt voor het comité van heiligverklaring. Wat een aardige man was dat. Ik neem aan dat u hem kent?'

Monica voelde een steek in haar hart. 'Ja, ik ken hem,' zei ze zacht. 'Ik ken hem vrij goed.'

Twee uur later zat Monica samen met Richard en Emily O'Keefe aan een kop koffie met een broodje. Michael, hun levenslustige zoon van acht, had Monica's vragen beleefd, maar ook lichtelijk onrustig, beantwoord. Hij vertelde dat voetbal zijn favoriete sport was en dat hij in de winter graag met zijn vader ging skiën. En hij voelde zich nooit duizelig. Nooit meer zoals toen hij zo ziek was.

'Zijn laatste MRI is van drie maanden geleden,' vertelde Emily. 'Hij is absoluut kankervrij. Al zijn MRI's zijn perfect sinds dat eerste jaar.' Ze glimlachte naar haar zoon, die nu niet stil meer kon blijven zitten. 'Ik zie het al. Jij wilt naar Kyle toe. Ik vind het goed, maar papa loopt met je mee en komt je dan later weer ophalen.'

Michael grijnsde, waardoor hij twee ontbrekende voortanden onthulde. 'Bedankt, mam. Het was fijn u weer te zien, dokter Farrell,' zei hij. 'Mama heeft me verteld dat u echt geholpen hebt om me weer beter te maken.' Hij draaide zich om en holde de kamer uit.

Richard O'Keefe stond op. 'Wacht even, Mike,' riep hij.

Nadat ze weg waren, protesteerde Monica: 'Mrs. O'Keefe, ik heb helemaal niet geholpen om Michael beter te maken.'

'Jawel, dat hebt u wel gedaan. U hebt de diagnose gesteld. En u zei meteen dat we andere artsen moesten consulteren, maar dat Michael een dodelijke tumor had. Op dat moment wist ik dat ik moest smeken om een wonder.'

'En waarom koos u dan speciaal voor zuster Catherine om uw gebeden aan te richten?'

'Mijn oudtante was verpleegster in een van haar ziekenhuizen. Ik herinner me dat ze me toen ik klein was ooit eens vertelde dat ze werkte met een non die een soort engel was. Dat je zou denken dat ieder kind dat ze in haar armen had haar eigen kind was. Ze troostte hen en bad voor hen. Mijn oudtante was ervan overtuigd dat zuster Catherine een speciale gave om te genezen van God had gekregen, dat ze een uitstraling had die je niet in woorden kon vatten, maar dat iedereen die in haar nabijheid was dat ook voelde. Toen u ons vertelde dat Michael

zou sterven, dacht ik meteen aan zuster Catherine.'
'Ik weet het nog heel goed,' zei Monica. 'Ik vond het zo verdrietig voor jullie omdat ik gewoon geen hoop zag voor Michael.'
Emily O'Keefe glimlachte. 'En u gelooft nog altijd niet in wonderen, hè, dokter Monica? Eigenlijk bent u hierheen gekomen met het idee dat hoe goed het ook met Michael lijkt te gaan, hoe mooi de MRI-tests er ook uitzien, de tumor op een dag weer terug zal komen.'
'Ja, dat is zo,' moest Monica toegeven.
'Waarom wilt u niet in een wonder geloven, dokter? Waarom bent u er zo van overtuigd dat wonderen niet bestaan?'
'Het is niet dat ik het niet wíl, maar ik weet door mijn medische opleiding dat er in het verleden allerlei wonderen zijn gebeurd, waarvan later werd ontdekt dat er een wetenschappelijke verklaring voor was die men op dat moment nog niet kende.'
'Is er ooit eerder een klein jongetje geweest van wie de ernstige, dodelijke hersentumor compleet verdween?'
'Niet dat ik weet.'
'Dokter Monica, dokter Jenner is een van de gerespecteerde neurochirurgen die zal getuigen dat er geen medisch-wetenschappelijke verklaring bestaat voor Michaels herstel. Ik weet niet of u beseft dat het nog een hele tijd zal duren voordat de katholieke kerk zal concluderen dat het een wonder is geweest. Zij zullen Michaels medische conditie nog jarenlang blijven volgen.' Emily O'Keefe glimlachte. 'We hebben gisteren zo ongeveer precies hetzelfde gesprek gehad met dokter Jenner. Maar hij zei dat hij niet verwacht dat er in de komende twintig tot vijftig jaar een medische verklaring zal worden gevonden voor Michaels genezing.'
Ze pakte Monica's hand en hield die een tijdje zachtjes vast. 'Monica, ik hoop dat je niet denk dat ik me ergens mee bemoei, maar ik voel heel sterk dat je in tweestrijd zit. Maar ik voel ook dat je op het punt staat te accepteren dat het mogelijk is dat zus-

ter Catherine haar invloed heeft aangewend en dat door haar toedoen ons enige kind nog bij ons is.'

59

Vol ongeloof en danig geschokt spelde Esther Chambers dat weekend alle kranten. Het feit dat Peter Gannon was gearresteerd wegens de moord op zijn ex-vriendin, kwam haar als absoluut ongelofelijk voor. Greg is degene met akelige trekjes, dacht ze. Van hem zou ik het wel geloven, maar van Peter nooit. En het feit dat Peter de vader bleek te zijn van een klein meisje, een meisje dat nu in het ziekenhuis lag en dat hij nog nooit had gezien, vond ze walgelijk.

Dat arme kind, dacht ze. Haar moeder is dood, haar vader zit in de gevangenis en als we de kranten mogen geloven is er niemand van de familie van haar moeder van plan haar op te nemen.

Gregs pr-afdeling had een boodschap naar buiten gebracht waarin stond dat de familie Gannon volledig achter Peter stond en ervan overtuigd was dat hij zou worden vrijgesproken. Dat hoop ik ook, dacht Esther. Peter geeft het geld van de Foundation wel uit als water, maar in de grond is hij een goed mens. Ik kan me zelfs in mijn vreemdste dromen niet voorstellen dat hij in staat is een vrouw te wurgen en haar vervolgens in een vuilniszak te proppen.

Die maandag ging ze expres heel vroeg naar haar werk, om al het geroddel van de andere werknemers te vermijden. Maar toen ze eenmaal achter haar bureau zat, merkte ze dat haar handen beefden. Ze wist dat Arthur Saling nu de waarschuwing zou hebben gelezen die ze hem had gestuurd. Zou Greg haar ervan verdenken? Als Saling besloot niet te investeren, zou Gregs kaartenhuis binnen een paar weken in elkaar storten.

Had ik wel het recht om dat briefje te schrijven? vroeg ze zichzelf af. Die mensen van de Securities & Exchange Commissie zouden waarschijnlijk woedend op me zijn als ze erachter kwamen. Maar Greg wilde Mr. Saling erin betrekken en Esther had medelijden met hem en zijn gezin. Als Saling wel investeert, zal zijn geld in rook zijn opgegaan op het moment dat de SEC het net om Greg heen sluit. Het is al erg genoeg voor al die mensen die alles zullen verliezen – ik kon gewoon niet toestaan dat er daar nog een bij kwam. Omdat ik het kon voorkomen, dacht ze.

Door de glazen deuren zag ze Greg aan komen lopen door het grote kantoor waar de rest van het personeel werkte. Help me, God, bad ze. Ik weet niet wat hij zou doen als Saling die brief aan hem laat zien en hij denkt dat die van mij afkomstig is.

Met een harde duw waardoor de deur letterlijk open vloog, kwam Greg binnen en liep meteen op Esthers bureau af. 'Ik neem aan dat je het nieuws in de kranten hebt gelezen en op de televisie gezien,' zei hij kortaf.

'Natuurlijk. Het spijt me ontzettend. En ik weet zeker dat het allemaal een vreselijke vergissing moet zijn.' Esther was blij dat het haar lukte om kalm en overtuigd te klinken.

'Er komen natuurlijk een hoop telefoontjes van de media. Verbind die maar door met Jason van de pr. Is die zijn salaris ook eens een keer waard.'

'Ja, meneer. Ik zal ervoor zorgen.'

'Ik ben niet beschikbaar voor telefoontjes. Al is het de paus die belt.'

Nou, die belt ú zeker niet, dacht Esther.

Greg Gannon liep in de richting van zijn privékantoor, maar bleef toen weer staan. 'Maar als Arthur Saling belt, kun je hem meteen doorverbinden. Ik verwacht hem later op de dag te spreken.'

Esther slikte. 'Natuurlijk, Mr. Gannon.'

'Goed.' Greg deed weer een paar stappen en bleef toen nog een keer stilstaan. 'Wacht even,' snauwde hij. 'Hadden wij voor mor-

genochtend geen fondsvergadering gepland met vertegenwoordigers van het Greenwich Hospital?'
'Ja, meneer. Om elf uur.'
'Zeg die maar af.'
'Mr. Gannon, als u mij toestaat een suggestie te doen: ik geloof niet dat dat een goed idee is. Ze zijn erg boos over het feit dat de som geld die hun is beloofd nog niet is overgemaakt. Ik denk dat het noodzakelijk is dat u hen geruststelt. Stel dat ze anders de pers erbij betrekken, dat zou alleen maar negatieve publiciteit geven. U kunt er nu niet nóg meer problemen bij hebben.'
Greg aarzelde even en zei toen: 'Zoals gewoonlijk heb je gelijk, Esther. Herinner Langdon en Hadley eraan dat ze er ook bij moeten zijn. En mijn broer kan natuurlijk niet.'
'Wilt u dat ik Mrs. Gannon er ook aan herinner, of doet u dat zelf, meneer?'
Tot haar verbazing zag ze Gregs gezicht vertrekken van woede. 'Mrs. Gannon heeft het erg druk,' snauwde hij. 'Ik betwijfel of ze kan.'
O, hemel, dacht Esther, terwijl ze Greg nakeek die met grote stappen in zijn kantoor verdween. Misschien is er wel iets waar van die roddel dat Pamela een vriendje heeft? Zou Greg dat hebben gehoord? Ik vraag me af wie die vent kan zijn?
En als het echt waar is, zal Pamela weinig uitstapjes naar Cartier meer maken.
Dan kan ze haar sieraden beter aanschaffen bij de discount om de hoek.

60

Na de lunch met Doug Langdon bij St. Regis, bracht dokter Clayton Hadley de rest van het weekend door in een staat van halve paniek. Het beeld van het kussen dat hij op Olivia Morrows gezicht had geduwd achtervolgde hem iedere minuut van de dag. Hoe heb ik mezelf in die situatie kunnen manoeuvreren? vroeg hij zich vertwijfeld af. Ik heb een prima praktijk en word goed betaald voor mijn werk bij de Foundation. En ik heb wérkelijk geld van het fonds in cardiologisch onderzoek gestoken. Dat is in ieder geval waar, als er ooit iemand gaat onderzoeken waar al dat Foundationgeld is gebleven...

Toen het geld van Alexander Gannons patenten nog binnenstroomde, was het een fluitje van een cent voor me om neponderzoeksinstituten op te zetten, die weinig meer inhielden dan een gehuurd kamertje plus een zogenaamde laborant, dacht Clay. Dat was Dougs idee. En nu heb ik een fortuin op een Zwitserse bank staan.

Daar zal ik een hoop aan hebben als ik word veroordeeld voor moord, dacht hij ironisch.

En hoe zit het met Doug? De laatste tien jaar, sinds we in de directie van de Foundation zitten, heeft hij relatief kleine bedragen naar waardevolle geestelijke gezondheidsprojecten gesluisd en een hoop geld gestoken in zogenaamde klinieken die niet meer dan een façade waren. Het geld stroomde daar net zo hard de achterdeur weer uit als het de voordeur was binnen gekomen. Rechtstreeks in de zakken van Doug.

Het interesseerde de Gannons geen zier, dacht Clay. Ze gaven hun goedkeuring aan ieder voorstel dat Doug of ik maar deden, omdat ze veel te druk waren met zelf het geld met bakken tegelijk uit het fonds te trekken om hun eigen extravagante leven in stand te kunnen houden. Zij gaven ons een stempel van goedkeuring en wij deden dat bij hen.

Toen stelde Doug Pamela acht jaar geleden aan Greg Gannon voor. Greg viel als een blok voor haar, scheidde van zijn vrouw en trouwde met Pamela. En maakte zijn echtgenote ook nog lid van de directie van de Foundation. Al die jaren heeft Pamela de steenrijke madam uitgehangen hier in Manhattan. En als Greg niet aanwezig kon zijn bij een van die vreselijke liefdadigheidsdiners, ging zij in zijn plaats.

Sinds hij met Pamela is getrouwd, zijn Gregs uitgaven werkelijk tot buitenproportionele hoogten gestegen, dacht Clay nerveus. En de laatste vier jaar zit Peter alleen maar op te scheppen over alle off-Broadway producties die het fonds heeft gesubsidieerd, terwijl hij het geld eigenlijk heeft gestort in zijn eigen musicals, die stuk voor stuk op een fiasco zijn uitgelopen.

Clay werd, terwijl hij in zijn appartement aan Gramercy Park rustig zijn krantje probeerde te lezen, geteisterd door dit soort gedachten. Hij was al jarenlang gescheiden, net zoals Doug, maar Clay was een graag geziene gast in het sociale leven van New York en zat nooit verlegen om vrouwelijk gezelschap. Zijn uitstekende manieren en de wijze waarop hij een aangenaam gesprek kon voeren, maakte hem tot een uitstekende gast, het soort gast dat een gastvrouw altijd graag als aanvulling op het gezelschap heeft. Anders dan Doug, die iedere keer weer een andere aantrekkelijke vrouw escorteerde, vond Clay zijn tegenwoordige manier van leven uiterst bevredigend. Het heeft me meer dan vijftig jaar gekost om te beseffen dat ik graag alleen ben, dacht hij.

Olivia Morrow. Ik heb verdomme zelfs het lef haar te missen. Olivia en ik waren vrienden. Ze vertrouwde mij. Hoe vaak zijn we wel niet met elkaar uit eten geweest of samen naar het theater gegaan? Ik heb haar zo verschrikkelijk lang gekend. Regina, haar moeder, was mijn patiënte. Spijtig dat Regina ons op haar sterfbed over Alex' kleinkind heeft verteld en Olivia dat dossier heeft gegeven. Had Olivia dat nou maar, samen met haar moeder, begraven... Had ze dat maar! Wat heeft het opgeleverd? Alleen maar zorgen voor haar.

Zóú ze het eigenlijk wel hebben vernietigd? Ja, ik weet bijna zeker van wel. In haar appartement was het nergens te vinden, en haar kluis bij de bank is in jaren niet open geweest. Als ze dat te-

lefoontje van Monica Farrell dinsdagnacht niet had gehad, was ze gewoon gestorven. Maar in plaats daarvan beschouwde Olivia dat bericht van Catherines kleindochter nota bene als een teken van Catherine zelf.
Nu Peter in alle kranten staat, zou het best kunnen dat de aandacht straks verschuift naar de Foundation. Als ze ooit beginnen te graven in de financiën, zijn we er gloeiend bij. Doug lijkt te denken dat Greg de boekhouding wel zó kan opstellen dat het lijkt of het door het huidige economische klimaat en een paar verkeerde beleggingen komt dat we de Foundation moeten beeindigen. Volgens hem zullen er niet al te veel vragen over worden gesteld. Maar daar ben ik helemaal niet zeker van. Ik denk dat ik maar het beste een hartkwaal kan diagnosticeren bij mezelf, mijn praktijk kan opheffen en dan zo snel mogelijk uit dit land moet zien te verdwijnen.
Na dat besluit voelde hij zich wat rustiger. Om zeven uur liet hij iets te eten komen uit het restaurant dat bij het luxueuze appartementengebouw hoorde waar hij woonde. Zoals altijd at hij met veel smaak en daarna lukte het hem om Olivia's gezicht uit zijn hoofd te zetten en viel hij in een diepe slaap.

Maandagochtend arriveerde Clay zoals gewoonlijk om halftien op zijn kantoor. Zijn secretaresse deelde hem mee dat ene Ms. Sophie Rutkowski had gebeld en dat ze over een kwartiertje zou terugbellen.
Sophie Rutkowski, dacht Clay. Wie is dat ook alweer? O ja, ik weet het: Olivia's schoonmaakster. Olivia heeft haar vijfduizend dollar nagelaten. Waarschijnlijk weet ze dat ze dat krijgt en wil ze weten wanneer het op haar rekening wordt gestort.
Maar toen Sophie voor de tweede keer belde, bleek het niet om het geld te gaan. 'Dokter Hadley,' begon ze op respectvolle toon. 'Hebt u soms de kussensloop met die bloedvlek van Ms. Morrow meegenomen uit haar appartement? Want als dat zo

is, zou ik die graag terugkrijgen van u, zodat ik hem kan wassen en de lakenset weer helemaal schoon en compleet in de kast kan leggen, zoals Ms. Morrow het altijd graag had. Kan dat, dokter?'

61

De kantoren van de prestigieuze bedrijfsjuridische firma waar Susan Gannon werkte, lagen op de tiende verdieping van het vroegere Pan Am Building op Park Avenue. Op de twaalfde verdieping huisde het al even prestigieuze advocatenkantoor van Harvey Roth, dat gespecialiseerd was in strafrecht. Als vluchtige kennissen kwamen ze elkaar wel eens tegen in de liften en dan maakten ze grapjes over het feit dat ze het gebouw waar ze allebei werkten nog altijd het Pan Am Building noemden, in plaats van het MetLife Building, zoals het tegenwoordig heette.

Voordat Susan Roth had ingehuurd om Peters verdediging op zich te nemen, was ze nauwgezet nagegaan wie de meest geschikte kandidaat voor die taak was. Vier van de vijf juristen die ze had geraadpleegd, hadden Harvey Roth aanbevolen. De vijfde had zichzelf de beste gevonden.

Maandag om twaalf uur hadden Susan en Harvey een afspraak in zijn kantoor. Nadat ze broodjes hadden besteld bij een delicatessenzaak in de buurt, gingen ze aan de tafel in zijn vergaderruimte zitten. 'Harvey, hoe kwam Peter op je over toen je hem afgelopen zaterdag hebt gezien?' begon Susan.

'Verdoofd. In shock. Verbijsterd. Ik kan nog wel even doorgaan, maar ik denk dat je wel begrijpt hoe hij eraan toe was,' antwoordde Harvey. 'Hij zegt dat hij nooit heeft geweten dat er een geheime la in zijn bureau zat. Ik heb de secretaresse van zijn broer er een uur geleden over gebeld.'

'Esther Chambers. Wat zei ze?'

‘Ook zíj wist niks van dat laatje. Ze kent de binnenhuisarchitect die het bureau heeft gekocht niet en ze heeft haar ook nooit ontmoet; ze controleerde en betaalde alleen de rekeningen, die volgens haar, ik citeer: “idioot hoog” waren.’

‘En heeft ze je de naam van die architect kunnen vertellen?’

‘Chambers kon die niet zo een, twee, drie uit haar mouw schudden, maar ze wist wel dat ze met pensioen is en de meeste tijd in Frankrijk zit. Ze zal het uitzoeken en contact met haar leggen. En ze beloofde verder alles te doen wat ze maar kon, om Peter te helpen.’

‘Ja, zo is ze, dat geloof ik zeker,’ zei Susan. ‘Harvey, zeg eens eerlijk, als Peters proces op dit moment zou beginnen, hoe staat hij er dan voor?’

‘Susan, ik denk dat je net zo goed weet als ik dat hij schuldig zou worden bevonden. Maar het proces begínt vandaag niet. Laten we eens bedenken welke positieve feiten we kunnen vinden. Peter is samen met René Carter op straat geweest. Hij zegt dat hij haar én het tasje met geld daar heeft achtergelaten. Maar zelfs als hij dat niet heeft gedaan, wat is er dan daarna gebeurd? Dat tasje moet aardig zwaar zijn geweest. Het is zeker dat hij niet tegelijkertijd met René Carter en dat geld over York Avenue heeft lopen slepen, want hoewel het er misschien niet druk was, zou hij dan toch zeker opgemerkt zijn.’

Susan knikte. ‘Als ik de politie was, zou ik nagaan of Peter misschien een taxi heeft genomen.’

‘Ik ben ervan overtuigd dat de politie dat zal doen,’ was Harvey het met haar eens. ‘Maar er rijden hier natuurlijk ook genoeg limousines zonder taxivergunning rond. Daar kan hij er een van hebben aangehouden, misschien zelfs samen met René in zijn gestapt. Of René heeft er zelf een genomen. Ons onderzoeksteam is ook bezig met een andere mogelijkheid: in het eetcafé waar René en Peter hadden afgesproken, zaten op die avond zo’n acht tot tien mensen aan de bar. Gisteravond hebben we de namen van alle vaste klanten gekregen en die zijn we nu aan het traceren. Als iemand doorhad dat er geld in dat tasje zat, is die persoon misschien wel achter René aan gegaan. Wie weet was het iemand die een auto vlakbij had staan en haar een lift aanbood. In Peters auto zijn in ieder geval geen sporen aangetroffen, trouwens. Ze hebben er geen bewijzen in aangetroffen dat René Carter daar, dood of levend, ooit in heeft gelegen of gezeten.

Harvey Roth wierp een blik op de slanke vrouw die tegenover hem aan de vergadertafel zat en ontdekte dat haar hazelnootkleurige ogen opeens vol hoop stonden. 'Susan,' zei hij haastig, 'vergeet niet dat er iemand kan komen opdagen die René met Peter achter haar aan in oostelijke richting heeft zien lopen.'

'Waarom zou ze eigenlijk in oostelijke richting gaan?' wilde Susan weten. 'Ze woonde op de West Side. En ze ging op dat uur natuurlijk niet in haar eentje, met een tas vol geld bij zich, een wandelingetje langs de rivier maken.'

Harvey Roth haalde zijn schouders op. 'We zijn op zoek naar de antwoorden,' reageerde hij vlak. 'En we zullen iedere steen omkeren. Zoals ik al tegen Peter heb gezegd toen ik hem zaterdag zag, brengt ons onderzoeksteam iedere bar in die omgeving een bezoekje om te horen of Peter daar misschien binnen is komen wankelen – en hopelijk in z'n eentje. Laten we duimen dat dat zo is. En nu moet ik weer aan het werk.'

Hij stond op en duwde het plastic bakje waarin zijn broodje had gelegen weer terug in het zakje. 'Dat was de lunch dan weer,' zei hij met een snelle glimlach.

Susan duwde haar broodje, waar ze maar een paar hapjes van had genomen, weer terug in het zakje en gooide dat, samen met haar lege koffiebekertje, in de prullenbak. Toen pakte ze haar handtas en een papieren boodschappentasje van de boekenwinkel Barnes& Noble op.

Op Harveys onuitgesproken vraag antwoordde ze met een wrange glimlach: 'Ik ga naar het ziekenhuis, naar Peters baby,' zei ze. 'Ik ben hier niet erg goed in, maar de verkoopster op de kinderafdeling heeft me ervan verzekerd dat dit een uitstekende keus is voor een kindje van negentien maanden. Je hoort wel van me of ze het bij het juiste eind had.'

62

Toen Ryan zaterdagmiddag na zijn bezoekje aan de O'Keefes thuiskwam, was hij toch nog half en half bevreesd dat hij Alice binnen zou aantreffen, omdat ze de een of andere reden zou hebben bedacht waardoor ze langer moest blijven. Maar ze was verdwenen. In een briefje dat op de tafel in de zitkamer lag, drong ze er bij hem op aan zichzelf de tijd te gunnen bij het vinden van een geschikt appartement om te huren of te kopen en schreef ze dat het nergens voor nodig was om een overhaast besluit te nemen, alleen maar omdat ze dan nog wat langer samen in één huis zouden wonen.

Alice eindigde haar briefje met de woorden: 'Ik zal je missen. Ik heb van ons samenwonen genoten.' En ondertekende met: 'Liefs, A.'

Met een vermoeide zucht keek Ryan de kamer rond. Alice had in de laatste week een deel van de meubels een andere plaats gegeven, zodat de twee clubfauteuils nu aan de andere kant van de bank stonden. Verder had ze de zware gordijnen opgebonden met een dik koord in een bijpassende kleur, waardoor de kamer opeens een stuk lichter was. En de boekenplanken rondom de open haard waren opgeruimd, zodat er nu weer keurige rijen stonden in plaats van de ongeordende stapeltjes. De kamer had duidelijk Alice' stempel en Ryan voelde zich er niet echt meer thuis.

Toen hij daarna zijn slaapkamer binnenliep, ontdekte hij tot zijn irritatie dat er nieuwe leeslampen op de nachtkastjes stonden en er een mooie bruin met beige sprei op het bed lag met erbij passende hoezen om de kussens. Er lag een briefje boven op het ladekastje. ‘Hoe heb je het in vredesnaam voor elkaar gekregen om bij dat licht te lezen? Mijn oma had ook van die zware oude quilts op het bed liggen. Ik heb de vrijheid genomen ze ergens op te bergen waar ze hopelijk nooit meer worden gevonden.’ Er stond geen naam onder het briefje, maar er was een karikatuur van Alice op getekend.

Nog kunstenares ook, dacht Ryan. Bewaar me.

Na de lange morgen waarin hij op appartementenjacht was geweest en de reis naar Mamaroneck daarna, had hij geen zin om er weer uit te gaan. Ik neem gewoon wat kaas en kijk wel wat ik verder nog kan vinden, besloot hij. Hij liep de keuken in en deed de koelkast open. Daar stond een ovenschaal met lasagne, met een briefje erop. ‘Veertig minuten opwarmen op 175 graden.’ Ernaast stond een schaaltje met groene salade met een briefje waarop stond dat hij de vers gemaakte knoflookdressing die erbij paste in de deur van de koelkast kon vinden.

Ik vraag me af of Alice altijd zo opdringerig is? Bij iedere man die ze ontmoet? Iemand zou haar eens moeten vertellen dat ze het beter wat rustiger aan kan doen.

Maar ik ga dit gegeven paard niet in de bek kijken, dacht hij. Ik heb honger en Alice is een goede kokkin. Hij warmde de lasagne op volgens de instructies en at die vervolgens met smaak, terwijl hij intussen de kranten bekeek.

In de auto op weg naar Mamaroneck had hij op de radio gehoord dat er voor het eerst weer nachtvorst werd verwacht die nacht. Toen hij met zijn tweede kop koffie de kamer in kwam, vond hij het er kil. Het hoge plafond zorgde ervoor dat de kou die buiten aan het opkomen was, binnen ook goed te voelen was. Een van de weinige moderne apparaten in het appartement was een gasgestookte open haard. Ryan drukte op de ‘aan’-knop en keek hoe de vlammen achter de glazen plaat hoog oplaaiden.

Zijn gedachten gingen naar zijn bezoekje aan de O'Keefes.
Monica heeft heel juist gehandeld, vond hij. Volgens Emily O'Keefe had ze meteen de diagnose bij Michael gesteld en hun totaal geen valse hoop gegeven. Ik heb ook geen verklaring voor die MRI's. Die kan niemand geven. De eerste onderzoeksuitslagen laten zien hoe vergevorderd de kanker al was. Michael was zo bang voor die MRI's dat de O'Keefes besloten hem die niet meer te laten ondergaan, omdat hij toch ten dode was opgeschreven. Dat besloot zijn vader tenminste. Zijn moeder vond dat hij geen MRI's nodig had, omdat hij aan de zorg van zuster Catherine was toevertrouwd.
Een jaar later kwamen ze opnieuw bij Monica, om haar te laten zien hoe goed het met Michael ging. Monica was verbijsterd dat hij er zo gezond uitzag. De ouders gaven haar toestemming om weer een MRI te maken en toen bleek de hele tumor verdwenen. Monica was verbijsterd, wat ik ook zou zijn geweest. In eerste instantie kon Michaels vader het ook niet geloven, maar later was hij werkelijk buiten zichzelf van vreugde. Michaels moeder had een dankgebed aan zuster Catherine gericht.
Ik heb de O'Keefes gezegd dat ik zou vragen of ik mocht getuigen bij die hoorzitting over de heiligverklaring en ook dat Michael wat mij betreft eerder van ouderdom zal sterven, dan aan een hersentumor. Want die is echt totaal verdwenen. Maandag zal ik meteen naar het kantoor van de bisschop bellen.
Na dat besluit startte Ryan zijn computer op. De appartementen die hij tot dan toe had gezien, waren niet naar zijn zin. Maar er zijn er nog genoeg die ik kan bekijken, dacht hij kalm. Het grootste probleem is dat ik iets zoek wat direct beschikbaar is.
Zondagmorgen ging hij op weg om de meest veelbelovende mogelijkheden te bekijken. En om vier uur die middag, net toen hij had besloten het tot het weekend daarop voor gezien te houden, vond hij precies wat hij voor ogen had: een ruim, smaakvol ingericht vierkamerappartement in SoHo, dat uit-

keek over de Hudsonrivier. De eigenaar was een fotograaf die voor een opdracht naar Europa moest en bood het hem voor een periode van zes maanden te huur aan. 'Geen dieren, geen kinderen,' eiste hij.

Geamuseerd door die volgorde van belangrijkheid, had Ryan gereageerd: 'Die heb ik geen van beiden, maar op een dag hoop ik toch wel. Hoewel ik kan garanderen dat die dag niet ergens in de komende paar maanden zal zijn.'

Tevreden dat hij algauw zijn eigen plek zou hebben, sliep hij die nacht uitstekend en was hij al de volgende ochtend om zeven uur in het ziekenhuis. Zijn operatieschema van die dag werd door elkaar gegooid door een spoedgeval: een jonge jogger was door een auto aangereden; de chauffeur had hem niet gezien omdat die had zitten sms'sen. Pas om kwart over zes die avond had hij de tijd om Monica's praktijk te bellen.

'O, nee, u hoeft zich geen zorgen te maken over het O'Keefe-dossier,' verzekerde Nan hem. 'Dokter Farrell heeft het me al laten ophalen in uw kantoor.'

'Waarom?' vroeg Ryan verbaasd. 'Ik was vast van plan het persoonlijk langs te komen brengen. Kan ik haar misschien aan de lijn krijgen?'

Door de ongemakkelijke stilte aan de andere kant van de lijn begreep hij dat Monica's receptioniste instructies had om te zeggen dat Monica er niet was.

'Ik ben bang dat ze al weg is, dokter,' zei Nan.

Op de achtergrond kon Ryan Monica echter duidelijk afscheid horen nemen van een patiënt. 'Zeg dan maar tegen dokter Farrell dat ze niet zo hard moet praten, als u moet liegen dat ze al weg is,' zei hij scherp en met een boze klik verbrak hij de verbinding.

63

Maandagochtend vertrok Monica uitzonderlijk vroeg naar het ziekenhuis, omdat ze wist dat ze barstensvol zat met afspraken. Toen ze in de praktijk aankwam, waren Nan en Alma er ook al, bezig met de voorbereidingen voor een drukke dag. Nans eerste vraag ging over Sally.

'Het gaat echt heel goed met haar,' antwoordde Monica dankbaar. 'Bijna té goed, zelfs. Ik kan geen reden aanvoeren om haar nog langer dan een paar dagen in het ziekenhuis te houden.'

'Geen familie die in het afgelopen weekend is komen opdagen?' vroeg Alma.

'Nee. En van wat ik uit de kranten begrijp is het, zelfs als hij uit de gevangenis zou komen, voor Peter Gannon verboden om zelfs maar bij haar in de buurt te komen. Niemand lijkt iets te weten over René Carters achtergrond, hoewel, om eerlijk te zijn denk ik dat Sally beter af is zonder die familie als ze net zo zijn als zij.'

Om tien uur, toen ze net de volgende patiënt binnen wilde roepen, belde Nan haar via de intercom. 'Dokter, kunt u alstublieft even naar uw kantoortje komen?'

Dat moest iets belangrijks zijn, dacht ze. Nan zou haar nooit zomaar roepen voor iemand die gewoon even langskwam. Ongerust holde Monica de gang door naar haar privékantoor. Daar trof ze twee mannen die op haar stonden te wachten.

'We zien dat u het erg druk hebt, dokter, dus houden we het kort,' zei de langste van de twee, terwijl hij de deur achter haar dichtdeed. 'Ik ben rechercheur Carl Forrest en dit is mijn partner, rechercheur Jim Whelan. We zijn tot de conclusie gekomen dat u afgelopen donderdagavond met opzet voor een bus bent geduwd. De beveiligingscamera's bij het ziekenhuis laten een man zien die u volgt, nadat u het ziekenhuis hebt verlaten. Die persoon heeft connecties met de maffia en we weten zeker dat híj degene is die u een duw heeft gegeven.'

‘Wie is dat dan?’ vroeg Monica verbijsterd. ‘En waarom zou hij het in vredesnaam op míj gemunt hebben?’
‘Zijn naam is Sammy Barber. Kent u hem, dokter?’
‘Nee.’
‘Dat verbaast me niets,’ reageerde Forrest. ‘Het is een huurmoordenaar. Hebt u enig idee waarom iemand u zou willen laten vermoorden of moedwillig kwaad zou willen berokkenen? Denkt u eens goed na. Hebt u bijvoorbeeld problemen gehad met een verkeerde diagnose, waardoor er misschien een kind is overleden?’
‘Absoluut niet!’
‘Bent u iemand geld schuldig, of is iemand ú geld schuldig?’
‘Nee. Niemand.’
‘Is er misschien een afgewezen geliefde? Is er zo iemand in uw leven?’
Forrest zag de aarzeling op Monica’s gezicht. ‘Er ís iemand, dokter Farrell, is het niet?’
‘Ja, maar dat is verleden tijd,’ protesteerde Monica.
‘Wie is degene over wie u het hebt?’
‘Dat kan ik u wel vertellen, maar verder onderzoek naar hem zal toch niets opleveren. En bovendien wil ik niet dat u zijn nieuwe baan in gevaar brengt, door de indruk te wekken dat hij een stalker is.’
‘Dokter Farrell, hoe komt het dat u suggereert dat de man een stalker is?’ vroeg Forrest meteen.
Kalm. Rustig blijven, hield Monica zichzelf voor. ‘De man over wie ik het heb was getrouwd met een goede vriendin van mij. En hij was ook mijn vaders juridische raadgever. Vlak voordat ik uit Boston wegging, werd hij verliefd op mij. Ik heb hem vier jaar niet gezien, maar hij is intussen gescheiden en kortgeleden naar Manhattan verhuisd. Hij wil me heel graag helpen bij het natrekken van de achtergrond van mijn vader. Die was geadopteerd, ziet u. Ik beschouw hem nu als een vriend, niets meer en niets minder.’

'En zijn naam is?'

'Scott Alterman.'

'Wanneer hebt u hem voor het laatst gezien?'

'Afgelopen donderdagavond. Hij had op de radio gehoord dat ik bijna was overreden door een bus en belde me op. Ik denk dat hij aan mijn stem hoorde dat ik nogal van streek was. Dus vroeg hij of hij naar me toe zou komen en is ongeveer een uur gebleven.'

'Hij kwam dus direct na het ongeluk?'

'Ja, maar u moet goed begrijpen dat Scott Alterman me nog in geen honderd jaar kwaad zou doen. Dat weet ik zeker.'

'Hebt u hem sinds donderdag nog gesproken?'

'Nee.'

'Waar woont hij?'

'In Manhattan. Op de West Side. Zijn adres weet ik niet.'

'Daar komen we wel achter. Weet u waar hij werkt?'

'Zoals ik al zei is Scott jurist. Hij is net begonnen bij een advocatenkantoor hier in New York. Zo'n kantoor met drie of vier namen… een van die namen is Armstrong, dat weet ik nog. Maar nu moet ik echt weer naar mijn patiënten toe,' zei Monica een beetje wanhopig. 'Maar hoe zit het met die Sammy Barber? Waar is die nu?'

'Hij woont op de Lower East Side en we hebben hem al geconfronteerd met het feit dat hij te zien is op de band van de beveiligingscamera van het ziekenhuis. Hij ontkent dat dat iets met u te maken heeft, maar we houden hem vierentwintig uur per dag in de gaten.'

Forrest stak zijn hand in zijn zak en haalde daar de politiefoto van Barber uit. 'Hier is zijn foto, zodat u weet hoe hij eruitziet. Hij weet dat we hem in de gaten houden, dus ik denk niet dat hij het nog een keer zal proberen. Maar dokter, wees alstublieft voorzichtig.'

'Ja, dat zal ik doen. Dank u wel.' Monica draaide zich om en liep haastig terug naar de onderzoekskamer, waar nu een baby'tje van zes maanden lag te gillen. Toen ze over Scott begonnen, ben ik gewoon vergeten het over die gieter te hebben die niet op z'n plek stond, dacht ze. Maar voordat ik dat aan iemand vertel, moet ik eerst aan Lucy vragen of zíj hem misschien heeft verschoven toen ze het plaatsje aanveegde.

Scott zou me echt nooit, maar dan ook nooit, kwaad willen doen, dacht ze. Toen schoot haar opeens die onrustbarende herinnering te binnen van het moment dat zij een taxi aanhield om naar Ryans appartement te gaan en hij opeens voor haar had gestaan.

Is het mogelijk, is het in de verste verte mogelijk, dat Scott nog altijd een obsessie voor mij heeft en in staat is iemand in te huren om me te vermoorden?

64

Maandagmiddag om twee uur belde Arthur Saling naar Greg Gannon en twintig minuten later arriveerde hij op Gannons kantoor. Esther probeerde niet te kijken naar het papier dat hij in zijn hand had, maar ze wist dat het de brief was die zij hem had gestuurd.

'Mr. Saling, prettig u weer te zien,' begon ze. 'Ik zal Mr. Gannon vertellen dat u er bent.'

Maar dat bleek niet nodig. De deur van Gregs kantoor ging al open en Greg kwam haastig met een verwelkomende glimlach op zijn gezicht en zijn hand uitgestoken op Saling af lopen. 'Arthur, wat ontzettend vervelend dat je een van die lasterbrieven hebt ontvangen die een vroegere werknemer van ons verstuurt. Heel hartelijk dank dat je die meebrengt. Er zijn meerdere cliënten die ze hebben ontvangen. Wij rapporteren alles aan de FBI. De man die ze verstuurt is helaas dement geworden en de politie staat op het punt om hem te arresteren.'

'Ik wil straks absoluut niet in een proces moeten getuigen,' zei Arthur Saling bevreesd.

'Nee, natuurlijk niet,' stemde Greg met hem in, terwijl hij zijn arm joviaal om Salings schouders sloeg. 'We hebben bewijzen genoeg en die gek kan niet anders dan bekennen. Hij is getrouwd en heeft een gezin. De FBI heeft me verteld dat hij waarschijnlijk voorwaardelijk vrij zal komen en onder gedwongen psychiatrische behandeling zal worden gesteld. Dat is voor zowel die arme vent als voor zijn gezin het beste.'

'Wat vriendelijk van je om zo te denken,' merkte Arthur Saling op. 'Ik weet niet of ík zo goedaardig zou reageren als iemand probeerde mijn goede naam kapot te maken.'

Met een zucht – deels van opluchting, deels uit medelijden met Arthur Saling – zag Esther de twee mannen in Greg Gannons privékantoor verdwijnen. Toen de deur achter hen dichtviel, wist Ester zeker dat Saling Greg zijn aandelenportefeuille zou toevertrouwen. Ik heb mijn best gedaan hem te waarschuwen, dacht ze. Meer kan ik niet doen.

Nerveus besefte Esther dat ze nauwelijks het eind van de maand kon afwachten – het moment waarop ze kon vertrekken. Natuurlijk kan de SEC al eerder een inval komen doen, dacht ze. En daar wil ik niet bij hoeven te zijn. Wat zou iedereen wel niet denken van Greg als hij hier met handboeien om wordt weggeleid? Mijn god, ik hoop dat dát me bespaard blijft!

Esther ging weer verder met waar ze mee bezig was geweest: het opsporen van Diana Blauvelt, de binnenhuisarchitect die vier jaar geleden de kantoren had ingericht. Het was al bijna een uur later, toen ze eindelijk haar telefoonnummer in Parijs te pakken had en het nummer intoetste. Er werd niet opgenomen, maar op het antwoordapparaat stond zowel in het Frans als in het Engels de vraag om een bericht achter te laten. Voorzichtig haar woorden kiezend, vroeg Esther Diana Blauvelt of zij zich kon herinneren of ze ooit aan Peter had verteld dat er een geheime lade in

zijn bureau zat. En ze vroeg ook of Diana zo spoedig mogelijk terug kon bellen.
Esther had de hoorn nog maar net neergelegd, of Greg Gannon en Arthur Saling kwamen Gregs kantoor uit lopen. Allebei de mannen glimlachten breed. 'Esther, heet onze nieuwe, uiterst belangrijke cliënt alsjeblieft van harte welkom,' zei Greg op joviale toon.
Esther keek Arthur Saling aan en forceerde een glimlach. Arme duivel, dacht ze, terwijl ze opstond en zijn uitgestoken hand schudde.
Op dat moment rinkelde de telefoon op haar bureau. Esther nam op. 'Is mijn man daar? Hij neemt zijn mobiele telefoon niet op.' Pamela Gannons stem klonk gespannen en een octaaf te hoog.
'Jij, hij is hier,' antwoordde Esther en keek Greg aan. 'Het is Mrs. Gannon, meneer.'
Greg stond achter Arthur Saling. Zijn stem klonk nog steeds vriendelijk, maar zijn gezicht stond opeens woedend toen hij antwoordde: 'Vraag mijn vrouw of ze even een moment heeft. Ik kom er zo aan.'
'Nooit de vrouwtjes laten wachten,' grapte Arthur Saling, terwijl Greg met hem mee naar de liften liep.
'Mrs. Gannon, hij heeft zo tijd voor u,' begon Esther, maar ze werd al meteen onderbroken. 'Verdomme, het maakt me geen reet uit of hij tijd voor me heeft of niet. Waar zijn mijn sieraden? Er ligt helemaal niets meer in de kluis hier. Waar is hij in godsnaam mee bezig?'
Voorzichtig, waarschuwde Esther zichzelf. 'Misschien heeft hij de juwelen gebruikt om de borgsom voor Peter te kunnen betalen?' vroeg ze.
'Die sieraden zijn van míj; hij heeft toch verdomme genoeg andere dingen die hij te gelde kan maken.' Pamela Gannon gilde nu hysterisch met overslaande stem.

'Mrs. Gannon, sorry, maar dat kan ik u niet vertellen.' Esther besefte dat ze klonk alsof ze om iets moest smeken.
'Nee, natuurlijk niet,' snauwde Pamela Gannon. 'Verbind me door.'
'Hij komt er zo aan.'
Greg kwam haastig het kantoor weer binnen, rukte de hoorn uit Esthers hand en snauwde er koud en woedend in: 'Ik heb die juwelen. En die zie je nooit meer terug, tenzij je mij een bevredigende uitleg kunt geven waarom je zaterdagmiddag met de een of andere vent in Southampton bent geweest. En die uitleg héb je niet, hè Pam? Het is maar dat je het weet: ik ben niet zo stom als je denkt.'
Hij gooide de haak erop en staarde Esther aan. 'Je weet dat ik altijd op mijn intuïtie afga,' zei hij. 'Jij hebt die brief verstuurd en dus kun je nu op staande voet vertrekken. Als spijtbetuiging moet je me vertellen of de SEC me op het spoor is.'
Esther stond op. 'Ik begrijp niet waarom u me dat vraagt, Mr. Gannon. Maar ik ben blij hier weg te kunnen. Mag ik nog één ding zeggen?' Ze keek hem recht aan. 'Het is verdomd jammer dat zowel u als uw broer nooit ook maar zal kunnen típpen aan de integere en fantastische persoonlijkheden van uw vader en uw oom. U maakt hun goede naam werkelijk te schande. En bedankt voor de laatste vijfendertig jaar. Saai zijn ze in ieder geval niet geweest.'

65

Maandagavond om halfzes werd Peter Gannon met een elektronische band om zijn pols weggeleid uit de Tombs en op borgtocht vrijgelaten. De borg werd gegarandeerd door Susan. Met Harvey Roth naast zich, kreeg Peter eerst uitgebreid alle regels te horen die met zijn voorlopige vrijlating gepaard gingen: hij mocht Manhattan niet verlaten zonder gerechtelijke toestemming en hij mocht niet op bezoek bij zijn dochtertje in het ziekenhuis.

Uiteindelijk stonden hij en Roth buiten. Peter ademde de kruidige herfstlucht van eind oktober diep in. 'Ik heb een auto hier,' vertelde Roth hem. 'Ik kan u thuis afzetten als u wilt. Ik denk dat u wel wat rust kunt gebruiken, na twee nachten in de Tombs, die vast niet bevorderlijk voor uw slaap zijn geweest.'

'Ik neem uw aanbod graag aan,' zei Peter zacht. 'Ik heb het gevoel dat dit een van de laatste enigszins aantrekkelijke opties zal blijken te zijn.'

Roths chauffeur reed de auto naast hen en de twee mannen stapten in. Peter wachtte tot ze op de West Side Highway waren, voordat hij zei: 'Ik ben er niet van overtuigd dat u de juiste advocaat voor mij bent. Ik heb iemand nodig die werkelijk gelooft dat ik géén moordenaar ben en ik heb sterk het gevoel dat u wel denkt dat ik het heb gedaan. Ik wil een advocaat die meer doet dan alleen naar de mazen in het gerechtelijke net kijken. Ik wil iemand die zijn uiterste best doet om mijn onschuld te bewijzen.'

'Ik prefereer het om mezelf niet te beschouwen als iemand die zich alleen maar bezighoudt met de mazen van het net,' merkte Harvey Roth kalm op.

'U weet wat ik bedoel. Ik kan gelukkig weer wat helderder denken. Wat zijn ze te weten gekomen van de kleren die ik aanhad op de avond van mijn afspraak met René? Zijn er bloedvlekken op gevonden? Of bijvoorbeeld DNA van haar?'

'De rechercheur die de zaak leidt, heeft me verteld dat er geen zichtbare bloedvlekken op de kleding zijn aangetroffen, maar het DNA kost meer tijd. Aan de andere kant hebt u verklaard dat u zich misselijk voelde toen u haar achterliet. Maar ik heb begrepen dat er geen spoor van het feit dat u die avond zou hebben overgegeven op uw kleding is gevonden.'

Peter lachte wrang. 'En daarmee zegt u dat ik een keurige dronkaard ben. Misschien is het wel zo gegaan: het eetcafé waar ik een afspraak met haar had is op York Avenue. Mijn kantoor is bijna drie kilometer daarvandaan. Misschien ben ik wel rechtstreeks daarheen gelopen en daar volkomen lam op de bank gaan liggen? Is dat zo'n vreemd idee?'

'Mr. Gannon, het is heel spijtig dat het gebouw waarin uw kantoor is gevestigd niet beschikt over werkende beveiligingscamera's die dat scenario kunnen bevestigen,' zei Roth. 'De camera's functioneren daar blijkbaar al een hele tijd niet meer.'

'Het gebouw waar mijn huidige kantoor is gevestigd, is inderdaad een puinhoop,' beaamde Peter.

'Desondanks,' vervolgde Roth, 'is er een sleutel van de buitendeur nodig om er binnen te kunnen komen, en daarbij ook een sleutel van uw kantoor. Suggereert u nu dat u rechtstreeks naar uw kantoor bent gegaan en dat er, terwijl u bewusteloos op de bank lag, iemand is binnengekomen en het geld in uw bureau heeft verborgen? Probeert u me dat te vertellen? Is dat niet een beetje vergezocht?'

'Mr. Roth, de bank waarop ik lag te slapen staat in de receptieruimte en mijn kantoor is in de kamer ernaast. Er bestaat een aparte ingang naar mijn kantoor, zodat ik daar naar binnen kan zonder dat ik langs de receptie en iedereen die daar zit te wachten, hoef.'

'Peter, we kunnen elkaar beter bij de voornaam noemen, want we zullen nog heel veel tijd met elkaar door gaan brengen. Laten we daar niets van verknoeien door ons vast te klampen aan strohalmen. Wie heeft er nog meer een sleutel van het gebouw waar uw kantoor is gevestigd, zowel van uw gehele kantoorruimte als van uw privékantoortje?'

'Ik ben slordig, dat zal Susan bevestigen. Ik ben een van die mensen die hun sleutels altijd kwijt zijn.'

'Peter, er zijn veel mensen nonchalant met hun sleutels. Maar de meesten van hen hebben niet ook een papieren tasje met daarin honderdduizend dollar bij zich, dat ze in jouw kantoor achterlaten. Om het nog maar niet te hebben over het feit dat het geld ook nog was verborgen in de geheime lade in je bureau.'

Plotseling zag Roth, zelfs nu het intussen halfdonker was, de uitdrukking op Peters gezicht veranderen. 'Peter,' vroeg hij dringend. 'Kun je iemand bedenken die toegang had tot je reservesleutels en ook kan hebben geweten dat er honderdduizend dollar in dat tasje zat?'

Peter gaf geen antwoord. Hij keek uit het raampje van de auto, die zich langzaam door het drukke avondverkeer wurmde. 'Daar moet ik over nadenken,' zei hij. Hij kon het nog niet over zijn hart krijgen om de naam van degene te noemen waarvan hij plotseling bijna zeker wist dat híj degene was geweest die het geld in de la van zijn bureau had verstopt.

Ik begin het me te herinneren, dacht hij. De auto die aan de andere kant van de straat stond geparkeerd toen René me die klap gaf. Die kwam me bekend voor. En zij zou het hebben geaccepteerd als hij haar een lift aanbood. Als hij vermoedde dat ze het wist, heeft hij haar misschien wel beloofd dik te betalen als ze haar mond hield over zijn transacties met voorkennis.

Mijn broer. Greg.

66

'O ja, dokter Monica,' zei Nan Rhodes. 'Sophie Rutkowski heeft vanmorgen gebeld. Ze wilde niet zeggen waarover, maar ze klonk van streek. Ik heb haar beloofd dat u terug zou bellen zodra u hier klaar was.'

'Dat zal ik dan nog even doen. Ga jij maar vast, Nan. Het is een drukke dag geweest,' antwoordde Monica. Even daarvoor had Nan Ryans boodschap aan haar overgebracht: 'Zeg dan maar tegen dokter Farrell dat ze niet zo hard moet...' Ze voelde zich vreselijk gespannen en vernederd, maar ze wist niet of ze wel aan Nan wilde toevertrouwen waarom ze Jenners telefoontjes niet aannam.

Nan wilde protesteren, maar toen ze de uitdrukking op Monica's gezicht zag, leek het haar beter om de dokter alleen te laten. Ze heeft tijd voor zichzelf nodig, dacht Nan. Die ochtend had ze meteen nadat de twee rechercheurs weg waren, John Hartman gebeld, om te vragen of hij wist waarom die twee waren geweest. Ze had hem het hele weekend niet gezien omdat hij in Philadelphia was geweest, op bezoek bij een oude vriend, die ook een gepensioneerde rechercheur was.

Hartman had Nan verteld dat hij aan zijn vroegere partner, rechercheur Carl Forrest, had gesuggereerd de beveiligingsbanden van de camera's bij het ziekenhuis na te gaan en daarop hadden ze gezien dat Sammy Barber uit zijn auto stapte en Monica achtervolgde. Hartman had geprobeerd de gealarmeerde Nan te kalmeren door te zeggen dat ze Sammy waarschijnlijk voldoende hadden afgeschrikt zodat hij niet nog eens een poging zou wagen.

'John, vertel je me nou dat ze die Barber dankzij jou hebben getraceerd?'

'Nee, daar zouden ze waarschijnlijk zelf ook wel opgekomen zijn,' reageerde Hartman. 'Maar Nan, het is natuurlijk zo dat jij op z'n minst acht uur per dag bij dokter Farrell aan het werk bent. Vijf dagen in de week en af en toe ook op zaterdag. Jij kunt in ieder geval in de gaten houden of er iemand in haar buurt is die een gevaar voor haar zou kunnen betekenen.'

Hartman had voorgesteld om samen ergens een hapje te gaan eten 'als het niet een van je avondjes bij Jimmy Neary's is met je zussen'.

Het was een uitnodiging waar Nan op had gehoopt en die ze ook wel een beetje had verwacht. Hoewel ze nu liever niet wegging bij Monica, wilde ze ook graag naar huis om zich nog wat op te frissen voordat John haar kwam halen.

'Goed dan. Tot morgenochtend, dokter Monica,' zei ze. En bijna had ze eraan toegevoegd: Denk eraan de deur op dubbel slot te doen, maar ze klemde haar lippen op elkaar. Wat haar veiligheid betreft heeft ze vast al genoeg adviezen van die twee rechercheurs gehad, besloot ze.

Alleen in de plotseling doodstille praktijkruimte, waar de telefoons niet meer rinkelden en de kleine kinderen niet meer door de wachtruimte holden, liep Monica terug naar haar privékantoortje, zeeg daar op haar stoel neer en legde haar kin in haar handen.

De impact van het verhaal van de rechercheurs dat een huurmoordenaar had geprobeerd haar te doden, begon steeds dieper tot haar door te dringen. Het móét Scott wel zijn die hierachter zit, dacht ze. Wie anders zou erop uit kunnen zijn mij iets aan te doen? Hij belde me nog maar een paar minuten nadat ik thuis was donderdag. En ik ben een idioot geweest dat ik hem zomaar naar mijn appartement heb laten komen. Misschien mag ik wel van geluk spreken dat hij me toen niets heeft aangedaan. Ik wist toch dat hij geobsedeerd door mij was na papa's dood. Toen belde hij me minstens twintig keer per dag en achtervolgde hij me zelfs op straat...

Vanwege hem heb ik die baan in Boston niet aangenomen. Ik móést bij hem uit de buurt zien te komen. Eigenlijk heeft hij natuurlijk psychiatrische hulp nodig. Maar ik weet één ding zeker: hij verjaagt me niet ook nog een keer uit New York. Ik hou van het ziekenhuis, heb hier een goede praktijk en een hoop vrienden en vriendinnen.

Onvermijdelijk gingen haar gedachten naar de situatie met Ryan Jenner. Waarom heb ik nou zoiets stoms gedaan en Nan gevraagd voor me te liegen tegen Ryan? Ik gedraag me als een afgewezen vriendinnetje, terwijl ik nog niet eens een afspraakje met hem heb gehad. Ik ben ervan overtuigd dat hij heeft begrepen dat ik geen geroddel over ons wil in het ziekenhuis. En ik weet zeker dat hij dat ook niet wil als hij er goed over nadenkt.

Ik heb twee telefoonnummers van hem: zijn thuisnummer en zijn mobiele. Morgen bel ik hem om mijn excuses aan te bieden. Ik zeg gewoon dat ik me zorgen maakte om het geroddel, maar dat ik niet onbeleefd tegen hem had mogen zijn. Daar zal hij vast fatsoenlijker op reageren dan ik me heb gedragen en daarmee is de kous dan af...

Monica slaakte een diepe zucht en voelde in haar zak naar het papiertje dat Nan haar had gegeven met Sophie Rutkowski's nummer erop. Nan had gezegd dat Sophie zenuwachtig en van streek had geklonken. Ze toetste het nummer in. Durf ik te hopen dat ze zich misschien iets heeft herinnerd over Olivia Morrow, wat me zou helpen bij het zoeken naar mijn grootouders? Nee, ik weet best dat dat niet zo is...

Sophie nam al bij de eerste keer overgaan op. De spanning was duidelijk in haar stem te horen, zelfs al bij het ene woordje 'hallo'.

'Sophie, je spreekt met dokter Farrell. Is er iets aan de hand?'

'Dokter, ik voel me een dief. Ik weet niet wat ik moet doen.'

'Sophie, wat je me ook gaat vertellen, ik weet zeker dat je geen dief bent,' zei Monica overtuigd. 'Wat is er aan de hand?'

'Op zaterdagmiddag maak ik een ander appartement in het Schwab House schoon en toen ik daar klaar was, besloot ik nog even naar Ms. Morrows appartement te gaan om dat op te ruimen. Ik heb een sleutel natuurlijk. Ik weet dat er allerlei mensen zullen komen kijken, die het misschien willen kopen en er komen natuurlijk ook mensen die belangstelling hebben voor haar meubels en zo... en ik wilde niet dat ze dan een onopgemaakt bed en een kussensloop met bloed erop zouden tegenkomen.'

'Dat is heel aardig van je, Sophie,' verzekerde Monica haar. 'Als je die kussensloop hebt meegenomen om te wassen, denkt toch niemand dat je die hebt gestólen.'

‘Dokter, dat bedoel ik niet. De kussensloop is wég. Vanmorgen heb ik dokter Hadley gebeld om te vragen of híj die sloop misschien had meegenomen.’

Monica kreeg het opeens koud. ‘En wat zei hij?’

‘Hij werd woedend. Hij zei dat ik het recht niet had om in het appartement te gaan rondneuzen en dat ik de sleutel bij de conciërge moest inleveren. Als ik ooit nog eens zou proberen het appartement van Ms. Morrow binnen te gaan, zou hij me laten oppakken voor inbraak.’

‘En heeft hij je nog gezegd of hij die kussensloop had meegenomen of niet?’ vroeg Monica, terwijl ze in haar verbeelding het gezicht van de overleden Olivia Morrow weer voor zich zag, met haar stukgebeten onderlip.

‘Nee, dat is juist het probleem. Als híj die sloop niet heeft meegenomen, heeft iemand anders het gedaan. En als er nog andere dingen worden vermist, zullen ze míj daar de schuld van geven dokter, en ik maak me zo’n zorgen. Ik ben alleen naar binnen gegaan omdat ik alles netjes wilde hebben in hèt huis van Ms. Morrow. En ik heb ook iets meegenomen en nou heb ik de sleutel al ingeleverd en nou weet ik niet meer wat ik moet doen.’

‘Wat heb je dan meegenomen, Sophia?’

‘Het kussen met bloed erop, waar die roze sloop omheen zat. Ik weet dat Ms. Morrow niet zou willen dat iemand dat kussen ziet. Bloed gaat nooit helemaal uit de tijk van een kussen.’

‘Sophie,’ vroeg Monica snel, ‘heb je dat kussen weggegooid?’

‘Nee, ik heb het mee naar huis genomen, dokter.’

‘Luister Sophie, dit is heel belangrijk: stop dat kussen in een plastic zak en verstop die. Vertel aan niemand dat je het kussen hebt meegenomen en al helemaal niet aan dokter Hadley. Nee, ik weet het nog beter gemaakt: geef me je adres maar, dan neem ik meteen een taxi naar je appartement en kom ik het bij je ophalen.’

‘Dokter, wat moet u nou met een kussen met een vlek erin?’ protesteerde Sophie.

‘Sophie, daar kan ik je nu echt nog geen antwoord op geven. Het is iets wat ik eerst zelf nog moet zien uit te puzzelen, maar vertrouw me alsjeblieft.’

‘Natuurlijk, dokter. Hebt u een pen bij de hand? Dan geef ik u mijn adres.’

Anderhalf uur later stond Monica met het bevlekte kussen in haar gehandschoende handen bij haar eigen bed. Ze hield het boven de twee kussens die ze had neergelegd op precies dezelfde manier als ze onder Olivia Morrows hoofd hadden gelegen.

Ben ik nou gek? vroeg ze zich af, of is het echt waar dat er maar één manier is waarop die vlek op die plek terechtgekomen kan zijn? Maar waarom zou iemand een kussen op het gezicht van een stervende vrouw drukken om haar te laten stikken?

Monica liet het kussen terug in de grote plastic zak glijden. Ik moet hier met John Hartman, die vriend van Nan, over praten, besloot ze. Hij weet wel wat ik moet doen. Misschien is er wel een inbreker het appartement van Olivia Morrow binnengedrongen en is ze daar wakker door geworden? Maar waarom is dokter Hadley dan zo woedend op Sophie? Hij zou toch eigenlijk de eerste moeten zijn om het uit te zoeken, als het lijkt alsof er iets niet klopt...

Ik neem dat kussen morgen mee naar de praktijk en dan vraag ik Nan of ze Hartman wil vragen of hij na het werk misschien daarheen zou willen komen. Dan kan ik het met hem bespreken, dacht ze.

Toen ze dat eenmaal had bedacht, besloot Monica ook maar meteen haar excuses aan Ryan te maken. Ze toetste het nummer van zijn vaste lijn in en hoorde zijn stem zeggen: ‘Sorry dat ik uw telefoontje niet kan beantwoorden. Laat alstublieft uw nummer achter, dan bel ik u terug.’

Ik bied geen excuses aan via de voicemail, dacht ze. Hij zal wel uit eten zijn met zijn vriendin, dus bel ik hem nu niet mobiel. O, nou ja. Ze liep de keuken in, deed de koelkast open en ontdekte tot haar teleurstelling dat ze hoogstens een omelet zou kunnen fabriceren, omdat ze dat weekend niet de tijd had gehad om boodschappen te doen

Toen werd ze opeens besprongen door een angstwekkende gedachte. De plafondlamp in de keuken was aan, wat betekende dat iedereen die haar zou willen begluren, haar door de bovenste ruitjes van de deur zou kunnen zien. Ik moet er een rolgordijntje voor aanschaffen, dacht ze, maar tot die tijd span ik er wel iets anders voor. Met een gevoel alsof er gevaar dreigde, liep ze snel naar de woonkamer en pakte daar de plaid van de bank.

Terwijl ze ermee terug naar de keuken liep, herinnerde ze zich hoe zorgzaam Scott Alterman die plaid over haar heen had gelegd, nadat hij meteen naar haar toe was gekomen en haar bevend en koud had aangetroffen na haar ontsnapping aan de dood.

67

Dinsdagochtend zat Tony Garcia vol verwachting in de wachtkamer bij dokter Clayton Hadley. Gisteren toen ik belde, had hij niet aardiger kunnen reageren, dacht Tony. Ik vertelde dat ik graag Ms. Morrows auto zou overnemen en hij vroeg of ik wist dat die al tien jaar oud was. En toen ik hem aanbood er de dagwaarde in contanten voor te betalen, zei hij dat dat prima was.

'De dokter komt er zo aan, meneer,' zei de receptioniste met een vriendelijke glimlach naar de jonge man in chauffeursuniform, die zich duidelijk niet op zijn gemak voelde nu hij, samen met een duur gekleed stel, in de wachtkamer op de dokter zat te wachten.

'Dank u wel,' zei Tony. Ik kan nog steeds niet geloven dat ik zo veel geluk heb, peinsde hij verder. Toen ik de dokter gisteren vroeg of ik de auto misschien meteen zou mogen ophalen, zelfs voordat het kentekenbewijs was overgeschreven, had ik nooit gedacht dat hij daarmee akkoord zou gaan. Ik denk dat hij dat wel deed, omdat ik hem heb uitgelegd dat mijn gezin en ik bijna een dodelijk ongeluk hadden gehad, omdat onze oude auto er opeens mee ophield. En hij zei natuurlijk ook dat het bijna het eind van de maand is en het geen zin heeft om geld van de erfenis weg te gooien aan de huur voor een parkeerplaats onder het Schwab House.

'U kunt naar binnen, Mr. Garcia,' zei de receptioniste. 'De dokter ontvangt u in de tweede kamer rechts.'

Tony sprong op. 'O, dank u,' zei hij, terwijl de receptioniste het stel in de wachtkamer verzekerde dat het maar een paar minuten zou duren.

Haastig liep Tony de gang in en klopte op de tweede deur rechts, waarna hij de spreekkamer van dokter Hadley binnenliep. Hij is nogal dik voor een cardioloog, schoot het door zijn hoofd, maar die gedachte verdween meteen weer. 'Dokter Hadley, heel erg bedankt. Dit betekent heel veel voor mij en mijn gezin. Ik kan u niet vertellen hoe erg ik ben geschrokken toen mijn oude auto opeens midden op de snelweg bleef stilstaan. Maar ik zal u niet ophouden. Ik heb het geld in contanten bij me. Mijn zwager heeft het me geleend. Dat is een geweldige vent.'

Na het telefoontje van Sophie Rutkowski de dag ervoor, was Clay Hadley vreselijk bang geworden. Ik raakte in paniek, dacht hij. Ik had natuurlijk gewoon moeten zeggen dat die sloop bij de wasserij lag. Zou ze die bloedvlek op het kussen zélf hebben opgemerkt? Maar dat kan ik haar natuurlijk niet vragen, dan vestig ik er alleen de aandacht maar op.

Neem die verdomde auto mee, dacht hij ongeduldig, terwijl hij Tony met een geforceerde glimlach aankeek, terwijl die hem zes pakjes van tien honderdjes, die bijeengebonden waren met elastiekjes, overhandigde. 'Zesduizend precies,' zei hij. 'En dokter, ik kan u niet zeggen hoe dankbaar we zijn dat ik de auto meteen mee mag nemen. Mijn vrouw Rosalies oma woont in New Jersey en ze kijkt altijd zo uit naar Rosalies bezoekjes. Zonder een auto zou ze er niet heen kunnen.'

Clay Hadley stak zijn hand op. 'Tony, ik heb je telefoonnummer en ik bel je als we het papierwerk in orde kunnen maken. Mijn secretaresse heeft de garage al gebeld en ze verwachten dat je vanochtend de auto komt ophalen. Ze hebben er nog even in gekeken, maar er lag niets persoonlijks meer in. En de verzekeringspapieren en het kentekenbewijs liggen in het handschoenenkastje. Natuurlijk moet je zelf de verzekering en het kenteken regelen als wij de auto officieel aan je overdoen. Hier is een reçu van je betaling.'

'Dank u wel, dokter. Heel hartelijk bedankt.' Tony liep het kantoortje uit, maar voor de receptiebalie aarzelde hij even en draaide zich toen weer om. Ik vraag me af of die tas van Ms. Morrow er nog in ligt, die ik onder de plaid in de achterbak heb gelegd? Ik heb hem helemaal naar achteren geschoven, dus misschien heeft het personeel van de garage die niet gezien. Ik kan dat maar beter even tegen de dokter zeggen...

Maar de receptioniste had gezien dat hij zich omdraaide. 'Mr. Garcia,' zei ze vastberaden. 'Ik ben bang dat ik de patiënten niet langer kan laten wachten. De dokter is al op weg naar de onderzoekskamer.'

In verlegenheid gebracht, draaide Tony zich om. 'Natuurlijk. Het spijt me.' Terwijl hij de receptie uit liep bedacht hij dat hij die envelop – stel dat die er nog lag – net zo goed over de post naar dokter Hadley kon sturen.

Ik had ook beter moeten weten dan hem nu nog een keer lastig te willen vallen.

68

Dinsdagochtend zaten de rechercheurs Barry Tucker en Dennis Flynn aan de koffie in het kantoor van hun baas, Jack Stanton. Ze namen de zaak nog eens met hem door. Sinds het dode lichaam van René Carter was gevonden, waren er vijf dagen verstreken.

‘Er klopt gewoon iets niet,’ vertelde Tucker zijn baas. ‘Gannon had het motief, de kans en een uiterst goed uitkomende blackout. Om de honderdduizend dollar in zijn bureaula nog niet eens te noemen.’

‘Wat klopt er dan niet?’ vroeg Stanton.

‘We hebben drie van de gasten kunnen traceren uit het eetcafé waar Gannon en Carter hadden afgesproken. Twee van hen weten dat ze ruzie zaten te maken, maar niet waarover dat ging. Allebei hebben ze Carter zien vertrekken, met Gannon vlak achter haar aan.’

‘De derde vent die we hebben gesproken is de belangrijkste,’ zei Dennis Flynn. ‘Hij beweert dat hij minder dan een minuut later wegging uit het eetcafé en dat hij een man van wie hij vrij zeker is dat het Gannon was, in zijn eentje York Avenue af zag lopen.’

‘En dat klopt weer met wat Gannon beweert,’ zei Tucker. ‘Die vent uit de bar zweert dat Carter nergens te bekennen was en dat ze daar dus al weg moet zijn geweest.’

‘En hoe betrouwbaar is die getuige?’ wilde Stanton weten.

‘Hij is ingenieur. Een vaste klant van één drankje per avond. Geen connecties met de betrokkenen in deze zaak. Geen verborgen wrok of iets dergelijks. Zelfs al weet hij niet voor honderd procent zeker dat het Gannon was die hij heeft gezien, dan zou het bij een eventueel proces voldoende zijn voor gerede twijfel.’

Barry Tucker staarde naar zijn koffiekop en wou maar dat hij er niet zoveel suiker in had gedaan. ‘Als die vent het bij het rechte eind heeft, moet Carter in een auto zijn gestapt,’ vervolgde hij.

'Maar wat voor auto? Van wie? Peter Gannons BMW is de garage niet uit geweest deze week. We hebben de rapporten van de garage over de in- en uitgaande auto's gecheckt. En bovendien hebben we die auto minutieus doorzocht. Geen spoor van Carter. Ze heeft nooit in die auto gezeten.'
'Zij had natuurlijk dat tasje en dat moet vrij zwaar geweest zijn,' merkte Flynn op. 'Dus waarschijnlijk is ze in een taxi of een van die rondrijdende illegale taxilimo's gestapt, als Gannon inderdaad was weggelopen. We hebben alle reguliere taxi's gecheckt, maar daar heeft ze er geen van genomen. Misschien is ze in een van die limo's gestapt. En wat denk je dat de chauffeur daarvan voor indruk van haar kreeg? Een knappe, duur geklede stoot, die volgens de oppas ook nogal wat juwelen droeg. Dus we kunnen wel raden wat er daarna misschien is gebeurd...'
'Haar sieraden en haar handtas waren verdwenen. Laten we er eens van uitgaan dat die onbekende limochauffeur haar heeft vermoord,' stelde Tucker. 'Waarom gaat hij dan naar Gannons kantoor en verstopt hij al dat geld? Waarom zou hij dat geld terugbrengen? En hoe zou hij sowieso al in het kantoor binnen kunnen komen? En waar verstopt hij haar lichaam voor meer dan vierentwintig uur, voordat hij het in een vuilniszak propt en onder een bankje legt? Dat is allemaal totaal niet logisch.'
Stanton leunde naar achteren in zijn stoel. 'Laten we het volgende scenario eens proberen: Iemand stond in de buurt van het café geparkeerd, omdat hij wist dat Gannon en Carter daar een afspraak hadden. Nadat Gannon was weg gezwalkt, bood die man Carter een lift aan. Carter was niet dom en zou waarschijnlijk nooit in een auto zijn gestapt bij iemand die ze niet kende – behalve dan misschien in zo'n rondrijdende limo.'
Tucker knikte. 'In die lijn zat ik ook te denken en daarbij komt nog dat Peter Gannons vingerafdrukken volop op het geld en het papieren tasje te vinden waren, maar dat er geen enkele op het geheime laatje van het bureau zat. Was hij zo dronken, of zo

slim, dat hij handschoenen heeft aangedaan om het geld te verstoppen, maar stom genoeg om dat tasje gewoon in de prullenbak te gooien, waar het voor iedereen zichtbaar was?'

Tuckers telefoon ging en hij keek wie hem belde. 'Het is het laboratorium,' zei hij, terwijl hij opnam. 'En? O... ja, en bedankt dat je dat zo snel hebt gedaan.' Hij klapte de telefoon dicht. 'Het lab is klaar met de kleren die Gannon die avond aanhad en de kleding waar René Carter in is gevonden. Geen spoor van Carters bloed, haar, of iets anders op de kleding van Gannon. En omgekeerd.'

Stanton had het dossier van Gannon uitgebreid doorgenomen, voordat Tucker en Flynn naar zijn kantoor waren gekomen. Hij bladerde naar een bepaalde bladzijde en las die nog eens over. 'Volgens de verklaring die Peter Gannon heeft afgelegd, had hij slechts een paar dagen daarvoor om een lening van een miljoen dollar gevraagd aan de Gannon Foundation om René Carter te kunnen betalen, maar alles wat de directieleden hem konden toekennen was honderdduizend dollar. Dat betekent dus dat die directieleden iets hebben af geweten van René en haar eisen. En we weten allemaal dat dat soort familieondernemingen vaak nogal vaag in elkaar zit. Ik stel voor dat jullie volgende stap is om die directieleden eens aan de tand te voelen, om te kijken wat je daaruit voor informatie kunt opdoen.'

Tucker stond op, knikte en rekte zich uit. 'Ik begin zo langzamerhand te denken dat ik beter een baan kan aanvaarden bij het kantoor dat Gannon verdedigt,' merkte hij op. 'Want ik heb sterk het gevoel dat we dat op dit moment aan het doen zijn.'

Terwijl hij en Flynn door het grote, rommelige kantoor naar hun eigen bureau liepen, kwamen ze een jonge rechercheur tegen. 'Barry, je zag er heel goed uit op pagina drie van het *News*,' zei hij. 'Mijn vriendin vond die scheve lach van je heel aantrekkelijk.'

'Ja, dat vind mijn vrouw ook,' pareerde Barry. 'Maar zoals het er nu uitziet, zal ze voorlopig niet de kans krijgen ervan te genieten.'

69

Geestelijk en lichamelijk uitgeput, sliep Peter Gannon die maandagnacht als een blok. Dinsdagochtend werd hij voor het eerst in dagen fris en helder wakker, nam een douche, schoor zich, trok een kakikleurige broek aan en zocht in zijn kast naar een trui met lange mouwen, waarvan hij hoopte dat die de elektronische armband zouden verhullen.

Hongerig maakte hij roerei met bacon en toast klaar en zette hij koffie. Voordat hij ging zitten, deed hij de voordeur van zijn appartement open om de kranten te pakken, die normaal rond zeven uur werden afgeleverd. Maar ze lagen niet voor zijn deur en Peter belde de conciërge om te vragen waarom ze niet waren afgeleverd.

'O, Mr. Gannon, we wisten niet dat u alweer thuis was.'

Je bedoelt dat je niet wist dat ik uit de gevangenis ben vrijgelaten, dacht Peter.

'We laten ze meteen naar boven brengen, meneer.'

Wat zou er vandaag over mij in staan? vroeg Peter zich af. Maar toen de kranten werden gebracht en hij de banderol van *The Post* afhaalde, bleek de totale voorpagina ingenomen te worden door een enorme foto van een ernstig klein meisje dat rechtop in haar bedje stond. PETER GANNONS IN DE STEEK GELATEN LIEFDESBABY stond erboven.

Peter liet zich in een stoel zakken en bleef een hele tijd naar de foto zitten staren. De grote ernstige ogen van zijn dochter leken hem beschuldigend aan te kijken. Hij dwong zichzelf om het artikel dat bij de foto hoorde te lezen. Het berichtte in smeuïge details over de vondst van Renés lichaam, zijn arrestatie, het feit dat René waarschijnlijk geen familie had en dat er al tientallen telefoontjes waren geweest van mensen die smeekten om de kleine Sally te mogen adopteren.

'Ze krijgen haar niet!' zei Peter hardop, terwijl hij de krant op tafel gooide. 'Niemand krijgt haar!' Er was maar één persoon die hij om hulp kon vragen. Hij toetste het nummer van Susans mobiele telefoon in en bereikte haar op haar kantoor. 'Susan, heb je die foto van de baby gezien op de voorpagina van *The Post*?'

'Ja, en dat niet alleen,' zei ze zacht. 'Ik ben ook bij haar op bezoek geweest. Peter, ik moet nu een vergadering in, maar daarna kan ik naar je appartement toe komen. Ik moet je spreken.'

Terwijl hij op haar wachtte, ging Peter verder met de taak waarmee hij bezig was geweest toen hij werd gearresteerd. Hij legde alle spullen uit de laden die op de vloer van de zitkamer lagen weer terug, hing de laatste schilderijen weer op, ruimde de andere kasten op en zette de meubels terug waar ze hoorden. Nadat Susan en hij gescheiden waren, had hij twee jaar met René in het Pierre samengewoond, een enorme extravagantie. En toen zij tweeën uit elkaar gegaan waren, had hij dit appartement gekocht en een binnenhuisarchitect ingehuurd om het in te richten. Maar ik heb het niet overdreven, dacht hij. Ik heb haar een budget gegeven. Toen begon ik in ieder geval op sommige gebieden te leren dat ik praktisch moest zijn.

Praktisch zijn. Ja hoor, toen ben ik twee enorme flops gaan produceren, met het geld van andere mensen.

Het was bijna twaalf uur toen hij tevreden was met hoe het appartement eruitzag. Te rusteloos om te kunnen gaan zitten, stond hij bij het raam en staarde naar het drukke kruispunt onder zich. Wat moet ik doen? Greg beschuldigen? Moet ik de politie vertellen dat hij een motief had om René Carter te vermoorden? Als ik zeg dat hij er misschien achter is gekomen dat ik René heb verteld over mijn vermoeden dat Greg betrokken is bij handel met voorkennis, dan zet ik niet alleen de SEC op zijn

spoor, maar wordt hij ook nog verdacht van moord.
Maar Greg zou René net zo goed als ik niet vermoorden. Ik kan niet proberen mezelf te redden door hem te verraden. Mijn grote broer. De jongen die wilde dat ik succes had in het theater. De jongen die iedere keer zijn goedkeuring gaf als ik weer een toelage wilde hebben voor mijn projecten. Er moet toch een andere weg zijn om mijn onschuld te bewijzen. Een manier die Greg niet verwoest.
Ik ben naar kantoor gelopen die nacht, schoot hem opeens te binnen. Ik had behoefte aan frisse lucht. En ik wist dat ik lazarus was. Tegenover de bar, aan de andere kant van de straat, stond een auto geparkeerd. Nu zie ik het ineens haarfijn voor me. En ik weet ook van wie die auto was: van Greg.
Wat moet ik nou doen?
De intercom zoemde. 'Mrs. Gannon voor u,' kondigde de portier aan.
'Stuur haar maar naar boven,' zei Peter, terwijl hij haastig naar de voordeur liep.

70

Rechercheurs Carl Forrest en Jim Whelan waren het erover eens dat er drie mogelijkheden waren. Het eerste scenario hield in dat Scott Alterman Sammy Barber had ingehuurd om dokter Monica Farrell te doden of verwonden en dat hij nu door Barber was gewaarschuwd en was verdwenen. De tweede mogelijkheid was dat Sammy Barber een van zijn medeboeven opdracht had gegeven om Scott Alterman uit de weg te ruimen, zodat hij Sammy nooit zou verraden als hij ooit zelf zou worden gearresteerd. En de derde mogelijkheid was dat Alterman na het inhuren van Barber zelfmoord had gepleegd, uit angst voor de vernedering en zijn arrestatie.

Dinsdagochtend gingen Forrest en Whelan naar Scott Altermans appartement en ontdekten ze dat hij daar sinds zaterdagavond niet meer was geweest, toen hij, gekleed in pak met stropdas, te voet zijn appartementengebouw had verlaten.

'Hij had reuze goede zin,' vertelde de portier de twee agenten. 'Geen vuiltje aan de lucht, als u begrijpt wat ik bedoel. Ik vroeg of ik een taxi voor hem moest bellen, maar hij zei dat hij niet ver hoefde, dus dat hij ging lopen.'

Hun volgende bezoek was aan zijn nieuwe kantoor van de gerenommeerde advocatenfirma Williams, Armstrong, Fiske & Conrad. 'Mr. Alterman is pas vorige week bij ons begonnen,' vertelde zijn secretaresse. 'Afgelopen zaterdagmiddag liet hij een boodschap achter op de voicemail van mijn telefoon op kantoor, waarin hij zei dat ik hem er maandag aan moest herinneren dat hij wilde dat ik alles uitzocht wat maar te maken kon hebben met de achtergrond van ene Olivia Morrow, iemand die vorige week is overleden.'

Forrest schreef de naam op. 'Hebt u enig idee waarom hij wilde dat u dat deed?'

'Niet echt,' antwoordde de secretaresse. 'Maar ik denk dat het iets te maken kan hebben gehad met iemand die dokter Monica Farrell heet. Daar hebt u waarschijnlijk wel over gehoord: zij was de jonge vrouw die vorige week bijna werd overreden door een bus.'

'Dokter Monica Farrell.' Carl Forrest probeerde nergens blijk van te geven in de uitdrukking op zijn gezicht of de toon van zijn stem. 'Ja, daar heb ik over gehoord. En waarom denkt u dat Mr. Alterman op de een of andere manier verbonden was met die Olivia Morrow, die afgelopen week is overleden?'

'Vorige week hadden we het tijdens de pauze over het soort psychisch gestoorden dat hun pillen vergeet en dan onschuldige mensen probeert te vermoorden. Net zoals dokter Farrell overkwam. Toen zei Mr. Alterman dat hij dokter Farrell kende en toen kregen we het natuurlijk over haar.'

‘Wat vertelde Mr. Alterman toen?’

‘Hij zei dat ze niet wist dat ze de erfgename van een fortuin was, maar dat hij dat ging bewijzen.’

‘Wát?’ vroeg Forrest, terwijl Jim Whelan de secretaresse verbaasd aankeek. ‘En hoe werd daarop gereageerd?’

‘Dat gebeurde niet echt. We dachten dat hij een grapje maakte. En we kennen Mr. Alterman natuurlijk nog maar nauwelijks. Hij is hier net komen werken.’

‘Ja, natuurlijk. Maar belt u me alstublieft direct zodra u iets van hem hoort.’

Forrest en Whelan stapten samen in de lift naar beneden. Op het moment dat Forrest het gebouw uit wilde lopen, voelde hij het lichte trillen van zijn mobiele telefoon in zijn borstzakje. Het belletje was afkomstig van het hoofdbureau.

De rechercheur nam op, luisterde, en zei: ‘Oké, we zien je in het mortuarium.’ Buiten op de stoep, in de uitnodigende zonneschijn en de frisse oktoberbries, vertelde hij Whelan: ‘Er is net een lijk uit de East River gevist. Volgens de identiteitspapieren in de portefeuille in de binnenzak, hoeven wij niet verder op zoek naar Scott Alterman.’

71

Dinsdagmorgen om vijf over elf liep Monica Farrell met twee leden van de directie van het Greenwich Village Hospital de enorme centrale hal van het Time Warner Center binnen. Ze namen de lift naar de verdieping met de naast elkaar liggende kantoren van de Alexander Gannon Foundation en de Gannon Investment Firm.

Justin Banks, directievoorzitter en Robert Goodwin, directeur nieuwe projecten, waren allebei in de zestig. Ze waren, net als Monica, volkomen toegewijd aan de missie het Greenwich Village Hospital tot het beste ziekenhuis wat maar mogelijk was te maken. Door de jaren heen was het honderd jaar oude ziekenhuis gegroeid van een lokaal ziekenhuisje met twintig bedden, naar de imposante, prijswinnende faciliteit die het tegenwoordig was.

Justin Banks drukte het graag zo uit: 'Op z'n minst de halve bevolking van Greenwich Village heeft het levenslicht aanschouwd in óns ziekenhuis.' Nu hadden ze grote behoefte aan een modern pediatrisch centrum, een speciale vleugel voor de kinderafdeling, waarvoor Greg en Pamela Gannon anderhalf jaar geleden, tijdens een opgeklopt diner in avondkleding, vijftien miljoen dollar hadden toegezegd.

Eenmaal boven, werden ze ontvangen door een jonge receptioniste die hen uitnodigde in de vergaderzaal en vroeg of ze koffie wilden. Banks en Goodwin bedankten, maar Monica accepteerde. 'Ik heb mijn tweede kopje vanmorgen niet gehad,' verklaarde ze. 'Ik had een paar vroege patiënten en ik moest me haasten.'

Maar er was nog een andere reden waarom ze niet de tijd had genomen voor een tweede kopje koffie. Ervan overtuigd dat hij al op zou zijn, had ze Ryan Jenner om zeven uur op zijn mobiele telefoon gebeld. Hij had haar ervan verzekerd dat hij niet alleen al op was, maar ook op het punt stond om naar het ziekenhuis te vertrekken. Toen zei ze: 'Ryan, ik moet je echt mijn verontschuldigingen aanbieden, omdat ik ontzettend onbeleefd tegen je ben geweest.'

'Je was duidelijk boos op me,' had hij gezegd. 'En ik heb heel goed begrepen dat je niet het slachtoffer wilt worden van geroddel.'

'Dat geldt ook voor jou.' Dat had ze eigenlijk niet willen zeggen.

'Dat had ik eigenlijk helemaal niet erg gevonden, maar jij je zin.'

En toen werd ik weer boos, dacht Monica, terwijl ze haar kopje koffie van de receptioniste aanpakte. Ik zei dat ik het niet eerlijk vond ten opzichte van zijn vriendin om zoiets te zeggen.

‘Mijn vriendin?’ had hij uitgeroepen. ‘Waar héb je het over?’

‘Toen ik je donderdagavond belde om je uit te leggen waarom ik niet op mijn kantoor was om je dat dossier te geven...’

‘Hoe bedoel je: donderdagavond belde?’

‘Ik heb naar je appartement gebeld en je partner, je vriendin, of hoe je haar ook wilt betitelen, zei dat je er wel was, maar dat je je aan het verkleden was. Ik ging ervan uit dat ze je de boodschap wel zou doorgeven.’

‘O, mijn god, ik had het kunnen weten. Monica, luister.’

Terwijl Monica Ryans woedende maar welkome uitleg aanhoorde, was er werkelijk een pak van haar hart gevallen. Ze hadden afgesproken dat Ryan die avond naar haar praktijkruimte zou komen. Ik ga hem dat kussen ook laten zien, dacht ze, om te horen hoe híj erover denkt. De laatste woorden van hun gesprek had ze niet begrepen, maar hij had ze lachend gezegd: ‘Oké, Monica, we moeten er nu allebei als een haas vandoor, maar ik ga nog één ding doen voordat ik hier vertrek.’

Toen ik hem vroeg wat hij bedoelde, antwoordde hij dat hij de lasagne ging weggooien en toen had hij haar beloofd om dat later wel uit te leggen.

Zij had nog gauw andere kleren aangetrokken, omdat ze uit eten zouden gaan.

‘Monica,’ merkte Justin Banks nu op. ‘Ik ben niet zo’n man van persoonlijke complimenten, maar ik moet zeggen dat je er vanmorgen geweldig uitziet. Je zou altijd blauw moeten dragen.’

‘Dank u wel. Dit pakje is mijn laatste aanschaf.’

Robin Goodwin wierp een blik op zijn horloge. ‘Tien over elf. Laten we hopen dat ze gauw komen opdagen mét een cheque voor ons. Ze moeten toch wel wát geld overhebben. Dit zijn aardig luxueuze kantoren voor een fonds. Ik weet toevallig wat het kost om hier kantoorruimte te huren.’

Ze hoorden voetstappen hun kant op komen. Even later kwamen er drie mannen de vergaderruimte binnen. Tot Monica’s verbijstering was een van hen dokter Clay Hadley. Ze zag dat hij net zo geschokt was als zij om haar te zien. Monica was aanwezig geweest bij het diner waarop de gift bekend werd gemaakt en dus had ze Greg Gannon daar ontmoet. De andere man die nu aan hen werd geïntroduceerd heette dokter Douglas Langdon.

'Dokter Hadley en dokter Langdon zijn onze mededirectieleden,' verklaarde Gannon. 'Mijn vrouw kon vandaag niet hier aanwezig zijn en ik ga ervan uit dat u weet waarom mijn broer hier niet is. Laten we het daar maar bij laten.'

Gannon nam plaats aan het hoofd van de tafel, ernstig en zonder glimlach. 'Laten we verder elkaars tijd niet verknoeien,' begon hij. 'Het is namelijk zo dat we de belofte van de som geld die we u anderhalf jaar geleden hebben gedaan, niet kunnen nakomen. Ik hoef u niet te vertellen hoe ernstig het economische klimaat is op dit moment en zoals vele fondsen zijn ook wíj het slachtoffer geworden van een grootschalige oplichterij: het Ponzi-schandaal waarvan de kranten al maandenlang vol staan.'

'Ik heb dat Ponzi-schandaal minutieus gevolgd,' merkte Goodwin scherp op. 'En de Gannon Foundation komt niet voor op de lijst van gedupeerden.'

'Nee, dat wilden wij ook niet,' antwoordde Greg Gannon even scherp. 'De andere tak van de Foundation is mijn beleggingsmaatschappij. Ik wil niet dat mijn cliënten zich in het hoofd halen dat ze hun geld misschien kwijt zijn, omdat dat ook niet het geval is. De Gannon Foundation heeft miljoenen en miljoenen dollars weggeschonken gedurende de afgelopen jaren. Onze giftengeschiedenis is uitzonderlijk, maar daar moet nu helaas een einde aan komen. Het fonds wordt opgeheven. En we kunnen onze belofte aan u niet meer honoreren.'

'Mr. Gannon,' zei Justin Banks, langzaam en nadrukkelijk. 'U bent een heel rijk man. Zou u willen overwegen om uw eigen geld in de bouw van een pediatrische vleugel van het ziekenhuis te steken? Ik kan u verzekeren dat er een enorme behoefte aan is.'

Greg Gannon slaakte een zucht. 'Mr. Banks, als degenen van wie wordt gedacht dat ze enorm rijk zijn, hun bezittingen in alle eerlijkheid zouden moeten opgeven, zou u tot de ontdekking komen dat het huis van tien miljoen voor negen miljoen is verhypothekeerd, dat het jacht is gehuurd en de auto's geleased zijn. Ik zeg niet dat dat in mijn geval per se zo is, maar ik wil u wel vertellen dat ik op persoonlijke titel al enkele van onze projecten ondersteun. U hebt nog niet eens een spade in de grond gestoken voor het pediatrische centrum. Maar er zijn wel een aantal cardiale onderzoekscentra en geestelijke gezondheidsfaciliteiten die gefinancierd moeten worden, totdat ze kunnen fuseren met dezelfde soort instellingen. Financieel zorg ik daar persoonlijk voor, maar ik kan niet nog meer op me nemen.'

Monica had haar ogen de hele tijd dat Greg Gannon aan het woord was, op Clay Hadleys gezicht gericht gehouden. Hij glinsterde van het zweet en had een nerveuze tic naast zijn mond, die haar de vorige keer – na het overlijden van Olivia Morrow – niet was opgevallen. Haar vermoeden dat hij de hand in de dood van Olivia Morrow had gehad, begon langzaam uit te groeien tot een overtuiging.

Douglas Langdon. Ze vroeg zich af wat voor soort arts híj was. Hij zag er in ieder geval heel, heel goed uit. Glad. Zijn gezichtsuitdrukking was duidelijk gefingeerd. Zogenaamd begaan, maar het interesseert hem geen zier, dacht Monica. Die vent is een en al nep.

Waar moeten we het geld voor de pediatrische vleugel nú vandaan halen, vroeg ze zich af, terwijl Greg Gannon opstond en daarmee aangaf dat de vergadering afgelopen was. 'Doug, Clay, blijf hier even wachten totdat ik terug ben,' zei hij. Zijn strenge toon gaf aan dat het geen vraag was, maar een order.

Allebei de mannen waren ook opgestaan, maar gingen onmiddellijk weer zitten. Monica, Banks en Goodwin liepen achter Greg Gannon aan de receptieruimte in. En op dat moment zag Monica het portret. Het portret van dokter Alexander Gannon. Bevroren kon ze niets anders doen dan ernaar staren. Papa, dacht ze verbijsterd, precies zoals hij eruitzag voordat hij ziek werd. Hij kon er model voor hebben gezeten. Het zilverkleurige haar, die knappe, edele trekken, die blauwe ogen. Het was het evenbeeld van de foto die ze in haar portemonnee met zich meedroeg. Zelfs de uitdrukking in Alex Gannons ogen, wijs en vriendelijk, was precies dezelfde als die ze kende van haar vader.

'Dat was mijn oom,' zei Greg Gannon. 'Zoals u misschien weet, is hij de uitvinder van allerlei orthopedische kunstonderdelen, die over de hele wereld worden gebruikt. Dit is het laatste portret dat van hem is gemaakt. We hadden het altijd in ons huis in Southampton hangen, maar vorig jaar heb ik besloten dat het veel passender was om het hier te hebben. Het is een heel goed gelijkend portret van hem.'

'Het is magnifiek,' zei Monica met stijve lippen. Ze stak haar hand in haar zak en deed een stap van hen vandaan. 'Excuseer me,' mompelde ze, terwijl ze haar mobiele telefoon pakte en net deed of ze die had voelen trillen. Toen ze hem openklapte, zei ze er een paar woorden in en maakte toen gauw een foto van het portret.

Geen wonder dat Scott bleef volhouden dat papa zo verdomd veel op Alexander Gannon leek. Ik kan niet wachten totdat ik die twee afbeeldingen met elkaar kan vergelijken.

'Het is enorm jammer dat dokter Gannons Foundation wordt opgeheven,' merkte Justin Banks op. 'Ik weet zeker dat hij nooit een belofte, zoals u die hebt gedaan aan het Greenwich Village Hospital, zo abrupt zou hebben gebroken. Goedendag, Mr. Gannon. En doet u geen moeite – we komen er wel uit.'

72

Dinsdagochtend zat Esther lang te ontbijten, iets waaraan ze totaal niet gewend was. Op een gegeven moment wierp ze een blik op de klok en zag ze dat het tijd was om zich klaar te maken. Het was kwart over tien en Thomas Desmond van de Securities & Exchange Commission zou om elf uur in haar appartement zijn. Ze had hem de avond ervoor gebeld en toen hij niet opnam had ze, te zeer van streek om in details te kunnen treden, een boodschap achtergelaten dat ze was ontslagen en dat ze hem wilde spreken. Een uur later had hij teruggebeld en alleen gezegd: 'Als elf uur morgenochtend u schikt, kom ik naar u toe.'

Nerveus bij het vooruitzicht dat ze Desmond zou moeten bekennen dat ze had geprobeerd Arthur Saling te waarschuwen over het investeren van zijn geld en dat dat de reden was waarom Greg haar had ontslagen, nam ze een douche en kleedde ze zich aan. Ze koos niet een van haar onopvallende zakelijke outfits, maar voor een lange broek met een vest erop. Vandaag is de eerste dag van de rest van mijn leven, wat dat ook mag betekenen, dacht ze.

Precies om elf uur kreeg ze van de receptie beneden de boodschap dat Desmond was gearriveerd. Nadat ze elkaar hadden begroet en hij haar aanbod van een kop koffie had afgeslagen, begon hij: 'Ms. Chambers, is er iets gebeurd wat de aanleiding vormde voor uw ontslag? Vermoedt hij dat wij een onderzoek naar hem instellen?'

Esther ademde diep in. 'U zult dit niet waarderen, Mr. Desmond, maar ik zal u precies vertellen wat er is gebeurd.' Vervolgens begon ze hem tot in alle details uit te leggen waarom ze had besloten om Arthur Saling een waarschuwingsbrief te sturen. 'Ik had het gevoel dat hij als een lam naar de slachtbank werd geleid en ik kon het gewoon niet aanzien,' zei ze. 'Ik snap wel waarom het geld tot nu toe was vastgezet voor hem. Zodra hij al dat familiegeld in handen kreeg, kon hij niet wachten om het te beleggen via zo iemand als Greg, die zijn cliënten belooft dat hij het kan verdubbelen of zelfs verdriedubbelen. Mr. Saling heeft vijf volwassen kinderen en elf kleinkinderen. Het spijt me, maar het feit dat ik weet dat dat geld, zodra Greg het in handen had, zou verdwijnen naar andere investeerders om hun de bedragen die Greg heeft verloren in dat laatste beleggingsfonds van hem terug te betalen, was gewoon te gortig voor me.'

'Dat begrijp ik,' zei Desmond. 'Echt.'

'En om uw vraag te beantwoorden: Greg zei dat hij zeker wist dat ík degene was die Arthur Saling die waarschuwing had gestuurd en toen vroeg hij me, als laatste blijk van loyaliteit, of ik wist of de SEC een onderzoek naar hem deed.'

'Wat hebt u toen gezegd?' vroeg Desmond haastig.

'Ik vroeg hem hoe hij erbij kwam die vraag te stellen.'

Desmond knikte goedkeurend. 'Goed antwoord en maakt u zich alstublieft niet druk over het feit dat u Arthur Saling hebt proberen te waarschuwen. Wie weet. Misschien heeft de overdracht van zijn aandelenportefeuille nog niet plaatsgevonden en heeft hij geluk. We gaan Greg Gannon vanmiddag in hechtenis nemen. Nu hij vermoedt dat wij hem in de gaten hebben, zal hij natuurlijk geen contact meer opnemen met zijn informanten.'

'U gaat Greg vanmiddag arresteren?' vroeg Esther triest.

'Ja. En om eerlijk te zijn had ik dat natuurlijk niet mogen vertellen, maar ik wilde dat u wist dat het geld van Arthur Saling naar alle waarschijnlijkheid in veiligheid is.'

'Ik zou niet weten aan wie ik dat zou moeten doorvertellen,' zei Esther. 'Het is alleen dat het allemaal zo onwerkelijk lijkt. Peter Gannon wordt beschuldigd van de moord op zijn ex-vriendin. Zijn baby'tje ligt in het ziekenhuis en niemand wil haar hebben. Zijn ex-vrouw, Susan, was een schat en dat is ze nog steeds. Greg Gannon had een ontzettend leuke vrouw en twee geweldige zonen, maar die heeft hij verlaten voor zo'n goudzoekster als

Pamela. Nu heeft hij door dat ze iets heeft met een ander, naar wat ik gisteren uit een telefoongesprek op kantoor opmaakte. Denkt u dat Pamela bij hem blijft als hij wordt gearresteerd? Geen denken aan!'

Desmond stond op. 'Helaas komen we dit soort dingen constant tegen in ons werk. We nemen nog contact met u op, Ms. Chambers. Maar mag ik u een vriendelijke raad geven: heb niet al te veel medelijden met de Gannons. Ze zijn de architecten van hun eigen ondergang. En ze hebben anderen een hoop ellende bezorgd.'

Pas toen Desmond weg was, dacht Esther eraan dat Diana Blauvelt, de binnenhuisarchitect voor wie ze een boodschap had achtergelaten op haar voicemail, ondertussen waarschijnlijk had teruggebeld. Ze toetste het nummer van haar telefoon op haar bureau op kantoor in, maar alle eventuele boodschappen bleken te zijn gewist.

Ik moet het weten, dacht Esther. Peters advocaat zei dat het heel belangrijk was. Ze had Diana Blauvelts telefoonnummer in Parijs genoteerd in haar dagelijkse lijstje van dingen die ze moest doen. Het is nu in Parijs halfzes in de avond, dacht Esther. Ik hoop dat ik haar thuis tref.

Een slaperig 'Allo' vertelde haar dat ze Blauvelt inderdaad aan de lijn had. O mijn god, ga alsjeblieft je Frans niet op mij oefenen. 'Diana,' zei ze verontschuldigend. 'Het klinkt alsof je een dutje deed, maar ik moet je over iets heel belangrijks spreken. Heb je mijn bericht gekregen en herinner je je nog iets over dat bureau met dat geheime laatje erin?'

'O, ben jíj het Esther. Maak je geen zorgen omdat je me hebt wakker gebeld. Ik ga straks uit eten en ik wilde even een halfuurtje rust van tevoren. Natuurlijk herinner ik me dat bureau nog. Zoals ik Greg Gannon gisteren nadat jij al weg was van kantoor al vertelde, heb ik destijds twee van die bureaus gekocht.'

'Twéé?' riep Esther uit.

'Ja. Een voor Peter, en een voor Mr. Langdon. Ik ben nooit bij Peter geweest om hem het geheime laatje in zijn bureau te tonen, maar ik ben toen wel bij Mr. Langdon langs geweest om hem dat te laten zien. Zijn bureau wilde hij afgeleverd hebben op het kantoor waar hij zijn patiënten ziet, niet dat bij de Foundation.'

'Weet je dat zeker, Diana?'

'Absoluut. En ik heb Greg Gannon nog gezegd dat zijn vrouw dat kan bevestigen. Pamela was erbij toen ik dokter Langdon dat geheime laatje in zijn bureau liet zien.'

Beduusd probeerde Esther zich de mogelijke implicaties te realiseren van de informatie die ze net had gekregen. Toen voegde Diana er aarzelend aan toe: 'Esther, ik begreep van Greg dat je nu met pensioen bent. Ik móét het je gewoon vragen: heb jij ook niet het gevoel dat Pamela Gannon en dokter Langdon Greg al jarenlang voor de gek houden?'

73

Susan was nog nooit in Peters appartement geweest en terwijl ze de zitkamer binnenliep, keek ze aandachtig om zich heen. 'Mooi hoe je het hier hebt ingericht. Je hebt altijd al een goede smaak gehad.'

'Mijn goede smaak wat het inrichten van huizen betreft, of op ieder ander gebied trouwens, heb ik van de vrouwen in mijn leven: van jou en van mijn moeder.' Hij ademde diep in en gooide er toen uit wat hem al bezwaarde sinds hij de foto van de kleine Sally onder ogen had gehad: 'Susan, ik weet hoe je als vader over me denkt, maar nu vraag ik dringend je hulp als advocaat. Ik wil mijn dochter. Het klopt dat ik haar nooit heb gezien, maar toen haar moeder en ik uit elkaar gingen, heb ik René twee miljoen dollar gegeven, zodat ze de beste medische verzorging zou hebben tijdens haar zwangerschap en ook nooit meer contact met me zou opnemen. Ze beloofde mij Sally te laten adopteren door een fatsoenlijk stel en op dat moment leek me dat het beste.'

Hoe kom ik er eigenlijk bij om te denken dat Susan me zou willen helpen bij deze toestand? vroeg Peter zich af, terwijl hij zijn best deed om goed te praten dat hij zijn eigen kind nooit had gezien. Maar ondanks dat besef hield hij aan: 'Ik zou mijn dochter zijn blijven onderhouden. Je weet dat mijn ruzie met René niet daarover ging. Die ging over Renés mogelijkheid om Greg kwaad te berokkenen met de dingen die ze over hem wist.'

Susan keek haar ex-echtgenoot kalm aan. 'Wat probeer je me nu te vertellen, Peter?'

'Dat ik Sally wil. En dat ik haar moeder niet heb vermoord. En dat ik het niet zou kunnen verdragen als Sally in een tehuis wordt geplaatst. Ik ben wel beschuldigd van een misdaad, maar er niet voor veroordeeld. Welk recht hebben ze om me te verbieden bij mijn dochtertje op bezoek te gaan?'

'Peter, meen je dat nou serieus? Vertel je me nou dat je Sally niet alleen wilt zíén, maar ook het voogdijschap over haar wilt?'

'Ja, en ik meen het heel serieus.'

'Peter, er staat je een proces te wachten. Je wordt beschuldigd van moord. Geen enkele rechter zal je nú het voogdijschap toekennen. En ik betwijfel ook ten zeerste of je toestemming zult krijgen om op bezoek te gaan. Zelfs onder supervisie niet. Je hebt het kind tenslotte nog nooit gezien!'

'Ik wil niet dat mijn dochter naar een kindertehuis gaat. Susan, er moet een manier te vinden zijn om dat te voorkomen. Kijk eens naar haar foto. Mijn god, wat ziet ze er verloren uit.' Peter voelde tranen in zijn ogen opwellen. 'Ik zal een heel goede oppas voor haar zoeken en de rechter smeken haar aan mij toe te wijzen. Het duurt misschien nog wel een jaar voordat mijn proces begint. Je weet hoe langzaam het rechtssysteem werkt. Ik heb nooit, nooit, problemen veroorzaakt, niet eens in mijn pubertijd. Susan...'

'Kalm, kalm,' reageerde ze zachtjes. 'Peter, er bestaat een andere oplossing en ik weet bijna zeker dat de rechter die wel zal accepteren. Ik wil de voogdij over Sally vragen.'

'Peter staarde Susan aan. 'Jíj wilt haar?'

'Ja. Sally is een schattig meisje en het is gewoon pathetisch om te zien hoe ze naar liefde en aandacht hunkert. En ze is zo slim. Ik neem aan dat haar oppassen haar hebben voorgelezen, want in sommige boeken die ik voor haar had gekocht wees ze gewoon woorden aan.'

'Hoe vaak heb je haar al gezien, Susan?'

'Twee keer. Ik mocht haar van de verpleging uit haar bedje halen en vasthouden. Die foto in de krant doet haar geen recht. Het is werkelijk een prachtig kindje – ze lijkt sprekend op jou.'

'Jij zou míjn kind willen?'

'Peter, je lijkt te zijn vergeten dat ik in de twintig jaar dat we met elkaar getrouwd zijn geweest enorm verlangde naar een kind. En dat is nog steeds zo. Kristina Johnson, dat jonge meisje dat op Sally paste en haar leven waarschijnlijk heeft gered door met haar naar het ziekenhuis te gaan, kwam op het moment dat ik er was ook bij Sally op bezoek. Sally is duidelijk dol op Kristina. Ze lachte zo blij naar haar. Kristina zou heel graag weer voor Sally gaan zorgen in de tijd dat ik op mijn werk zit. En qua ruimte is het geen probleem. Er zijn drie slaapkamers in mijn appartement, maar dat weet je natuurlijk.'

Dat appartement hebben we gekocht toen we nog maar een paar jaar getrouwd waren, dacht Peter. Susan was zwanger en wij vonden dat we groter moesten gaan wonen. Maar toen kreeg ze drie miskramen in de jaren daarna. Het brak haar hart, maar ze zei altijd: 'Gelukkig hebben we elkaar nog'. En we zijn er altijd blijven wonen.

Totdat ik haar verliet.

'Denk je dat je onmiddellijk de zorg over haar zou kunnen krijgen, zodat ze niet in een kindertehuis hoeft?' vroeg Peter geëmotioneerd.
'Ik zal voordat Sally uit het ziekenhuis wordt ontslagen om een spoedzitting vragen. Waarom zou de rechter mijn verzoek afwijzen? Zesenveertig is niet te oud, mijn reputatie is smetteloos, ik heb de ruimte, en als jouw ex-vrouw word ik beschouwd als familie van Sally. En bovendien wíl ik haar graag als dochter. Zodra ik haar zag, wist ik dat zij alle pijn en alle verdriet over het verlies van de andere kinderen zal uitwissen.'
Met vochtige ogen keek ze Peter aan. 'Jij bent natuurlijk haar vader. De rechter geeft je waarschijnlijk een stem in deze zaak. Wil jij dat Sally aan mij wordt toegewezen?'
'Wat bedoel je precies: adoptie of de zorg voor haar terwijl ik mijn proces afwacht?'
'Allebei. Als ik haar in huis opneem, wil ik niet dat ik haar weer kwijt zou kunnen raken. Dan wil ik haar niet meer afstaan.'
'Susan, ik vind het een goed idee dat jij voor haar wilt zorgen, als ik maar bij haar op bezoek mag komen en deel mag uitmaken van haar leven. Ik wil haar ook niet meer kwijtraken.'
Ze grepen elkaars handen vast. Zonder zijn vingers los te maken uit de verstrengeling met Susan, zei hij: 'Er komen nu af en toe flarden van herinneringen aan die nacht naar boven. Ik wilde het eigenlijk aan niemand vertellen omdat ik Greg niet wil kwijtraken, maar nu weet ik het niet zeker meer. Ik denk niet dat ik sterk genoeg ben om de rest van mijn leven in de gevangenis te zitten, ook al is het voor mijn eigen broer.'
'Peter, waar heb je het over?'
'Gregs auto stond tegenover dat café geparkeerd. René kende hem vanuit de tijd dat we een relatie hadden. Als hij haar een lift heeft aangeboden, zou ze bij hem zijn ingestapt.'
'Greg wist dat zij je afperste, is het niet?'
'Jazeker. Hij was natuurlijk ook op de vergadering van de Foun-

dation waarin ik vroeg om een lening van een miljoen, maar hij dacht dat ze anders naar de roddelpers zou stappen met het nieuws dat ik Sally's vader ben. Daar was hij niet van onder de indruk. Hij zei zoiets als: "Nou én?" Ik durfde hem niet te vertellen dat het om iets veel belangrijkers ging.'
'Waarom heeft hij dan aan de overkant van de straat staan wachten?' vroeg Susan.
'Ik moest dat geld zien te krijgen en was wanhopig. Toen hij weigerde, heb ik Pamela gebeld en haar verteld dat René wilde verraden dat Greg handelde met voorkennis. Ik wist dat Pamela me het geld zou kunnen geven, Greg heeft enorme bedragen aan haar geschonken. Maar ze moet dat tegen hem hebben verteld en misschien is Greg toen op tilt geslagen.' Hij hield even zijn mond. 'Susan, ik denk dat mijn broer René heeft vermoord.'
Peter schudde vertwijfeld zijn hoofd. 'Hoe kan ik hem nou verraden?' vroeg hij geëmotioneerd. 'Hoe zou ik dat in godsnaam ooit kunnen doen?'
'Ik zie niet in waarom níét?' reageerde Susan hard. 'Maar het is je eigen beslissing, Peter, jíj moet ermee zien te leven. En nu moet ik terug naar kantoor. Tot later.'

74

Dinsdagmiddag om halfdrie vertrok Barry Tucker rechtstreeks vanuit het mortuarium – waar hij en zijn collega rechercheur Flynn het lijk van Scott Alterman hadden gezien – naar het hoofdbureau om te overleggen met Stanton, zijn meerdere. Flynn ging op weg naar Altermans appartementengebouw om het personeel daar te ondervragen.
'Dennis gaat proberen meer te weten te komen over Altermans handel en wandel, vanaf het moment dat hij Monica Farrell don-

derdagavond bezocht totdat hij zaterdag uit zijn appartement vertrok,' lichtte Tucker Stanton in.

'Carl, denk je dat Scott Altermann achter de aanslag op dokter Farrells leven heeft gezeten?' vroeg Stanton. 'Denkt de lijkschouwer dat we te maken hebben met zelfmoord?'

'Het is nog te vroeg om daar al antwoord op te kunnen geven. Er zijn in ieder geval geen tekenen van geweld op het lichaam gevonden. We hebben contact opgenomen met Altermans ouders en zijn broers en zussen, maar geen van hen heeft hem sinds ruim een week geleden gesproken. De lijkschouwer vermoedt dat hij misschien in gedrogeerde toestand verkeerde, voordat hij in de rivier viel... of werd geduwd. Maar we kunnen de uitslag van de test of dat zo was, pas over een week verwachten. Als hij degene is geweest die achter de moordaanslag op de dokter heeft gezeten, is hij misschien in paniek geraakt en heeft hij toen een overdosis genomen. Maar aan de andere kant,' peinsde Forrest hardop, 'vertelde de portier dat Alterman juist enorm goede zin had toen hij zaterdagavond uit zijn appartementengebouw vertrok.'

'Dat zegt niets,' merkte Stanton op. 'Dat hebben mensen soms, als ze het besluit eenmaal hebben genomen om eruit te stappen. Waarschijnlijk vanwege een gevoel van opluchting.'

'Ik vraag me af of Alterman soms geestelijk een beetje in de war was,' zei Forrest. 'Vrijdag schijnt hij op zijn werk tegen de secretaresse en wat andere personeelsleden die zaten te kletsen over het feit dat Monica Farrell onder een bus was geduwd, te hebben gezegd dat hij haar kende en dat hij ging bewijzen dat ze de erfgename was van een enorm fortuin.'

'Dat klinkt inderdaad niet helemaal lekker,' beaamde Stanton. 'Ik weet bijna zeker dat hij degene is geweest die Sammy Barber heeft ingehuurd. Ik wou alleen dat we dat onderkruipsel er ook voor konden arresteren.'

'Ja, ik ook, maar...' Carl Forrest stopte midden in zijn zin en

haalde zijn mobiele telefoon uit zijn zak. 'Het is Flynn,' zei hij en nam op. 'Zeg het maar.'
Jack Stanton zag een uitdrukking van pure verbazing over Forrests gezicht glijden. 'Dus Alterman heeft zaterdag een auto met chauffeur gehuurd en is daarmee naar een begraafplaats in Southampton gereden en daarna ook nog naar Greg Gannons buitenhuis daar gegaan?' vroeg Forrest vol ongeloof.
'Ik heb de chauffeur gesproken,' rapporteerde Flynn. 'Alterman had uitgevonden dat Olivia Morrow, een oude dame die afgelopen dinsdagavond is overleden, zich daar die middag ook heen had laten rijden. Hij heeft contact gezocht met haar chauffeur en de man ingehuurd om dezelfde rit nog een keer met hém te maken. Die oude dame schijnt hem te hebben verteld dat ze was opgegroeid in een huisje op het terrein van de Gannons. Het buitenhuis is nog altijd in het bezit van Greg Gannon, de broer van Peter Gannon. Olivia Morrow is blijkbaar niet in het huis naar binnen geweest, maar dat heeft Scott Alterman afgelopen zaterdagmiddag wel gedaan. Hij is er ongeveer een uur gebleven.'
'Oké, Dennis. Bedankt. Heeft die chauffeur erin toegestemd een verklaring af te leggen?'
Forrest klapte zijn telefoon dicht. 'De chauffeur kan niet wachten om ons er alles over te vertellen. Flynn zegt dat het een enorme prater is en dat hij het allemaal geweldig spannend vindt.'
'Hadden we maar meer van dat soort types,' merkte Stanton op. 'Die vrouw, die Olivia Morrow die vorige week is overleden? Zorg dat je zo snel mogelijk alles over haar te weten komt.'
Een kwartiertje later kwam Forrest Stantons kantoor weer binnenstormen – dit keer zonder kloppen. 'Jack, je gelooft het niet: degene die Olivia Morrow dood heeft gevonden, is dokter Monica Farrell. Ze heeft het medische team dat er toen bij is geroepen, verteld dat ze die avond een afspraak met Olivia Morrow had, omdat Morrow beweerd schijnt te hebben dat ze informatie over haar grootouders had. Farrells vader blijkt geadopteerd

te zijn en nooit iets te hebben geweten van zijn biologische achtergrond.'
De twee rechercheurs keken elkaar aan. 'Wie weet was die Scott Alterman toch niet zo gek als we dachten,' merkte Stanton op. 'Misschien is hij een gevaar voor iemand geworden. En laten we ook de dood van Olivia Morrow meteen onder de loep nemen. Zoek uit wie haar overlijdenspapieren heeft ondertekend.'

75

Harvey Roth' normaliter kalme stem sloeg haast over van opwinding toen hij Peter Gannon belde. 'Peter, er zijn twee geweldige ontwikkelingen. We hebben een geloofwaardige getuige die bereid is te verklaren dat hij je in je eentje York Avenue heeft zien af lopen, net nadat René en jij het café hadden verlaten. René viel toen volgens hem al nergens meer te bekennen. Ons onderzoeksteam heeft hem vanochtend opgespoord en de man heeft al een verklaring op het politiebureau afgelegd.'
'Is dat genoeg om "gerede twijfel" aan te voeren voor de rechter?' vroeg Peter.
'Het is zeker een grote hulp, dat kan ik je wel vertellen. Dat, plus het feit dat zowel op jouw kleding als in je auto geen spoor te vinden is van René.'
'Bedankt, Harvey. Ik heb even tijd nodig om dit te verwerken.'
'Dat kan ik begrijpen. En Peter, wanneer het op een proces aankomt, betekent dit natuurlijk nog lang geen vrijspraak. We hebben nog steeds geen verklaring voor het geld in je bureau en het papieren tasje in je prullenbak. Maar we hebben in ieder geval íéts.'
Een kwartier later belde Harvey opnieuw. 'Peter, ik heb net Esther Chambers aan de lijn gehad. Ze heeft de binnenhuisarchitect die destijds de kantoren heeft ingericht en je bureau heeft

gekocht kunnen traceren. Het blijkt dat ze destijds twee van dat soort bureaus heeft besteld. Een voor jou, en een voor dokter Langdon. De binnenhuisarchitect zegt zeker te weten dat ze dat geheime laatje niet met jou heeft besproken, maar wel aan Langdon en je schoonzus Pamela heeft laten zien. En interessant genoeg voegde ze er nog aan toe dat ze sterk de indruk had dat die twee iets met elkaar hadden.'

Pam en Doug Langdon, dacht Peter met bonkend hart. Natuurlijk was het mogelijk dat die twee iets met elkaar hadden! Zouden zij hebben geprobeerd René het zwijgen op te leggen wat Gregs handel met voorkennis betreft? Ja, dat is een mogelijkheid. Nee, natúúrlijk is het een mogelijkheid. Het ligt voor de hand. Als de SEC achter Greg aan gaat, zullen ze alles wat hij heeft van hem afnemen, om de investeerders die door hem geld hebben verloren af te betalen. En daar zouden ook het geld, het bezit en de juwelen bij horen die hij Pam door de jaren heen heeft geschonken.

Er ging een enorme golf van opluchting door hem heen. Het kan gemakkelijk dat ik een set sleutels van mijn kantoor bij de Foundation heb achtergelaten, dacht hij. Doug en Pam zijn allebei op mijn kantoor geweest en weten hoe het in elkaar zit. Ik heb ook niet gezien wíé er in Gregs auto zat. Het kan net zo goed Doug zijn geweest. Mijn broer mag dan misschien een dief zijn, maar ik geloof niet dat hij een moordenaar is.

'Peter, ben je er nog?' vroeg Harvey Roth, nu met een bezorgd klinkende stem.

'Reken maar,' zei Peter. 'Reken maar.'

76

Om halfvier was het zover: het moment waar Greg zo lang bang voor was geweest was gekomen. Twee agenten liepen met grote, bruuske stappen langs de secretaresse die achter Esthers bureau zat en gooiden vervolgens de deur van Gregs kantoor open. 'Mr. Gannon, opstaan. Handen op uw rug. We hebben een arrestatiebevel voor u.'

Greg voelde zich opeens ongelofelijk moe en gehoorzaamde gedwee. Terwijl zijn rechten aan hem werden voorgelezen, viel zijn blik op de prullenbak. Hij had de papieren verscheurd waarmee Arthur Saling zijn aandelenportefeuille aan hem overdroeg. Toch nog iets fatsoenlijks gedaan, dacht hij grimmig.

Alles zal nu in elkaar storten. Natuurlijk gaan ze de Foundation ook onderzoeken. Daar krijgen we allemaal moeilijkheden mee, we hebben het hele fonds leeggezogen. Ik weet dat ik niet te redden ben, maar ik zal ervoor zorgen dat Doug en Pam de dans ook niet ontspringen. Ik ben blij dat ik toch nog achter hun liefdesnestje op Twelfth Avenue ben gekomen. Waarschijnlijk heeft ze daar ook nog allerlei juwelen verstopt. Ik wil dat ze allebei geen cent overhouden.

Terwijl hij voor de laatste keer, dit keer onder begeleiding, zijn kantoor uit liep, schoot er een gedachte door zijn hoofd. Mijn broer is een moordenaar en ik ben een dief. Een van mijn zonen is advocaat.

Ik vraag me af of hij een van ons zou willen verdedigen?

Waarschijnlijk niet.

77

Om halfzes vertrok Monica's laatste patiëntje, en dus liep ze naar haar kantoortje, waar de rechercheurs Forrest en Whelan plus John Hartman geduldig op haar zaten te wachten. 'Zullen we in de wachtkamer gaan zitten?' stelde ze voor. 'Daar moeten we wel oppassen om niet over het speelgoed te struikelen, maar het is er in ieder geval een stuk ruimer.'

Zodra ze van de bespreking bij de Gannon Foundation was teruggekeerd, had ze Nan gevraagd John Hartman te bellen en hem te vragen om rond zes uur op haar kantoor langs te komen. En toen had Nan haar halverwege de middag verteld dat de rechercheurs Forrest en Wheelan haar nog een keer wilden spreken.

'Ik heb hen al verteld dat ze tot zes uur zullen moeten wachten,' zei Nan, 'maar daar deden ze niet moeilijk over.'

'Dokter Jenner komt dan ook hierheen,' had Monica opgemerkt tegen Nan.

Nans blije lach had Monica duidelijk gemaakt dat zíj ook al op de hoogte was van de roddels over Ryan en haar.

Nan had de wachtkamer keurig opgeruimd. Zonder dat iemand het hem vroeg, verschoof Forrest een van de banken, zodat ze tegenover elkaar kwamen te zitten. 'Dokter Farrell,' begon hij.

De telefoon rinkelde en Nan liep er haastig heen om op te nemen. 'Het is dokter Jenner,' zei ze.

Monica stond op en pakte de hoorn snel uit Nans hand.

'Monica,' hoorde ze Ryan zeggen. 'Er is een ernstig ongeluk gebeurd op de West Side Highway. Er schijnt sprake te zijn van ernstig hoofdletsel en ik blijf hier om te zien of ik nodig ben voor spoedoperaties.'

'Ja, natuurlijk.'

'Ik bel je zodra ik weet hoe lang ik hier nodig heb.'

'Ja, doe dat. Maakt me niet uit hoe laat,' reageerde Monica en voegde er daarna aan toe: 'Ik ga dood van nieuwsgierigheid over die lasagne.'

'Tja, ik denk dat ik in ieder geval nooit meer in mijn leven lasagne wil eten. Maar ik bel je.'

Monica legde de hoorn op de haak en liep terug naar de wachtkamer. John Hartman hield een stoel voor haar klaar. Toen ze ging zitten zei ze tegen de rechercheurs: 'Ik ben blij dat jullie hier ook zijn. Er is iets wat ik met John wilde bespreken, maar ik denk dat het heel goed is dat ik het tegen jullie allemaal kan vertellen.’

Carl Forrest zei: ‘Voordat we dat bespreken, dokter Farrell, moet ik u helaas mededelen dat het lichaam van Scott Alterman vanmorgen in de East River is gevonden. Het kan zelfmoord zijn geweest, maar wij beginnen zo langzamerhand te geloven dat zijn dood iets te maken heeft met zijn overtuiging dat u op de een of andere manier gelieerd bent aan de familie Gannon.’

‘Scott is dood?’ herhaalde Monica. ‘Mijn god! Maar gisteren om deze tijd dacht u nog dat hij misschien degene was die achter de moordaanslag op mij zat.’

Forrest knikte. ‘Dokter Farrell, u hebt ons zelf verteld dat hij een obsessie voor u had. En u vertelde ons dat hij u al belde toen u nog maar net thuis was nadat u voor die bus was geduwd. Wat u ons niet hebt gezegd is dat hij geloofde dat u de kleindochter van Alexander Gannon bent – wat u natuurlijk de erfgename van het Gannonfortuin maakt.’

Monica kon een hele tijd geen woord uitbrengen. In de storm aan herinneringen die haar overviel, dacht ze aan die keer dat ze getuige was geweest op het huwelijk van Scott en haar beste vriendin Joy. En aan hoezeer ze gesteld op hen was geweest tot na de dood van haar vader, toen Scott haar was gaan bombarderen met telefoontjes en gepassioneerde e-mails.

‘Scott was mijn vaders advocaat,’ zei Monica, terwijl ze probeerde haar woorden zorgvuldig te kiezen. ‘Toen mijn vader ongeneeslijk ziek werd en uiteindelijk naar een verpleeghuis moest, heeft Scott al zijn zaken voor hem geregeld. Mijn vader was geadopteerd en is zijn hele leven op zoek geweest naar zijn biologische ouders. Hij werkte als medisch laborant; de laatste jaren voor zijn pensioen in een van de labs in Boston die door Alexander Gannon waren opgezet. In de periode dat mijn vader daar werkte, studeerde ik medicijnen aan de universiteit van Georgetown.’

Ze was even stil, terwijl er allerlei herinneringen aan die periode door haar hoofd vlogen: dat ze, zodra ze maar even de kans had, terug naar Boston was gegaan. En dat het voor haar zo'n enorme geruststelling was geweest dat Joy en Scott zo vaak op bezoek bij haar vader gingen.

'Zo lang ik me kan herinneren knipte mijn vader foto's van mensen waarop hij in zijn eigen ogen leek, uit kranten en tijdschriften en vroeg hij zich af of hij misschien familie van hen was,' vervolgde ze op trieste toon. 'Langzamerhand veranderde zijn wens om zijn wortels te kennen in een wanhopig verlangen. Ik plaagde hem ermee. Kort voor zijn dood raakte hij helemaal gefixeerd door het feit dat hij ontzettend veel leek op Alexander Gannon. Scott nam hem serieus. Ik niet. Tot vandaag.'

Monica probeerde haar stem onder controle te houden, terwijl ze aan Nan vroeg: 'Nan, zou je alsjeblieft de foto die ik met mijn mobiele telefoon heb gemaakt willen uitprinten?' Ze stond op. 'Ik heb een foto van mijn vader in mijn portemonnee, maar op mijn bureau staat een grotere. Die zal ik even halen, dan kunnen jullie zien wat ik vanmorgen heb ontdekt.'

Monica liep naar haar privékantoortje en bleef daar even staan. Ze sloeg haar armen stevig om zich heen om het beven te onderdrukken. Scott, dacht ze. Arme Scott. Als iemand hem heeft gedood, is het omdat hij me probeerde te helpen, want hij geloofde werkelijk dat ik recht had op een fortuin.

Monica pakte de ingelijste foto van haar vader op en liep ermee terug naar de wachtkamer. Nan had de foto die ze van het portret van Alexander Gannon had genomen al uitgeprint. Monica legde ze allebei naast elkaar op de tafel. Terwijl de rechercheurs naar voren leunden om ze te bekijken, zei ze: 'Zoals jullie kunnen zien zijn ze haast uitwisselbaar.'

Zonder haar ogen van de twee foto's af te wenden zei ze: 'Ik denk dat Scott Alterman zijn leven heeft verloren terwijl hij probeerde te bewijzen dat er een biologische relatie bestond tussen

Alexander Gannon en mijn vader. En ik denk ook dat het daarmee niet afgelopen is. Ik geloof dat Olivia Morrow, de vrouw die op het punt stond mij de namen van mijn grootouders te vertellen, afgelopen dinsdagavond is gestorven omdat ze waarschijnlijk tegen iemand heeft gezegd dat ik die woensdag bij haar op bezoek zou komen.'

'Wie is die persoon?' vroeg Forrest scherp.

Monica hief haar hoofd op en keek hem recht aan. 'Ik denk dat Olivia Morrow aan haar cardioloog, dokter Clayton Hadley, heeft verteld dat ze me de bewijzen zou leveren dat ik een afstammelinge van de Gannons ben. Dokter Hadley zit niet alleen in de directie van de Gannon Foundation, maar heeft afgelopen dinsdagavond ook een bezoek aan Ms. Morrow gebracht. De volgende avond, toen ik in haar appartement arriveerde, was ze overleden.'

Monica richtte zich tot John Hartman. 'Ik heb u om een speciale reden gevraagd hierheen te komen en die heeft alles met deze toestand te maken.'

Monica verliet de wachtkamer opnieuw om naar haar kantoortje te gaan en dit keer kwam ze terug met de plastic zak met daarin het bebloede kussen dat Sophie had meegenomen uit het appartement van Olivia Morrow. Ze begon iedereen uit te leggen waarom de schoonmaakster het kussen had meegenomen en beschreef Hadleys reactie op Sophie, toen ze hem had gevraagd naar de vermiste kussensloop.

Forrest nam de plastic zak van haar over. 'U zou een prima rechercheur zijn, dokter Farrell. We brengen dit onmiddellijk naar het lab.'

Een paar minuten later verlieten ze met z'n allen de praktijk. Na de uitnodiging van Nan en John om mee te gaan eten te hebben afgeslagen, stapte Monica in een taxi die haar naar huis reed. Doodmoe van alle gebeurtenissen van die dag deed ze de deur op dubbel slot en liep daarna de keuken in. Daar bleef ze een tijdje staan staren naar de plaid die ze de avond ervoor over de glazen ruitjes van de deur had gehangen.

Toen ik die gisteravond voor het raam hing, was ik bang dat Scott me iets wilde aandoen, dacht ze. En nu is hij dood. Vanwege mij.

Als een soort onbewust eerbetoon aan hem haalde ze de plaid weer weg, liep ermee naar de zitkamer en ging daar, met de plaid over zich heen, op de bank liggen. Ryan kan ieder moment bellen, dacht ze. Allebei mijn telefoons liggen naast me, dus ik kan wel even mijn ogen dichtdoen. Ik denk niet dat ik in slaap val, maar stel dat dat wel gebeurt, dan kan ik op deze manier zijn telefoontje niet missen. Ik heb hem nodig.

Ze wierp een blik op haar horloge. Kwart voor acht. Genoeg tijd om nog uit eten te gaan als het hem lukt om weg te kunnen, dacht ze.

Om negen uur werd ze met een schok wakker. Er werd herhaaldelijk op de bel gedrukt. Het korte, dringende bellen klonk angstaanjagend. Was er brand? Ze sprong op en rende naar de intercom. 'Wie is daar? Wat is er aan de hand?' wilde ze weten.

'Dokter Farrell, hier rechercheur Parks. Rechercheur Forrest heeft me opgedragen om u te halen. U moet meteen weg uit uw appartement. Sammy Barber, de man die u probeerde onder een bus te duwen, is gezien in het steegje achter uw huis. We weten dat hij een pistool heeft en erop uit is u neer te schieten. U moet daar nú weg.'

Sammy Barber. In een ogenblik van volstrekte paniek zag Monica die bus weer op zich af komen denderen. Ze rende naar de tafel en griste haar mobiele telefoon mee. Zonder op zoek te gaan naar de schoenen die ze had uitgeschopt toen ze op de bank was gaan liggen, rende ze op kousenvoeten het appartement uit, de gang door en gooide ze de buitendeur open.

Daar stond een man in burgerkleding op haar te wachten. 'Snel, snel,' zei hij haastig. Hij sloeg zijn arm om haar heen en rende

met haar naar een klaarstaande auto. Er zat iemand achter het stuur, de motor draaide en het achterportier stond open.
Plotseling voelde ze gevaar en probeerde Monica zich los te maken uit de ijzeren greep waarmee de man haar vasthield. Ze gilde om hulp. De man sloeg een ruwe hand voor haar mond en probeerde haar met geweld de auto in te duwen. Maar Monica verzette zich heftig, bonkte met haar hoofd naar achteren tegen zijn borstkas en hield haar benen stijf. Ze zette zich schrap en vocht om los te komen.
Ik ga dood, schoot het door haar heen. Ik ga dood.
Op dat moment hoorde ze iemand door een megafoon een commando schreeuwen. 'Laat haar los. Handen omhoog. Je bent omsingeld.'
Monica voelde dat ze werd losgelaten en kon haar evenwicht niet houden: ze viel achterover op de stoep. Terwijl haar belager en zijn chauffeur door een hele zwerm agenten in burger werden gearresteerd, ging de mobiele telefoon die ze nog steeds in haar hand geklemd hield. Uit gewoonte nam ze in verwarring op.
'Monica, met Ryan. Er waren niet zoveel slachtoffers met ernstig hoofdletsel, dus ik kan nu uit het ziekenhuis weg. Waar zullen we afspreken?'
'Bij mij,' zei Monica. Haar stem brak. Intussen werd ze door een paar sterke armen opgetild en weer op de been geholpen. 'Kom alsjeblieft meteen naar me toe, Ryan. Ik heb je nodig. Kom alsjeblieft meteen.'

78

Het was donderdagochtend, twee dagen na het gebeuren bij Monica's appartement. 'Het ziet ernaar uit dat we alle klootzakken te pakken hebben,' zei rechercheur Barry Tucker tevreden. Hij en zijn partner Dennis Flynn, plus de rechercheurs Carl Forrest en Jim Whelan zaten allemaal in het kantoor van Jack Stanton. Ze namen alles sinds die dinsdagavond nog eens met elkaar door.

'Zodra we bij dokter Hadley zijn kantoor binnenkwamen om hem te ondervragen, stortte hij in. Hij wist dat we zouden komen, zei hij en bekende meteen dat hij die arme oude dame had vermoord. Hij drukte ons zelfs die bebloede kussensloop al in de handen voordat we erom hadden gevraagd,' zei Flynn.

'Langdon blijft zwijgen, maar zijn vriendin, Pamela, kan juist niet ophouden met praten,' merkte Carl Forrest vol minachting op. 'Ze weet dat er geen ontsnapping mogelijk is. Greg Gannon werd achterdochtig wat haar betreft en kwam er toen achter dat ze samen met Langdon een appartement had ergens. Zowel de handtas van René Carter is daar aangetroffen als een briefje in het handschrift van Scott Alterman met daarop het adres van hun appartement. Pamela heeft bekend dat Carter bij haar en Langdon in de auto is gestapt. Ze beloofden haar de negenhonderdduizend die Peter Gannon niet had kunnen betalen en blijkbaar heeft René Carter hen geloofd. Dus is ze meegegaan naar hun appartement, waar ze haar een drankje met een paar druppels erin hebben gegeven waardoor ze bewusteloos raakte. En vervolgens heeft hij haar gewurgd. Ze hebben haar lichaam daar verborgen gehouden totdat ze het veilig ergens konden dumpen.'

Forrest pakte zijn glas water op en haalde diep adem. Die Pamela Gannon is een ijskoude. Ze heeft toegegeven dat ze Hadley en Langdon de opdracht heeft gegeven ervoor te zorgen dat Olivia Morrow en dokter Farrell van de aardbodem verdwenen. En bovendien heeft ze verteld dat Langdon Sammy Barber had ingehuurd om Monica Farrell te vermoorden. We hebben een huiszoekingsbevel voor Barbers appartement verkregen en daar een bandje gevonden waarop Langdon en hij een gesprek voeren over het vermoorden van dokter Farrell. Dus zijn ze er allebei bij.

Bovendien hebben we Larry Walker nog, die Monica probeerde te ontvoeren vanuit haar appartement. Hij vertelde dat Sammy Barber hem heeft ingehuurd om dokter Farrell te vermoorden, omdat de grond voor Barber zelf te heet onder de voeten was geworden. Sammy is ervandoor, maar er is een opsporingsbevel voor hem uitgegaan en dus zullen we hem binnenkort wel te pakken hebben.'

'Hoe komt het dat Scott Alterman zo stom was om naar dat appartement van Pamela Gannon en Langdon toe te gaan?' vroeg Stanton.

'Toen hij daar aanbelde, was het Pamela die hij aantrof in het huis in Southampton. Ze maakte hem wijs dat ze van Greg Gannon wilde scheiden omdat het een vreselijke vent was om mee samen te leven en dat ze bewijzen had gevonden dat zijn oom een afstammeling had. Alterman liep met open ogen in de val. Toen hij later naar het appartement hier in New York kwam, heeft ze net genoeg druppels in zijn drankje gedaan dat hij strontlazarus leek en toen heeft Langdon hem de rivier in geduwd. De arme drommel had geen enkele kans.'

'Langdon heeft het geld en het papieren tasje waar het in zat, in Peters kantoor geplant om hém voor alles op te laten draaien,' ging hij verder. 'Meteen nadat hij René Carter had gewurgd, is hij naar Peters kantoor gegaan en heeft daar blijkbaar helemaal niet doorgehad dat Peter zijn roes lag uit te slapen in de kamer ernaast. Het is maar goed dat Langdon hem daar niet heeft ontdekt, anders had Peter Gannon het ook met de dood moeten bekopen, vrees ik.'

'Zoals het er nu naar uitziet, zal Greg Gannon de komende twintig jaar in de gevangenis moeten doorbrengen. Alles wat hij bezit zal worden verkocht om de investeerders die hij heeft belazerd terug te betalen. Pamela Gannon raakt ook alles wat ze heeft kwijt, maar daar had ze toch niet veel meer aan. Die krijgt een paar maal levenslang.'

‘Ik zal het verder aanvullen, Jack,’ zei Barry Tucker voortvarend. ‘De aanklacht tegen Peter wordt ingetrokken.’ Hij stak zijn notitieblok in zijn zak. ‘En wij krijgen allemaal een paar vrije dagen.’
‘O, ja. Dat was ik vergeten: je vrouw vindt die scheve lach van je wel leuk. Hoorde ik je dat niet zeggen een van de afgelopen dagen?’ zei Forrest lachend.
‘Dat lijkt al wel een jaar geleden. Voor Monica Farrell is het wel heel jammer dat ze, ook al zou ze kunnen bewijzen dat ze de kleindochter van Alexander Gannon is, waarschijnlijk geen cent van haar erfenis zal zien. Langdon, Hadley en Pamela Gannon hebben enorme sommen in hun eigen zakken laten verdwijnen. Het geld van de Foundation dat Peter Gannon in zijn theaterproducties heeft gestopt, zal hem trouwens waarschijnlijk nog problemen opleveren bij de belastingdienst.’
Jack Stanton stond op. ‘Goed werk, jullie allemaal.’ zei hij. ‘Hopelijk zal in ieder geval een deel van het geld dat Langdon en Hadley van de Foundation hebben gestolen terugkomen als alle bezittingen zijn verkocht. Dat betekent dat áls Monica Farrell kan bewijzen dat ze inderdaad de kleindochter van Alexander Gannon is, bijvoorbeeld het huis in Southampton van haar wordt. Maar tot nu toe ben ik bang dat ze nog geen keiharde bewijzen heeft. Afbeeldingen waarop mensen op elkaar lijken zijn niet voldoende voor de rechter.’
‘Carl, weet er nou eigenlijk iemand wíe dokter Farrells grootmoeder was?’ vroeg Dennis Flynn.
‘Dokter Hadley heeft verteld dat het Olivia Morrows oudere nichtje was, een jonge vrouw die later non is geworden en op dit moment zelfs op de nominatie staat om door de katholieke kerk heilig te worden verklaard. Hij denkt dat het dossier met de bewijzen van haar relatie met Alexander Gannon vlak voor haar dood door Olivia Morrow is vernietigd.’
Stanton keek de rechercheurs een voor een aan. ‘Dit hoort vanzelfsprekend allemaal in jullie rapporten te komen. Maar kun-

nen jullie je de roddels voorstellen waar dokter Farrell mee te maken krijgt als dit allemaal uitkomt? Tot nu toe heeft ze al twee aanslagen op haar leven moeten doorstaan. Als jullie dinsdagavond niet bij haar appartement hadden gestaan, zou ze nu bij Scott Alterman in de rivier hebben gelegen.'

Stanton zuchtte diep. 'Oké, jongens, tijd voor het papierwerk en dan kunnen we deze zaak als gesloten beschouwen.'

79

Donderdagmiddag stond Tony Garcia enorm trots zijn nieuw aangeschafte Cadillac te wassen en in de was te zetten. Met plezier stofzuigde hij het interieur en nam hij het dashboard, het stuur en de portierhendels af met een vochtig doekje. Als laatste opende hij de kofferbak en op dat moment schoot hem te binnen dat hij nog niet had gekeken of dat dossier van Olivia Morrow daar nog steeds lag.

Toen hij in de kranten had gelezen dat dokter Hadley had bekend dat hij Ms. Morrow had gedood, was dat een enorme schok voor hem geweest. De aardigste oude vrouw die je je maar kon voorstellen, dacht hij. Bang dat hij de auto in zou moeten leveren en het geld kwijt zou zijn, had hij zijn zwager gebeld, die hem had verzekerd dat er niets aan de hand kon zijn, zolang hij het reçu van zijn betaling aan Hadley maar goed bewaarde.

De kofferbak was groot en diep en de plaid die hij over de envelop had heen gelegd, was bijna even donker als de zwarte binnenkant van de kofferbak. Ik vraag me af of die envelop er misschien nog ligt, dacht hij. De jongens van de garage hebben de auto wel nagelopen of er nog iets in was blijven liggen, maar misschien hebben ze niet onder die plaid gekeken. Tony boog zich voorover en tilde de plaid op.

Hij lag er nog. De envelop. Tony trok de envelop onder de plaid

vandaan en hield hem in zijn hand, zich afvragend wat hij ermee aan moest. Misschien aan de politie geven, dacht hij.
Even later beklom hij de drie trappen naar hun appartement. Rosalie was met de kleine Carlos naar het park. Eenmaal binnen legde hij de envelop op tafel, ging onder de douche, trok andere kleding aan, en daarna liep hij weer terug naar beneden. Eerst reed hij de auto naar de benzinepomp van een vriend, waar hij de auto goedkoop mocht parkeren, en vervolgens ging hij naar het Waldorf, waar weer een gala-avond werd gehouden.
Toen hij die nacht om één uur thuiskwam, zat Rosalie nog te lezen aan de tafel. Met een afwezig gezicht keek ze naar hem op en zei toen meteen heftig: 'Tony, dit dossier hoort dokter Monica te krijgen. Er zitten heel veel brieven in van haar grootmoeder aan de moeder van Ms. Morrow en ook bewijzen wie de biologische grootouders van dokter Monica zijn. Haar grootmoeder was een non. Als je haar brieven leest over hoeveel verdriet het haar heeft gekost om haar kind op te geven, breekt je hart. Ze heeft haar hele leven voor de kinderen van andere mensen gezorgd.' Rosalie veegde de tranen van haar wangen. 'Tony, die vrouw was gewoon een heilige!'

80

Vrijdagmiddag zouden Monica en Ryan naar Metuchen rijden om te getuigen in de hoorzitting over de heiligverklaring van zuster Catherine Mary Kurner. Monica had de hele dag vrij genomen en voordat Ryan haar kwam halen had ze op een rustige ochtend gehoopt.
Maar toen Tony Garcia van Nan hoorde dat Monica niet naar de praktijk zou komen, haastte hij zich naar haar appartement. Monica deed de deur open in haar ochtendjas.
'Ik kom niet binnen, dokter Monica,' zei Tony. 'Maar ik kon

geen seconde langer wachten om u deze papieren te brengen. Rosie wilde zelfs eigenlijk dat ik ze om één uur vannacht nog naar u toe bracht!'

'Zó urgent kunnen papieren toch niet zijn,' zei Monica met een glimlach, terwijl ze het dossier van hem aannam.

'O jawel, dokter Monica, geloof mij maar, dit is héél urgent,' antwoordde Tony eenvoudig. 'Dat begrijpt u wel als u het leest.' Met een snelle glimlach ging hij er weer vandoor.

Zich afvragend wat ze nu onder ogen ging krijgen liet Monica zich op een stoel neerzakken, schonk een kop koffie in en sloeg het dossier open. Het bleken vooral brieven te zijn en met een snelle blik zag ze dat de eerste in de jaren dertig waren geschreven.

Waarom zou dit nou in vredesnaam zo verschrikkelijk belangrijk moeten zijn? Benieuwd besloot ze het dossier meteen te gaan lezen, te beginnen met de oudste brief. Toen zag ze de naam in het briefhoofd: Alexander Gannon. Hij was gedateerd op 2 maart 1934.

Mijn liefste Catherine,
Hoe kan ik ooit de woorden vinden om je vergeving te vragen? Die bestaan niet. De gedachte dat je de volgende morgen zou vertrekken om voorgoed het klooster in te gaan, het weten dat alle hoop om je op andere gedachten te brengen was vervlogen, overspoelde me met een alles overrompelende kracht en ik werd verteerd door mijn gevoelens voor jou. Die nacht kon ik niet slapen omdat vaststond dat ik je zou verliezen. Na een hele tijd ben ik opgestaan en naar jullie huis gelopen. Ik wist dat de deur nooit op slot werd gedaan en dat Regina en Olivia boven zouden liggen te slapen. Ik was helemaal niet van plan om in het huisje naar binnen te gaan, dat zweer ik. Maar toen ik er was, móést ik gewoon bij je zijn en daarom kwam ik naar jouw

kamer. Je sliep. Zo lief en onschuldig. O, Catherine, vergeef me, vergeef me. Er zal nooit iemand anders in mijn leven zijn dan jij. Na veel gewetensonderzoek en nadenken wat me diep in mijn hart bewoog, denk ik dat het te maken had met mijn hoop dat je, als je zwanger zou zijn, wel met me zou móéten trouwen. O, Catherine, ik vraag je om vergeving. En als het zo mocht zijn, dan smeek ik je mijn vrouw te worden.

Alex

De volgende brief was van de moeder-overste van het klooster waar Catherine zat.

Beste Regina,
Hierbij stuur ik je de brief terug waarvan Alexander je heeft gevraagd die aan Catherine te doen toekomen. Ze wil hem niet lezen, maar ik heb haar verteld dat hij er zijn diepste excuses in aanbiedt. Wil je hem alsjeblieft zeggen nooit meer contact met Catherine te zoeken?

Acht maanden later was er weer een brief van de moeder-overste.

Beste Regina
Vanmorgen om vijf uur heeft je nicht Catherine in Dublin het leven geschonken aan een zoon. De baby is direct geregistreerd in de naam van mijn neef en zijn vrouw, Matthew en Anne Farrell. Ze zijn al uit Ierland vertrokken en zitten op dit moment met de baby op de boot naar Amerika. Het was heel moeilijk voor Catherine om haar baby af te staan, maar ze is standvastig blijven geloven dat ze de roeping moet volgen waarvan ze altijd heeft geweten dat het de hare was. Ze wil niet dat Alexander Gannon iets te weten

komt over het kind, omdat ze bang is dat hij het kind dan zélf zou willen opvoeden. Het was een zware en langdurige bevalling en de dokter heeft uiteindelijk een keizersnede moeten doen. Als Catherine weer hersteld is, keert ze terug naar het klooster in Connecticut en zal ze daar haar positie als novice weer innemen.

Zuster Catherine was mijn grootmoeder, dacht Monica verbijsterd. Alexander Gannon was mijn grootvader. De uren die volgden zat ze verdiept in de brieven. Ze las en herlas ze talloze malen. De meeste brieven waren van Catherine aan Olivia's moeder, Regina. Sommige daarvan gingen over het kind.

...Regina, soms doen mijn armen pijn van verlangen naar de baby die ik heb afgestaan. En toch, als ik dan een kindje uit een wiegje pak, een kind dat in de steek is gelaten, dat geestelijk of lichamelijk beschadigd is, wordt daarmee dat verlangen vervuld. Moeder-overste heeft mijn baby bij een goede familie ondergebracht. Dat weet ik. En meer kan en mag ik niet weten. Hij hoort bij de mensen die nu zijn ouders zijn en ik leef het leven zoals God het voor mij heeft bedoeld.

...Ik vertel mijn jonge novices dat ze, als ze het klooster ingaan, hun menselijke gevoelens en emoties niet verliezen, zoals ongetwijfeld veel mensen denken. Ik vertel hun dat er momenten zullen zijn wanneer ze de vreugde van een moeder met haar kind zien, en met hun hele hart zullen wensen dat zij ook die blijdschap zouden kunnen meemaken. Ik vertel hun dat er perioden van eenzaamheid zullen zijn als ze een man en vrouw, die duidelijk gelukkig met elkaar en met hun huwelijk zijn, samen zien, in de wetenschap dat zijzelf ook zo'n leven hadden kunnen hebben. En dan herinner ik hen eraan dat er geen vreugde zo diep is als het of-

feren van die menselijke gevoelens aan de God die ze aan ons heeft gegeven...

Alle brieven van Catherine gingen over ongeveer hetzelfde. Met haar ogen glinsterend van de tranen besefte Monica hoe haar grootmoeder had gestreden om nóg een ziekenhuis te kunnen openen, hoe ze nederig had gebedeld om de hoogstnoodzakelijke medische apparatuur.

Lieve Regina,
De polio grijpt meedogenloos om zich heen. Het is hartbrekend om die kleintjes verlamd aan een ijzeren long te zien liggen, niet in staat om zelfstandig te ademen.

Monica schrok op door het telefoontje van Ryan en ze werd zich weer bewust van de wereld om zich heen. 'Lieverd, ik ben iets later; een minuut of tien. Het is druk op de weg,' zei hij.
Het was kwart over elf. Ze werden om één uur verwacht in Metuchen om te getuigen op de hoorzitting over de zaligverklaring van zuster Catherine. Monica nam haastig een douche en kleedde zich daarna snel aan, maar vond nog wel even de tijd om de brief van Alexander Gannon aan Catherine en de brief van de moeder-overste aan Regina Morrow onder de scanner te leggen en elektronisch op te slaan.
Toen Ryan opnieuw belde om te zeggen dat hij buiten in zijn auto op haar zat te wachten, zei ze: 'Ryan, laat mij maar rijden. Ik heb iets waarvan ik wil dat je het leest.'

De monseigneurs Kelly en Fell en Laura Shearing stonden hen op te wachten toen ze, net op tijd, arriveerden. Monica stelde Ryan aan hen voor en zei: 'Ik heb iets heel belangrijks om u te laten zien, maar als u het niet vervelend vindt wil ik dat graag pas ná de hoorzitting doen.'

‘Natuurlijk,’ zei monseigneur Kelly.

Met zekere en ferme stem, onder ede en met een bepaald soort onderhuidse intensiteit, legde Ryan zijn getuigenis af: dat hij als neurochirurg geen medische verklaring kon geven voor de verdwijning van het kankergezwel in Michael O’Keefes hersenen. ‘Niemand anders zal daar een verklaring voor kunnen geven,’ zei hij. ‘En ik zou, voor de geteisterde ouders die hun kind aan een hersentumor verliezen, wensen dat er meer wonderen als dit gebeuren.’

Toen Monica haar getuigenis aflegde, zei ze: ‘Ik begrijp nu niet meer waarom ik me zo heb verzet tegen het idee dat Michael door de kracht van het gebed is hersteld. Ik heb zelf meegemaakt hoe sterk het geloof van zijn moeder was, toen ik haar vertelde dat haar zoon ten dode was opgeschreven. Het was arrogant van me om haar geloof meteen zo te nihileren. En zeker gezien het herstel van haar achtjarige zoontje dat we nu zien.’

Pas nadat ze alle vragen had beantwoord en monseigneur Kelly hen had bedankt voor hun komst, legde Monica de envelop met daarop de naam CATHERINE op zijn bureau. ‘Ik heb het liefste dat u dit pas leest als ik ben vertrokken,’ zei ze. ‘Daarna kunnen we, als u zou willen, er nog eens een keer met elkaar over praten. En als wordt besloten dat zuster Catherine heilig wordt verklaard, zou ik graag een uitnodiging krijgen voor de ceremonie.’

‘Vanzelfsprekend,’ zei monseigneur Kelly, terwijl hij opstond. ‘Dokter Jenner, misschien wilt u graag een foto van zuster Catherine zien?’

‘Ja, inderdaad.’

‘En dokter Farrell, ik geloof niet dat ik u vorige keer een foto van haar heb laten zien? Deze is genomen toen ze nog vrij jong was, vroeg in de dertig denk ik.’ Monseigneur Kelly pakte een foto van een non in traditionele kledij uit zijn bureaula, die met een glimlach op haar gezicht twee baby’tjes in haar armen hield.

Ryan keek van de foto naar Monica. ‘Zuster Catherine was een

prachtige vrouw,' merkte hij op, terwijl hij de foto teruggaf.
Monica en hij zeiden allebei niets, totdat ze weer in de auto zaten. 'Straks, als ze het dossier hebben gelezen, pakken ze die foto nog een keer en bekijken ze hem nog eens aandachtig,' merkte Ryan op. 'Je lijkt op haar, vooral je glimlach.'
Voordat hij de auto startte voegde hij eraan toe: 'Alexander hield zoveel van Catherine, dat hij nooit een andere vrouw heeft gewild. En dat is net zoveel als ik van jou hou.'

81

Een week later

Dit voelt heel anders dan de laatste keer dat ik Sally uit het ziekenhuis ontsloeg, dacht Monica, terwijl ze zich herinnerde hoe ongeduldig René Carter tegen Kristina had gesnauwd dat ze moest opschieten omdat ze anders te laat zou zijn voor de een of andere lunch.
Vandaag vertrok Sally in de liefdevolle armen van Susan Gannon, die zonder Peter naar het ziekenhuis was gekomen. 'Peter wacht op ons in het appartement,' zei ze. 'Hij zei dat hij bang was in huilen uit te barsten op het moment dat hij Sally voor de eerste keer in levenden lijve ziet.' Susan glimlachte, terwijl ze met haar neus Sally's wang liefkoosde en voegde eraan toe: 'En dat is precies wat hij gaat doen als ik met dit kleine meisje het huis binnenkom. Hij kan niet wachten tot hij haar te zien krijgt. Kristina begint morgen pas bij ons, we wilden Sally eerst nog een dagje voor ons alleen.'
'Ik begrijp dat Peter door een heleboel ellende heen is gegaan,' zei Monica. 'Ik hoop dat alles op z'n pootjes terechtkomt voor hem.'
'Hij zal het met de belasting moeten oplossen, maar verder wordt

hij nergens van beschuldigd,' vertelde Susan eerlijk. 'En dat doorstaat hij wel. Het is een enorme opluchting voor ons allemaal dat Greg en de anderen waarschijnlijk "schuldig" zullen pleiten. Ik zal heel dankbaar zijn als we niet door allerlei processen heen hoeven.'

'Ja, ik ook,' zei Monica heftig. 'Het laatste wat ik wil is getuigen in een rechtszaak. En ik zou het walgelijk vinden om die dokter Hadley weer te moeten zien.'

Susan aarzelde even en zei toen: 'Monica, nu je de bewijzen hebt dat je de kleindochter van Alexander Gannon bent, hoop ik dat er iets van het geld dat jou toekomt, ook bij jou terechtkomt.'

'We zullen wel zien,' reageerde Monica zacht. 'Als dat gebeurt, gaat het meeste naar het pediatrisch centrum dat we hier zo hard nodig hebben. Ik ben heel blij dat ik weet waar ik vandaan kom, en het is een vreugde te weten dat Sally mijn nichtje is. Geen wonder dat ik altijd zo'n speciale band met haar voelde. Het trieste van alles is dat het aan drie mensen het leven heeft gekost.'

'Wil je op bezoek komen bij Sally?' vroeg Susan. 'En ik bedoel regelmatig, als familie, niet zomaar een keertje. Ik weet zeker dat je Peter zult mogen. Hij zal vaak bij ons zijn. En bovendien is hij natuurlijk een neef van je.'

Monica stak haar armen uit en nam Sally van Susan over. Zo liepen ze de gang af en toen gaf ze de baby, na een laatste dikke zoen, weer terug aan Susan.

'Dag Monny,' riep Sally, toen ze in de lift stapten en de deur zich achter hen sloot.

Toen voelde Monica een hand op haar arm. Het was Ryan. 'Wees maar niet al te verdrietig. Een dezer dagen krijg je er een van jezelf.'

Met een stralende glimlach keek ze naar hem op.

'Ja, ik hoop het. Ik hoop het.'

DANKWOORD

In mijn voorgaande boek schreef ik over het medische wonder van een harttransplantatie en dat de ontvanger daarmee misschien wel iets van de eigenschappen van de donor krijgt.

Dit verhaal gaat over een ander wonder; een wonder dat de medische wetenschap niet kan verklaren. Afgelopen voorjaar was ik aanwezig bij de ceremonie ter ere van de heiligverklaring van een non die zeven ziekenhuizen voor bejaarden en invaliden heeft gesticht en aan wie, via het gebed, de genezing van een kind wordt toegeschreven.

Tijdens die prachtige ceremonie besloot ik dat ik daar iets over wilde schrijven in mijn volgende boek. Het werken aan dit boek beschouw ik als een reis die me veel inzichten heeft verschaft – iets waarvan ik hoop dat u die graag met mij deelt.

Zoals altijd ben ik veel dank verschuldigd aan mijn trouwe begeleiders en vrienden die het pad voor me effenen wanneer ik zit te zwoegen achter de computer.

Zoals altijd was het een genoegen om met Michael Corda te werken – al vijfendertig jaar mijn redacteur. Vanaf de allereerste pagina tot en met het allerlaatste woord zijn zijn raad, aanmoediging en enthousiasme een nooit opdrogende bron van kracht voor mij.

Senior redacteur Amanda Murray heeft ons bij iedere stap bijgestaan met haar wijze suggesties en opmerkingen.

Zoals altijd dank aan Gypsy da Silva, Associate Director of Copyediting, Lisl Cade, mijn uitgever, en mijn lezers van de proefversie van het verhaal: Irene Clark, Agnes Newton en Nadine Petry. Wat heb ik toch een geweldig team!

Veel dank ook aan Patricia Handal, de coördinator van de Cardinal Cooke Guild, voor haar onbetaalbare en veelvuldige assistentie bij het begrijpen van het proces van heiligverklaring.

Dank aan rechercheur Marco Conelli voor de antwoorden op mijn vragen over politieprocedures.

En verder dank aan Gregg A. Paradise, jurist gespecialiseerd in patenten en de wetten daaromtrent, die een belangrijk element zijn in dit verhaal.

En dan is het hoog tijd dat ik mijn petje afneem voor een geweldige fotograaf: Bernard Vidal, die al twintig jaar uit Parijs overkomt om mijn omslagfoto te maken; en ook voor Karem Alsina, de geweldige make-up- en haarkunstenaar, die jaar na jaar zijn best doet om me er zo voordelig mogelijk uit te laten zien.

Geen enkele prestatie zou enige waarde voor me hebben als ik die niet zou kunnen delen met mijn bijzondere echtgenoot, John Conheeney, en mijn kinderen en kleinkinderen. Jullie weten wat jullie voor me betekenen.

Lezers en vrienden, ik hoop dat jullie hebben genoten van mijn laatste pennenvrucht. God zegene jullie allen.